Richard Raymond RÈGLES DES JEUX DE CARTES

Données de catalogage avant publication (Canada)

Raymond, Richard, 1946-

   Tous les jeux de cartes

   (Collection Guides pratiques)

   ISBN 2-89089-930-6

   1. Jeux de cartes. I. Titre. II. Collection: Guides
pratiques (Montréal, Québec).

GV1243.R39 1993   795.4   C93-096524-8

LES ÉDITIONS QUEBECOR
une division de Groupe Quebecor inc.
7, chemin Bates
Bureau 100
Outremont (Québec)
H2V 1A6

© 1993, Les Éditions Quebecor, Richard Raymond
Dépôt légal, 4ᵉ trimestre 1993

Bibliothèque nationale du Québec
Bibliothèque nationale du Canada
ISBN : 2-89089-930-6

Distribution : Québec Livres

Éditeur : Jacques Simard
Coordonnatrice à la production : Sylvie Archambault
Illustration des jeux de cartes : gracieuseté de Graphica inc.
Conception de la page couverture : Bernard Langlois
Correction d'épreuves : Jocelyne Cormier
Composition et montage : TDT Laser+

Impression : Imprimerie L'Éclaireur

RICHARD RAYMOND

RÈGLES
DES JEUX DE CARTES

Les Éditions Quebecor

Remerciements

Je n'aurais pu écrire ce livre sans l'aide ni l'encouragement de mon entourage. C'est pourquoi je veux remercier tous ceux et toutes celles qui m'ont, d'une manière ou d'une autre, appuyé pendant sa conception et sa rédaction.

D'abord, il me faut remercier mes enfants, Mélanie et Olivier, et mes amis, Noël Leclerc et Ghislain Charbonneau, pour leur patience et leur disponibilité. Tous les quatre m'ont enseigné de nouveaux jeux et ont accepté d'y jouer avec moi à plusieurs reprises. Grâce à eux, les amateurs trouveront ici les règlements de jeux comme la Salade, le Trio, le Golf, «le Dime», le 99, etc., tous des jeux qui ne sont pas codifiés dans les répertoires existants.

De plus, Noël et Ghislain ont relu avec beaucoup d'attention le manuscrit, suggérant des remarques fort pertinentes, des changements ou des formules destinés à améliorer la qualité du texte. Par leur attention soutenue, leur compétence et la rigueur de leur lecture, ils m'ont évité bien des maladresses et des erreurs de logique.

Je désire remercier aussi Suzanne Bareil, Lucie Lemieux et Michel Lessnick pour leur précieux concours.

Introduction

Les cartes sont une invention vieille comme le monde. Pourtant jouer aux cartes, n'est-ce pas un plaisir toujours nouveau? Plaisir multiple. D'abord, le plaisir d'être avec des gens qu'on aime, parents ou amis, et de partager une activité avec eux. Ensuite, le plaisir de recevoir une donne, d'organiser sa main et d'analyser les possibilités qu'elle offre. Le plaisir de gagner aussi, parfois une somme d'argent, et celui de perdre dans l'honneur et avec le sourire. Enfin le plaisir d'observer les autres, leur ambition de vaincre et leur joie quand ils y parviennent, ou leur déception quand ils perdent.

Ce livre est dédié à tous les Québécois et toutes les Québécoises qui s'adonnent à ce plaisir, et ils forment, semble-t-il, la majorité. Au cours de sa rédaction, combien de fois ai-je répondu à la question : «Qu'est-ce que tu fais présentement?» par «J'écris un livre sur les jeux de cartes». La première réaction de surprise passée, les questions et les commentaires fusaient. «Un livre sur les jeux de cartes?» ou encore «Un livre sur l'histoire des jeux?» ou bien «Ah! c'est intéressant». Comme si on avait de la difficulté à imaginer que quelqu'un puisse écrire un livre qui explique les règlements des jeux de cartes. Quand j'expliquais qu'il n'existait pas de répertoire québécois sur les jeux de cartes, l'intérêt s'éveillait. À vrai dire, les cartes, comme beaucoup d'autres choses au Québec, la cuisine par exemple, ont longtemps été affaire de tradition orale : les Québécois ont transmis et continuent de transmettre leurs connaissances des différents jeux en les expliquant de vive voix et, la plupart du temps, en jouant tout en parlant. C'est comme ça que j'ai appris le «Dime», le Golf, la Salade, le Concierge et tous les autres jeux codifiés pour la première fois dans ce livre : en jouant, en écoutant et en posant des questions quand je ne comprenais pas. En prenant des notes, aussi.

On trouvera donc dans ce livre nombre de jeux qui ne sont répertoriés nulle part ailleurs parce que, pourrait-on dire, ils sont typiquement québécois. Cela ne veut pas dire que l'un ou l'autre n'a pas un cousin éloigné ou même un cousin germain chez les

Américains ou les Européens. Prenons la Salade par exemple, elle est une synthèse d'un jeu européen, le Barbu, et d'un jeu américain, le Fan Tan. On peut donc dire que c'est une salade québécoise. On y trouvera aussi des jeux qui possèdent une tradition séculaire comme le Whist, mais on n'y trouvera ni le Bridge ni les Patiences. Pour le Bridge, les vrais amateurs comprendront pourquoi : pour bien expliquer ce jeu, il faut un livre entier et une expérience de jeu très solide. Quant aux Patiences, elles ont été délaissées parce que ce sont des jeux pour solitaire alors que ce livre a l'ambition conviviale, donc bien québécoise, de réunir au moins deux personnes autour d'une activité commune qui procure du plaisir et un sujet de discussion, de même qu'une occasion de se chamailler un peu, en dehors de l'arène politique.

Il me reste à souhaiter que ce livre incite le plus grand nombre à jouer aux cartes et à essayer de nouveaux jeux, qu'il mette fin aux nombreuses mésententes que suscite immanquablement une partie de cartes entre les tenants d'une règle et ceux d'une autre. Je souhaite aussi qu'il devienne un outil de consensus, un outil de référence que l'on adopte et que l'on consulte non seulement pour vider une querelle mais aussi pour découvrir tout un univers.

Richard Raymond

Les conventions générales

Chaque jeu de cartes a ses règles bien précises qui ont pour but de guider les joueurs pendant le déroulement d'une partie. Mais il existe des conventions générales qui, elles, servent à nous guider lorsque que nous jouons, peu importe le jeu. Nous allons nous pencher sur ces conventions.

Nous nous arrêterons d'abord sur le paquet de cartes. La grande majorité des jeux exige un ou deux paquets conventionnels. Le paquet conventionnel comprend 52 cartes, réparties en quatre Couleurs. Chaque Couleur est représentée par un symbole : le pique ♤, le cœur ♡, le carreau ♢ et le trèfle ♧. De plus, chaque Couleur comporte treize (13) cartes : As, 2, 3, 4, 5, 6, 7, 8, 9, 10, Valet, Dame, Roi.

De l'As au 10, chaque carte est identifiée par un chiffre qui indique sa valeur nominale et porte un nombre de symboles correspondant à sa valeur. Le Valet, la Dame et le Roi, appelés les figures, représentent un personnage et sont identifiés par la première lettre de leur dénomination anglaise : J pour le Valet (Jack); Q pour la Dame ou la Reine (Queen) et K pour le Roi (King). Habituellement quand on achète un paquet de cartes, on y trouve également deux autres cartes, les Fous, appelés en anglais Jokers.

Si un jeu requiert un paquet différent du paquet conventionnel, on en fait mention au début des règlements et on explique comment le composer.

Il arrive souvent, quand on joue aux cartes, que le but du jeu consiste à faire le plus ou le moins de levées possible. Pour désigner le joueur auquel revient une levée, on doit respecter un ordre qui établit la prédominance des cartes. L'ordre le plus souvent admis est celui que j'appelle l'ordre décroissant habituel : l'As y est la carte la plus forte, c'est-à-dire celle qui bat toutes les autres. Suivent le Roi, la Dame, le Valet, le 10, le 9, ainsi de suite jusqu'au 2. Autrement dit, un Roi bat toutes les autres cartes, sauf un As; une Dame l'emporte sur toutes les cartes de moindre valeur, comme le Valet, le 10, etc.

Pour les jeux qui ne suivent pas l'ordre décroissant habituel, l'ordre à suivre est indiqué dans les règlements particuliers.

Quand on joue aux cartes, il est des choses qu'il faut faire, peu importe le jeu choisi, comme choisir les places autour de la table, désigner les partenaires d'une équipe, battre ou mêler le paquet, le couper, distribuer ou donner les cartes.

Le tirage au sort : il existe plusieurs façons de désigner les partenaires d'une équipe, la place des joueurs autour de la table ou le premier donneur. La méthode la plus courante est celle du tirage au sort : on commence par mêler un paquet de cartes, puis on étale les cartes couvertes en éventail sur la table. Étaler des cartes couvertes signifie qu'on les pose faces contre table de manière à ce que personne ne voie la valeur des cartes. Chaque joueur tire alors une carte au hasard, sachant qu'il lui est interdit de prendre l'une des quatre cartes de chaque extrémité de l'éventail. C'est la valeur des cartes tirées par chacun qui détermine les partenaires, les places ou le premier donneur. Dans certains jeux, la carte la plus forte désigne le premier donneur, dans d'autres, c'est la carte la plus basse, selon que la position de premier donneur est avantageuse ou désavantageuse. Pour chaque jeu, une méthode de choix est suggérée.

Le sens du jeu : quoi que l'on fasse quand on joue, que ce soit mêler le paquet, le couper, annoncer un contrat, jouer ou passer ou bien distribuer les cartes, on ne peut le faire n'importe comment ni n'importe quand. Encore une fois, il y a un ordre à respecter. En d'autres termes, un joueur doit toujours suivre le sens de la rotation du jeu.

Le point de départ de la rotation est toujours le donneur ou, plutôt, l'aîné, c'est-à-dire le joueur assis à sa gauche. À partir de l'aîné, le jeu suit le sens des aiguilles d'une montre. En d'autres termes, après l'aîné, c'est à la personne assise à sa gauche à mêler le paquet, à parler, à jouer ou à recevoir des cartes.

La mêlée : un joueur, quel qu'il soit, a toujours le droit de battre les cartes, et cela même si les règlements de certains jeux désignent un joueur pour remplir cette fonction. On doit se rappeler, cependant, que le donneur conserve toujours, lui, le privilège d'être le dernier à mêler les cartes.

Bien mêler ou battre les cartes est un art, un art qu'il faut connaître au même titre que celui de bien jouer sa main. Comme tout art, il repose sur la maîtrise d'une technique, et la meilleure c'est de battre les cartes en soufflet (les anglophones disent : *riffle-shuffle*).

On divise d'abord le paquet en deux tas à peu près égaux, que l'on pose face contre table. On joint les deux tas par un coin. On tient fermement les deux tas avec les doigts et on retrousse les coins avec les pouces. En même temps, on rapproche les deux tas l'un de l'autre afin que leurs cartes s'entremêlent. Puis on laisse glisser les pouces doucement le long des cartes pour qu'elles s'égrènent. Avec les paumes, on reforme un seul paquet en repoussant les tas l'un vers l'autre.

On suggère de battre trois fois les cartes en suivant cette technique avant chaque donne.

Il existe, bien sûr, une autre technique pour battre les cartes, la technique dite «Poker». On tient la moitié du paquet dans la main gauche et l'autre moitié dans la main droite. Pour les droitiers : on tient le tas de la main gauche de manière lâche pour qu'en laissant retomber l'autre tas dans cette main, les cartes s'entremêlent. Les joueurs sérieux n'acceptent pas cette technique tandis que tous reconnaissent la technique en soufflet, même les joueurs de Poker.

La coupe : couper le paquet consiste à envoyer les cartes de la partie inférieure du paquet dans la partie supérieure et vice versa. Pour cela, il faut diviser le paquet en deux tas, puis le reformer, en suivant la méthode suivante : d'abord le donneur dépose le paquet sur la table devant le joueur assis à sa droite, appelé le coupeur.

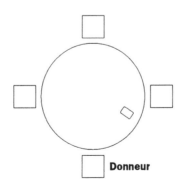

Donneur

Ce dernier prend un tas d'au moins quatre cartes dans la partie supérieure du paquet et le dépose sur la table, dans la direction du donneur.

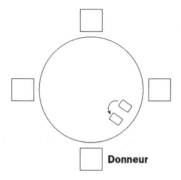

Donneur

Le donneur prend alors le tas auquel le coupeur n'a pas touché et le ramène sur celui qu'il a déplacé, pour reformer un seul paquet. Après quoi, il donne les cartes.

La distribution ou la donne : bien donner les cartes suppose qu'on connaît un certain nombre de conventions et, surtout, qu'on les respecte.

Pour donner les cartes, un joueur droitier tient le paquet dans la main gauche et, de la droite, il glisse en douceur la carte en direction du joueur auquel elle est destinée. Un joueur gaucher fera l'inverse. Avancer le corps et les mains dans la direction du joueur à servir aide à donner les cartes en souplesse.

On évitera de prendre chaque carte entre le pouce et l'index et de la faire claquer en la posant sur la table.

Il est formellement interdit au donneur de regarder la valeur de la dernière carte du paquet, même si elle lui est destinée, soit avant soit pendant la donne.

Les règlements de la majorité des jeux exigent que le donneur donne la première carte à l'aîné, le joueur assis à sa gauche. Ensuite, le donneur suit le sens des aiguilles d'une montre, c'est-à-dire donne la carte suivante au joueur assis à la gauche de l'aîné. C'est la méthode la plus courante de distribuer les cartes.

Quant au nombre de cartes à donner à chaque tour, il peut varier d'un jeu à l'autre. La plupart du temps, le donneur donne les cartes une à une, c'est-à-dire une à la fois. Pourtant, certains jeux exigent qu'on en donne deux ensemble ou davantage. Il faut se rappeler que, dans ce cas, tous les joueurs doivent recevoir le même nombre de cartes à chaque tour. Il peut même arriver que le nombre de cartes à donner varie d'un tour à l'autre : par exemple, on peut devoir donner 3-2-3, c'est-à-dire trois cartes ensemble au premier tour, deux au deuxième tour et, finalement, trois cartes à la fois au troisième tour.

Enfin, on donne toutes les cartes couvertes, c'est-à-dire de manière à en cacher la valeur. Pour cela, on les distribue face contre table pour que personne ne puisse voir les cartes reçues par un autre joueur.

Retourner une carte pendant la distribution ou trouver une carte retournée dans le paquet, c'est-à-dire une carte dont on peut voir la valeur, permet presque toujours de déclarer une maldonne.

La maldonne : un règlement universel exige qu'à la demande de n'importe quel joueur, le donneur mêle de nouveau les cartes et procède à une nouvelle distribution s'il n'a pas respecté l'une ou l'autre des règles de la mêlée, de la coupe ou de la donne. Il est d'usage de déclarer une maldonne après qu'un joueur a vu l'une de ses cartes ou après que la donne a été complétée.

Le paquet imparfait : un paquet est considéré comme étant imparfait s'il ne comprend pas le nombre de cartes nécessaires pour jouer. Il peut y avoir des cartes en trop ou en manquer. Il peut y en avoir en trop parce que des cartes étrangères au paquet s'y sont glissées : on peut, par exemple, avoir laissé les Fous dans le paquet pour jouer à un jeu qui requiert un paquet conventionnel. Il peut en manquer quand des cartes sont tombées par terre ou bien quand elles ont été mêlées à un autre paquet.

Imparfait peut avoir un autre sens. Ce terme désigne alors un paquet qui contient une ou des cartes qui sont brisées ou usées au point qu'on peut en identifier la valeur en les voyant de dos.

Quand on s'aperçoit qu'un paquet est imparfait et qu'il devait l'être au début de la donne, on abandonne immédiatement la donne, peu importe où en est rendu le jeu. Toutefois, tous les points accumulés jusque là restent valides. Si on s'aperçoit qu'un paquet est imparfait parce qu'il comprend une carte qu'on peut identifier en la voyant de dos, on termine d'abord la donne en cours, puis on remplace le paquet pour la donne suivante.

Irrégularités : un joueur peut, avec la meilleure volonté du monde, commettre une erreur. Il peut le faire aussi avec l'intention de tricher. Pour décourager les tricheurs ou pour inciter les joueurs à être attentifs au jeu, nombre de jeux prévoient des punitions particulières à imposer au joueur pris en défaut, sous forme d'amendes, de même que des règlements à suivre pour continuer la partie.

Il existe, toutefois, une convention valide pour tous les jeux : les joueurs ont un temps limité pour dénoncer une erreur et réclamer l'imposition de la sanction. Quand cette période de temps est écoulée, on ne peut plus rien faire, on considère que l'erreur a été excusée et annulée, c'est-à-dire acceptée comme une façon réglementaire de jouer.

Voici un aperçu des limites de temps accordées aux joueurs pour dénoncer les erreurs les plus courantes.

1- La mêlée, la coupe ou la donne : quand on commet une erreur soit en mêlant les cartes, en les coupant ou en les donnant, cette erreur est annulée dès que tous les joueurs ont regardé leur main. Mais l'erreur ne doit pas avoir pour résultat qu'un joueur n'ait pas reçu le nombre de cartes réglementaire. Nombre de jeux prévoient, dans ce cas, des amendes ou des procédures particulières.

2- Les enchères, les déclarations, l'appel d'atout : l'erreur est annulée dès que la première carte est jouée.

3- Le jeu : si un joueur commet une erreur en jouant sa main, l'erreur est annulée dès qu'on a compté les points du coup.

4- Le décompte des points : quand on joue à l'argent, l'erreur est annulée à partir du moment où le règlement des comptes a été fait, c'est-à-dire à partir du moment où le gagnant a accepté la somme qui lui a été offerte.

Certains jeux laissent plus de temps aux joueurs pour dénoncer une erreur et pour la rectifier. Mais il est interdit de prolonger la période de temps au-delà de l'une ou l'autre de ces limites si les règlements d'un jeu ne donnent pas d'instructions plus précises.

Jeux pour enfants

Auteurs

On peut considérer ce jeu comme étant une variante de la Pêche. Toutefois, en raison de particularités qui le rendent plus difficile, nous lui avons réservé une place bien à lui.

Nombre de joueurs : quatre ou cinq.

Les cartes :

matériel requis : un paquet conventionnel et des jetons (25 par joueur) ou une feuille de pointage.

ordre et valeur des cartes : l'ordre et la valeur n'ont pas d'importance.

Le jeu :

type : individuel.

but : comme pour la Pêche, former le plus grand nombre de poissons possible.

règles :

la distribution : on désigne le donneur par tirage au sort : le joueur qui tire la carte la plus forte distribue les cartes. Le donneur mêle bien le paquet et le fait couper par le joueur assis à sa droite. Il distribue toutes les cartes couvertes jusqu'à épuisement du paquet. Il les donne une à une, aussi également que possible, en commençant par l'aîné, c'est-à-dire le joueur assis à sa gauche, et en suivant le sens des aiguilles d'une montre. Contrairement à la Pêche, il n'y a pas de talon, puisque le donneur a distribué **toutes** les cartes.

le déroulement : l'aîné commence en demandant une carte à n'importe quel joueur : il doit préciser non seulement sa valeur mais aussi sa Couleur. Par ex. : «Mélanie, donne-moi l'As de pique.» Si Mélanie a l'As de pique dans sa main, elle le donne à l'aîné qui continue de jouer. Sinon, c'est au joueur assis à la gauche de l'aîné de jouer. Quand un joueur a réussi à former un poisson, il le dépose sur la table.

Pointage : chaque fois qu'un joueur dépose un poisson sur la table, il reçoit un jeton de chacun des autres joueurs.

Si on marque les points, le joueur accumule alors autant de points qu'il y a de joueurs.

Fin de la partie : la partie prend fin quand les 13 poissons ont été déposés sur la table. Chaque joueur compte ses jetons ou ses points, et le gagnant est celui qui en a le plus.

Irrégularités : voir les règlements de la Pêche.

La Bataille

Nombre de joueurs : deux.

Les cartes :

matériel requis : un paquet conventionnel.

ordre : l'ordre décroissant habituel : l'As est la carte la plus forte, suivie du Roi, puis de la Dame, du Valet, du 10, du 9, du 8, du 7, du 6, du 5, du 4, du 3 et, enfin du 2, la carte la plus faible.

valeur : la valeur des cartes n'a pas d'importance puisqu'il ne s'agit pas de faire de points.

Le jeu :

type : individuel.

but : ramasser toutes les cartes.

règles :

la distribution : le donneur, c'est-à-dire le joueur qui distribue les cartes, mêle bien les cartes. Puis il les distribue une à une, en alternance, en commençant par son adversaire. À la fin de la distribution, les joueurs ramassent leurs cartes en paquet sans les regarder. Chacun a alors 26 cartes couvertes empilées devant lui.

le déroulement : les joueurs retournent en même temps la carte placée sur le dessus de leur paquet respectif. Celui qui a la carte la plus forte ramasse les deux cartes et les met de côté. Si les deux cartes retournées sont d'égale force, une bataille commence. Les joueurs retournent en même temps une autre carte sur la première, puis une autre encore, et ainsi de suite jusqu'à ce qu'un joueur retourne une carte identique à celles qui sont à l'origine de la bataille. Par exemple, si la bataille commence avec deux Rois, c'est le premier joueur qui retourne un Roi qui ramasse les deux piles de la bataille. (Illustration 1 : La bataille simple de Rois remportée par le Roi de cœur, page 21)

Si, pendant une bataille, les joueurs retournent encore deux cartes identiques, par exemple des 10, on les met de côté en prévision d'une autre bataille. Quand la première est terminée, on procède alors à la deuxième bataille. Encore une fois, c'est le joueur qui retourne un 10 le premier qui ramasse les cartes.

Quand un joueur a épuisé son paquet de cartes, il mêle les cartes qu'il a ramassées pendant la partie, les pose face contre table et continue à jouer en puisant dans ce nouveau paquet.

Si l'un des joueurs vient à épuiser toutes ses cartes pendant une bataille, son adversaire est forcé de fournir des cartes sur sa pile de bataille, jusqu'à ce que l'un d'eux ait remporté la victoire. L'adversaire est forcé alors de commencer à jouer en retournant une carte sur la pile du joueur qui n'a plus de cartes.

Variante :

On peut changer la façon de gagner une bataille : chaque joueur pose d'abord une carte couverte sur son Roi, puis il retourne une autre carte. Celui qui a la plus forte ramasse les six cartes. (Illustration 2 : La bataille de Rois remportée par un Valet, page 21)

Si les cartes retournées sont d'égale force, par exemple deux Dames, on est alors en présence d'une double bataille. (Illustration 3 : Une double bataille, page 21)

Chaque joueur doit mettre deux cartes couvertes sur sa Dame, puis retourner une troisième carte. La plus forte gagne, et le joueur ramasse les douze cartes. (Illustration 4 : une double bataille de Dames remportée par un 4, page 21)

Illustration 3
Une double bataille

Illustration 1
Une bataille simple de Rois
remportée par le Roi de cœur

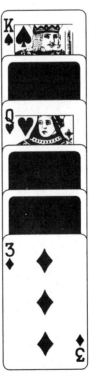
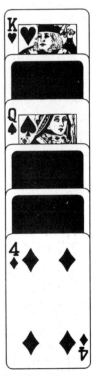

Illustration 2
La bataille de Rois
remportée par un valet

Illustration 4
Une double bataille
de Dames remportée par un 4

La Bataille égyptienne

Ce jeu ressemble au Slapjack, mais, en raison de différences importantes, nous lui avons réservé une place à part.

Nombre de joueurs : de deux à cinq.

Les cartes :

matériel requis : un paquet de 52 cartes.

ordre : l'ordre des cartes n'a pas d'importance.

valeur : seuls l'As, le Roi, la Dame et le Valet ont une certaine valeur.

Le jeu :

type : individuel.

but : ramasser toutes les cartes.

règles :

la distribution : le donneur mêle bien les cartes et les distribue toutes en les donnant une à une dans le sens des aiguilles d'une montre. Tous les joueurs n'auront pas nécessairement le même nombre de cartes : cela est sans importance. Personne n'a le droit de regarder ses cartes. Avant de commencer à jouer, chaque joueur place ses cartes en paquet devant lui, face cachée, comme pour la Bataille.

le déroulement : l'aîné commence en prenant la carte sur le dessus de son paquet et la retourne rapidement en la plaçant au centre de la table. Puis le joueur suivant fait de même. Lorsqu'un joueur retourne un As, un Roi, une Dame ou un Valet, cela lui donne le droit de ramasser la pile au centre de la table à une condition : que le joueur suivant ne la lui vole pas. Pour pouvoir lui voler la pile, le joueur suivant doit retourner lui aussi une figure. S'il le fait, il peut ramasser la pile au centre de la table à la condition que le joueur suivant ne la lui vole pas, à son tour. Chacune des figures donne le droit au joueur suivant de retourner un certain nombre de cartes et, par le fait même, lui donne un certain nombre de chances de ramasser la pile de la table. Voici comment cela fonctionne : si Olivier retourne un As, Mélanie, qui joue après lui, a le droit de retourner quatre cartes. S'il retourne un Roi, Mélanie peut retourner trois cartes, si la carte retournée est une Dame, elle peut retourner deux cartes et une carte si la carte est un Valet. Si Mélanie ne retourne pas de figure, Olivier ramasse la pile. Par contre, si Mélanie retourne une figure, un troisième joueur a alors le droit de tenter sa chance. Si ce troisième joueur retourne une figure, c'est au tour d'un quatrième joueur à tenter sa chance. Le joueur qui tente sa chance perd la pile au profit du joueur précédent s'il ne retourne pas de figure.

Si deux cartes de même valeur sont retournées l'une à la suite de l'autre, le premier joueur à mettre la main sur la pile ramasse les cartes. Tous les joueurs ont le droit de «frapper» la pile lorsqu'on retourne consécutivement deux cartes de même valeur. Supposons qu'Olivier a retourné un As, Mélanie a quatre chances de lui voler la pile en retournant quatre cartes. Si la première carte qu'elle retourne est un As, on a alors une «Bataille».

Il est possible qu'un joueur perde toutes ses cartes. Tout n'est pas perdu pour ce joueur qu'on appelle la momie. Il doit alors mettre les mains sous la table et attendre une bataille. Dès que deux cartes de même valeur sont retournées l'une à la suite de l'autre, la momie a le droit de sortir de son sarcophage et de frapper la pile. Si elle est la première à le faire, elle ramasse les cartes et revient au jeu. Sinon, la momie est éliminée.

Fin de la partie : la partie prend fin quand l'un des joueurs réussit à ramasser toutes les cartes.

Le Cochon
(La Cuillère)

Nombre de joueurs : de trois à treize.

Les cartes :

matériel requis : un paquet artificiel composé d'autant de Carrés (4 cartes de même valeur) qu'il y a de joueurs.

Ainsi, pour trois joueurs, on compose un paquet de douze cartes avec les As, les Rois et les Dames seulement. Pour cinq, on prend vingt cartes (les As, les Rois, les Dames, les Valets et les Dix).

ordre et valeur : l'ordre et la valeur n'ont pas d'importance.

Le jeu :

type : individuel.

but : ne pas être le dernier joueur à remarquer qu'un autre joueur a formé un Carré.

règles :

la distribution : on désigne le premier donneur par tirage au sort : le joueur qui tire la carte la plus forte est le premier à distribuer les cartes. Le donneur mêle bien le paquet et le fait couper par le joueur assis à sa droite. Il distribue les cartes une à une en commençant par l'aîné et en suivant le sens des aiguilles d'une montre. Chaque joueur doit avoir une main de quatre cartes.

le déroulement : chaque joueur analyse sa main. Ensuite, il passe une carte au joueur assis à sa gauche et reçoit une carte de son voisin de droite. Les joueurs continuent de se passer ainsi une carte jusqu'à ce que l'un d'entre eux réussisse à former un Carré, c'est-à-dire à réunir quatre cartes de même valeur, les quatre As par exemple. Dès qu'un joueur a réussi à former un Carré, il pose son doigt sur son nez. Les autres joueurs doivent cesser de jouer sur-le-champ et poser un doigt sur leur nez. Le dernier joueur à le faire est déclaré le «Cochon».

Fin de la manche et de la partie : une partie comprend une seule manche. La partie prend fin avec la déclaration du «Cochon».

Variantes :

Une **première variante** permet de jouer une **partie à plusieurs manches**. Pour cette variante, qu'on appellera **le Poids du Cochon**, les cartes ont une valeur : le Roi vaut 13, la Dame vaut 12, le Valet 11 et les autres cartes gardent leur valeur nominale, jusqu'à l'As qui vaut 1.

Avant de commencer à jouer, les joueurs fixent le poids maximal du cochon. Après la distribution, le donneur forme le talon avec les cartes qui ne font pas partie du paquet artificiel. Il dépose le talon, face couverte, au centre de la table. La manche se déroule telle que décrite plus haut. Quand un joueur est déclaré le «Cochon», il doit piger une carte du talon et la montrer aux autres : la valeur de la carte indique le poids de son cochon. S'il pige un 9, son cochon pèse désormais neuf kilos. La carte retournée est mise de côté. Dès que le cochon d'un joueur atteint le poids maximal, le joueur est éliminé. La partie continue avec ceux qui restent jusqu'à ce qu'il n'en reste qu'un seul, le gagnant de la partie.

Quand le talon est épuisé, on reprend les cartes mises de côté, on les brasse et on forme un nouveau talon. S'il y a sept joueurs ou plus autour de la table, il est conseillé de mêler les cartes du talon avec un second paquet conventionnel. De cette manière, le talon s'épuise moins vite.

La **deuxième variante** s'appelle **la Cuillère**. Quand on l'ajoute à la première, elle donne de l'animation au jeu. Pour y jouer, il suffit de placer au centre de la table autant de cuillères qu'il y a de joueurs, **moins une**. S'il y a quatre joueurs, on met trois cuillères, et on en met six, s'il y a sept joueurs.

Au lieu de mettre son doigt sur son nez, le premier joueur à former un Carré s'empare d'une des cuillères placées au centre de la table. Quand un joueur s'empare d'une cuillère, les autres doivent faire la même chose. Celui qui ne réussit pas à s'emparer d'une cuillère pige une carte du talon pour alourdir son cochon.

Irrégularité : il est interdit de prendre une cuillère quand on n'a pas un Carré dans sa main. Autrement dit, il est interdit d'énerver les autres joueurs en leur faisant croire qu'on a un Carré en main. Le joueur qui ne respecte pas cette règle perd automatiquement la manche et est obligé de piger une carte du talon pour alourdir son cochon.

Une **troisième variante** permet de rendre le jeu encore plus excitant. Il suffit de laisser les Fous dans le talon. Si un joueur pige un Fou, le poids de son cochon retombe automatiquement à zéro. Ainsi, on peut être à quelques points du poids maximal et voir soudain son cochon «maigrir» à vue d'œil.

Concentration
(La Mémoire)

Nombre de joueurs : n'importe quel nombre de joueurs.

Les cartes :

matériel requis : un paquet conventionnel.

ordre et valeur des cartes : l'ordre et la valeur n'ont aucune importance.

Le jeu :

type : individuel.

but : ramasser le plus grand nombre de cartes possible en formant des Paires, c'est-à-dire en jumelant deux cartes de même valeur.

règles :

la distribution : on désigne le donneur par tirage au sort. Le joueur qui tire la carte la plus forte mêle bien les cartes et les étale couvertes sur la table, sur quatre rangées.

le déroulement : on procède dans le sens des aiguilles d'une montre en commençant par l'aîné, c'est-à-dire le joueur assis à gauche du donneur. Il retourne deux cartes au hasard. Si elles forment une Paire, il les ramasse et les dépose couvertes devant lui. Sinon, il remet chaque carte à sa place en cachant sa face. C'est alors au joueur suivant de retourner deux cartes au hasard.

Il est important de remarquer l'emplacement de chaque carte qui a été retournée et remise à sa place. Car, se rappeler l'emplacement d'un 9 par exemple, quand on en retourne un autre, permet facilement de former une Paire, donc de ramasser deux cartes.

Fin de la partie : la partie prend fin quand les joueurs ont ramassé toutes les cartes de la table. Chacun compte les siennes et c'est le joueur qui en a le plus qui gagne la partie.

Variantes :

Chaque joueur retourne trois cartes à la fois. Si les cartes ont la même valeur, 3 As par exemple, le joueur les ramasse.

Il ramasse aussi les 3 cartes si elles forment une Tierce, c'est-à-dire une suite de trois cartes de même couleur. Par exemple, les 2, 3 et 4 de cœur ou le Valet, la Dame et le Roi de pique.

Frappe le Valet
(Le Slapjack)

Nombre de joueurs : de trois à huit.

Les cartes :

matériel requis : un paquet conventionnel.

ordre et valeur : les cartes n'ont pas de valeur et l'ordre n'est pas important.

Le jeu :

type : individuel.

but : ramasser toutes les cartes.

règles :

la distribution : le donneur mêle bien les cartes et présente le paquet à couper à la personne assise à sa droite. Il distribue les cartes couvertes jusqu'à épuisement du paquet. Il les donne une à une en commençant par l'aîné, c'est-à-dire le joueur assis à sa gauche, et en suivant le sens des aiguilles d'une montre. Tous les joueurs n'auront pas nécessairement le même nombre de cartes : cela est sans importance. Personne n'a le droit de regarder ses cartes. Avant de commencer à jouer, chaque joueur ramasse ses cartes en paquet qu'il dépose couvert devant lui, comme pour la Bataille.

le déroulement : l'aîné commence en prenant la carte sur le dessus de son paquet, puis, d'un geste rapide, il la retourne et la dépose au centre de la table. Si la carte ainsi retournée n'est pas un Valet, le joueur assis à gauche de l'aîné retourne lui aussi une carte qu'il dépose sur la première au centre de la table. Le jeu continue en suivant le sens des aiguilles d'une montre, c'est-à-dire en passant d'un joueur à son voisin de gauche. Chaque joueur, à tour de rôle, retourne une carte de son paquet qu'il dépose au centre de la table.

Quand la carte retournée est un Valet, le premier joueur à mettre la main dessus la ramasse et ramasse également toute la pile au centre de la table. Un joueur qui ramasse les cartes au centre de la table, les mêle aux cartes du paquet qu'il a devant lui.

Si plusieurs joueurs «frappent» le Valet, c'est celui qui touche la carte avec sa main qui ramasse la pile.

Quand un joueur n'a plus de cartes, il peut continuer de jouer. Il ne peut pas retourner de carte, mais il a encore le droit de «frapper» un Valet lorsqu'on en retourne un. S'il remporte la pile, elle forme sa nouvelle main et il continue de jouer. S'il ne remporte rien, il est exclu du jeu.

Fin de la partie : la partie prend fin quand l'un des joueurs réussit à s'emparer de toutes les cartes.

Irrégularités :

1- *maldonne* : si le donneur expose une carte pendant la distribution, le joueur auquel elle est destinée doit mêler son paquet avant de commencer à jouer.

2- *frapper la mauvaise carte* : si un joueur «frappe» une carte qui n'est pas un Valet, il doit donner une carte couverte au joueur qui avait retourné et posé cette carte au centre de la table.

Le Paquet voleur

Nombre de joueurs : deux, mais idéalement trois ou quatre. À quatre, on peut jouer en équipe.

Les cartes :

matériel requis : un paquet conventionnel.

ordre : l'ordre des cartes n'a pas d'importance.

valeur : les cartes n'ont pas de valeur puisqu'il ne s'agit pas de faire des points, mais de former des Paires.

Le jeu :

type : individuel ou d'équipe.

but : s'approprier le plus de cartes possible en formant des Paires, c'est-à-dire en jumelant des cartes de même valeur.

règles :

la distribution : les joueurs prennent place au hasard autour de la table. N'importe qui donne une carte retournée à chacun jusqu'à ce qu'un joueur reçoive un Valet qui le désigne comme premier donneur. Le premier donneur est le joueur qui est le premier à distribuer les cartes.

Tous les joueurs ont le droit de mêler les cartes, le donneur conservant le privilège d'être le dernier à le faire. Quand les cartes sont bien mêlées, il présente le paquet à couper au joueur assis à sa droite. Ce dernier doit laisser au moins cinq cartes dans chaque tas de la coupe.

Le donneur distribue quatre cartes couvertes à chaque joueur en commençant à sa gauche. Il les donne une à la fois en suivant le sens des aiguilles d'une montre. De plus, il ouvre une carte sur la table à chaque tour de table. Ainsi, au début de la partie, chaque joueur a une main de quatre cartes et il y a quatre cartes retournées au centre de la table. On met le talon de côté pour la suite du jeu.

le déroulement : l'aîné, c'est-à-dire le joueur assis à la gauche du donneur, commence. Il doit essayer de jumeler une carte de sa main avec une carte de la table : pour jumeler deux cartes, il faut qu'elles soient de même valeur. Par exemple, si un joueur a un 5 dans sa main et s'il y en a un sur la table, il peut former une Paire. Alors il prend la carte de la table et la dépose avec le 5 de sa main en paquet retourné devant lui. Quand un paquet est retourné, on peut voir la valeur de la carte qui est sur le dessus.

Si un joueur ne peut former de Paire, il dépose une carte de son jeu sur la table. Au lieu d'écarter, ce joueur peut «voler le paquet» d'un autre joueur, s'il a dans sa main une carte de même valeur que la carte qui apparaît sur le paquet retourné de ce joueur. Par exemple, si le deuxième joueur a un 5 dans sa main, il peut voler le paquet de l'aîné. Dans ce cas, il doit dire : «Paquet voleur» en même temps qu'il s'empare du paquet de son adversaire. Sinon, ce dernier garde ses cartes.

Après l'aîné, c'est au tour du joueur assis à sa gauche de jouer, puis le jeu continue en suivant le sens des aiguilles d'une montre.

Quand les joueurs n'ont plus de cartes en main, le donneur distribue de nouveau quatre cartes couvertes à chacun. S'il n'y a plus de cartes sur la table, le donneur retourne quatre nouvelles cartes à partir du talon. S'il reste moins de quatre cartes, le donneur retourne assez de cartes pour combler la différence.

Fin de la partie : la partie prend fin quand le talon est épuisé. Chaque joueur ou chaque équipe compte les cartes qu'il ou qu'elle a ramassées, et le gagnant est celui qui en a le plus.

Jeu d'équipe : quand on joue en équipe, on suit les règles expliquées plus haut. Toutefois, un des deux joueurs garde toutes les cartes ramassées par l'équipe devant lui.

La Pêche

Nombre de joueurs : de deux à cinq.

Les cartes :

matériel requis : un paquet conventionnel et des jetons (25 par joueur). Il est toutefois possible de jouer à la Pêche sans jetons. Il suffit de marquer les points sur une feuille de papier.

ordre et valeur des cartes : l'ordre et la valeur ne sont pas importants.

Le jeu :

type : individuel.

but : former le plus grand nombre de poissons possible. Un poisson est formé de 4 cartes de même valeur, comme 4 Dames ou 4 As par exemple.

règles :

la distribution : on désigne le premier donneur par tirage au sort : le joueur qui tire la carte la plus forte distribue les cartes. Le donneur mêle bien le paquet et le fait couper par le joueur assis à sa droite. Il distribue les cartes une à une en commençant par l'aîné et en suivant le sens des aiguilles d'une montre. À deux ou trois joueurs, on donne à chacun sept cartes couvertes; à quatre ou cinq joueurs, on en donne cinq. Les cartes qui restent forment le talon. Elles sont placées au centre de la table, faces couvertes.

le déroulement : l'aîné commence en s'adressant à n'importe quel joueur : « X, donne-moi tes...» et, ici, il nomme une carte de n'importe quelle valeur, pourvu qu'il en possède au moins une dans sa main. Par exemple, l'aîné peut demander à Olivier ses 3 à condition qu'il ait au moins un 3 dans sa main. Si Olivier a un, deux ou même trois 3 dans sa main, il est obligé de les donner au joueur qui les lui a demandés. Ce dernier, appelé le demandeur, continue de jouer en s'adressant soit à Olivier soit à un autre joueur. Il peut demander soit la même carte ou une carte d'une autre valeur. Tant et aussi longtemps qu'un demandeur reçoit au moins une carte d'un autre joueur, il continue de jouer. Dès qu'un demandeur a un poisson dans sa main, il montre ses quatre cartes de même valeur aux autres joueurs et les dépose couvertes sur la table devant lui.

Si l'autre joueur n'a pas la carte demandée, il répond : «Va à la pêche!» Le demandeur doit alors prendre la carte sur le dessus du talon. Si cette carte complète un poisson, le joueur montre ses quatre cartes et les dépose sur la table devant lui. Puis il continue de jouer. Si la pêche ne rapporte rien, c'est-à-dire si elle ne donne pas au demandeur la quatrième carte d'un poisson, c'est alors à la personne assise à sa gauche de jouer.

Quand un joueur n'a plus de cartes, il en pige une du talon. Il peut alors demander des cartes de même valeur que celle qu'il a pigée. Toutefois si le talon est épuisé, le joueur doit se retirer du jeu.

Il est important de se rappeler les cartes que les autres joueurs obtiennent. Par exemple, Mélanie sait que l'aîné a obtenu deux 3 d'Olivier. Cela veut dire que l'aîné a trois 3 dans sa main. Comme elle en a un, elle pourra demander à l'aîné de lui donner ses 3 quand viendra son tour de jouer. Ainsi elle formera facilement un poisson.

Pointage : chaque fois qu'un joueur dépose un poisson sur la table, il reçoit un jeton de chacun des autres joueurs. Si on marque les points, le joueur accumule alors autant de points qu'il y a de joueurs.

Fin de la partie : la partie prend fin quand les 13 poissons ont été déposés sur la table. Chaque joueur compte ses jetons ou ses points, et le gagnant est celui qui en a le plus.

Irrégularités :

1- *maldonne :* si le donneur expose une carte pendant la distribution ou si l'un des joueurs n'a pas assez de cartes et qu'il le fasse remarquer avant de regarder sa main, le donneur doit recommencer la distribution.

2- *carte exposée :* un joueur qui échappe une carte ou la fait voir aux autres joueurs d'une façon ou d'une autre, la reprend dans sa main. Si un joueur expose la carte d'un autre joueur, autrement qu'en la lui demandant et en la recevant, il doit donner un jeton à chacun des joueurs présents autour de la table.

3-*jeu prématuré* : un joueur qui demande des cartes d'une valeur, les Dames par exemple, alors que ce n'est pas à son tour de jouer, ne peut pas faire de poisson avec les cartes de cette valeur.

4- *oublier de montrer un poisson* : si un joueur forme un poisson et ne le montre pas avant la fin du tour, il ne recevra pas de jetons (pas de points) pour ce poisson.

5- *demande illégale* : quand un joueur demande une carte d'une valeur sans en avoir au moins une dans sa main, il donne un jeton à chacun des autres joueurs. De plus, dès qu'on constate l'erreur, le joueur fautif doit rendre à leurs propriétaires les cartes illégalement obtenues.

6- *oubli de donner une carte* : quand un joueur n'a pas donné une carte qu'on lui a demandée et qu'il avait dans sa main, les Dames par exemple, il donne un jeton à chacun des autres joueurs, et il perd le droit de former un poisson avec les cartes de cette valeur.

Rouge ou noir?
(La Bataille des couleurs)

Ce jeu est le plus simple de tous. Un enfant de trois ans peut y jouer.

Nombre de joueurs : deux.

Les cartes :

matériel requis : un paquet conventionnel.

ordre et valeur : l'ordre et la valeur des cartes ne comptent pas.

Le jeu :

type : individuel.

but : ramasser toutes les cartes.

règles :

la distribution : le donneur, c'est-à-dire la personne qui distribue les cartes, mêle bien le paquet et distribue les cartes une à une, en commençant par son adversaire. Au début de la partie, chaque joueur a 26 cartes. Il les ramasse en paquet qu'il pose couvert devant lui.

le déroulement : l'adversaire du donneur commence en tirant une carte de son paquet. Sans la montrer au donneur, il lui pose la question : «Rouge ou noir?» Si le donneur répond par la bonne couleur, son adversaire lui donne la carte. Le donneur la met de côté. C'est alors à son tour de tirer une carte de son paquet et de poser la question. Si son adversaire ne répond pas en donnant la bonne couleur de la carte, le joueur la met de côté. Quand les deux joueurs ont épuisé le paquet de 26 cartes, ils ramassent les cartes mises de côté au cours de la partie, les mêlent et continuent de jouer.

Fin de la partie : la partie prend fin quand l'un des joueurs a ramassé les 52 cartes : il gagne la partie. On peut aussi, avec les très jeunes enfants, fixer une limite de temps : quand le temps est écoulé, le joueur qui a le plus de cartes gagne la partie.

Le Trente-et-un

Nombre de joueurs : de deux à dix.

Les cartes :

matériel requis : un paquet conventionnel.

ordre : l'ordre décroissant habituel, l'As étant la carte la plus forte, suivie du Roi, puis de la Dame, du Valet, du 10, du 9, du 8, du 7, du 6, du 5, du 4, du 3 et enfin du 2.

valeur : l'As vaut 11 points, le Roi, la Dame et le Valet valent chacun 10 points, les autres cartes ont la valeur indiquée par leur chiffre.

Le jeu :

type : individuel.

but : former le Trente-et-un en ramassant un As et deux figures ou faire le plus de points possible.

règles :

la distribution : on tire au sort le choix du premier donneur. N'importe qui donne une carte retournée à chaque joueur. La personne qui reçoit le premier Valet est désignée comme donneur. Tous les joueurs ont le droit de mêler les cartes, le donneur a le privilège d'être le dernier à les battre. Après les avoir mêlées, il fait couper le paquet par la personne assise à sa droite. Puis il distribue les cartes en commençant par la gauche et en suivant le sens des aiguilles d'une montre. Il donne trois cartes couvertes à chaque joueur en les distribuant une à la fois. Il pose le talon au centre de la table et en retourne la carte du dessus, qu'il dépose à côté du talon. Cette carte est la première de la pile de défausses.

le déroulement : le joueur placé à la gauche du donneur commence. Il fait le total des cartes qu'il a en main, et s'il le juge insuffisant, il prend une carte soit du talon soit de la pile de défausses. Le joueur écarte, puis on passe au joueur suivant, qui peut prendre la première carte soit du talon soit de la pile de défausses. Quand un joueur a un total de trente et un, il étale son jeu sur la table et gagne automatiquement la partie.

Quand un joueur a une bonne combinaison qui ne totalise pas trente et un, il cogne sur la table. Les autres joueurs ont alors le droit de piger chacun une autre carte du talon ou de la pile de défausses. Le gagnant est celui dont le total égale ou se rapproche le plus de 31.

Fin de la partie : la partie prend fin quand un joueur étale une Tierce majeure : c'est la combinaison impossible à battre. Elle prend fin aussi si un joueur cogne. Dans ce cas, le gagnant est le joueur qui a la combinaison la plus forte après le dernier tour de table.

Valeur des combinaisons

Combinaisons	Points
Tierce majeure (A-R-D)	31
Tierce simple (A-R-V) ou (A-D-V)	31
Brelan (trois cartes de même valeur)	30,5
Faux Brelan (deux cartes de même valeur plus le V de trèfle)	la somme des points de chaque carte

Variantes :

1- À chaque tour de table, le donneur retourne une carte sur la table. À la fin de la distribution, chaque joueur a trois cartes en main et il y a une main de trois cartes retournées sur la table : c'est la main du mort. Le donneur a le droit, avant de regarder son jeu, de l'échanger contre la main du mort. Dans ce cas, il retourne son jeu sur la table, qui devient la nouvelle main du mort. Lorsque le donneur a échangé son jeu contre le mort ou annoncé qu'il ne le ferait pas, on joue la partie telle que décrite plus haut.

Mais la partie peut prendre une autre allure si un des autres joueurs s'empare d'une carte retournée sur la table. Ici, il y a deux possibilités, selon que le donneur a échangé ou non son jeu contre celui du mort.

a- Si le donneur a fait l'échange : les autres joueurs ont le droit, chacun à leur tour, d'échanger une carte de leur main contre une carte de la table. Quand les échanges sont terminés, chacun montre sa main. Le gagnant est celui qui a la combinaison la plus forte.

b- Si le donneur ne fait pas l'échange : les autres joueurs peuvent échanger, chacun à leur tour, une carte de leur main contre une carte retournée sur la table. Chaque joueur peut faire plusieurs échanges, à condition d'échanger une carte à la fois. Autrement dit, on peut faire plusieurs tours de table pendant cette période d'échanges. Quand l'un des joueurs pense qu'il ne pourra pas améliorer sa main, il dit : «J'arrête.» La période d'échanges prend alors fin. On abat les jeux, et la meilleure main gagne.

Un joueur peut, à tout moment, s'emparer de la main du mort, comme le donneur en début de partie. Avant que ce joueur ne prenne le mort, les joueurs avaient le choix entre échanger une seule carte ou échanger toute leur main. À partir de ce moment, les autres joueurs ne peuvent échanger qu'une seule carte contre une carte retournée sur la table.

Si, à la fin de la partie, personne ne possède de combinaison, c'est le joueur qui a le plus de points qui gagne.

Un joueur peut arrêter la partie en tout temps en étalant une Tierce majeure.

2- On peut jouer une partie en plusieurs coups. Pour cela, on distribue un certain nombre de jetons à chaque personne assise autour de la table. Quand un joueur gagne un coup, il se débarrasse d'un jeton. Le gagnant de la partie est celui qui se débarrasse le premier de tous ses jetons.

La Vieille fille
(La Sorcière - La Vieille - La Pisseuse)

Nombre de joueurs : trois joueurs et plus.

Les cartes :

matériel requis : un paquet de 51 cartes (on retire une Dame d'un paquet conventionnel).

ordre et valeur des cartes : l'ordre et la valeur n'ont aucune importance.

Le jeu :

type : individuel.

but : se débarrasser de ses cartes pour ne pas devenir la Vieille fille en restant pris avec une Dame seule.

règles :

la distribution : on désigne le donneur par tirage au sort. Le joueur qui tire la carte la plus forte mêle bien le paquet et le présente à couper au joueur assis à sa droite. Puis le donneur distribue toutes les cartes couvertes jusqu'à épuisement du paquet. Il les donne une à une, en commençant par l'aîné, c'est-à-dire le joueur assis à sa gauche, et en suivant le sens des aiguilles d'une montre. Les joueurs n'auront pas nécessairement le même nombre de cartes, ce n'est pas important.

le déroulement : chaque joueur, après avoir regardé sa main, écarte les Paires qui s'y trouvent : par exemple, un joueur qui a deux 4 et trois 7 peut rejeter sa Paire de 4 et une Paire de 7, mais il doit garder le troisième 7 pour la suite du jeu.

C'est le donneur qui commence : il présente son jeu déployé en éventail à l'aîné. Il ne doit pas lui montrer la face de ses cartes. L'aîné pige une carte au hasard dans sa main. S'il peut jumeler cette carte avec une autre qu'il a dans sa main, il écarte cette nouvelle Paire. Ensuite l'aîné présente, à son tour, son jeu déployé en éventail à son voisin de gauche, sans oublier d'en cacher la face. Le voisin de gauche pige une carte dans sa main et écarte une Paire s'il peut le faire. Le jeu continue ainsi, chaque joueur présentant son jeu à son voisin de gauche qui y pige une carte.

Fin de la partie : la partie prend fin quand, toutes les Paires ayant été écartées, l'un des joueurs reste pris avec une seule Dame. Ce joueur est déclaré la Vieille fille.

Variantes :

Une **première variante** rend le jeu plus difficile, donc plus intéressant : pour former une paire, un joueur doit avoir deux cartes non seulement de la même valeur mais aussi de la même couleur. Ainsi l'As de cœur ne peut être jumelé qu'à l'As de carreau et l'As de pique ne peut former une Paire qu'avec l'As de trèfle.

Une **seconde variante** permet de déterminer non seulement le perdant d'un coup mais surtout le gagnant de la partie : pour cela, on joue plusieurs coups. Après chaque coup, le joueur déclaré Vieille fille se retire de la table de jeu, et les autres joueurs jouent un nouveau coup, jusqu'à ce qu'il ne reste plus qu'un seul joueur, qui gagne la partie.

Irrégularité : Si un joueur commet l'erreur d'écarter deux cartes qui ne forment pas une Paire, il restera trois cartes non jumelées à la fin de la partie, et c'est le joueur responsable de l'erreur qui sera déclaré Vieille fille.

Le Beigne

Nombre de joueurs : de trois à huit.

Les cartes :

matériel requis : un paquet conventionnel.

ordre : l'ordre décroissant habituel.

valeur : les cartes n'ont pas de valeur.

Le jeu :

type : individuel.

but : faire des levées pour essayer d'être le premier à atteindre un pointage de zéro.

règles :

la distribution : après une mêlée préliminaire, on désigne le premier donneur par tirage au sort. Celui qui tire la carte la plus forte est le premier à distribuer les cartes. Si deux joueurs tirent des cartes de même valeur, ils tirent de nouveau. À chaque coup, la donne passe à la personne assise à la gauche du donneur.

Chaque joueur peut battre le paquet. Après avoir mêlé les cartes une dernière fois, le donneur présente le paquet à couper à son voisin de droite. Puis il distribue cinq cartes couvertes à chaque joueur : il les donne une à une, en commençant par l'aîné et en suivant le sens des aiguilles d'une montre. Quand la distribution est finie, le donneur retourne la carte sur le dessus du paquet : elle désigne l'atout. Le donneur a le droit de garder cette carte, mais, s'il la garde, il doit faire un écart, c'est-à-dire rejeter une carte de sa main. Il met le paquet de côté qui ne servira plus pour le reste du coup.

le déroulement : le jeu débute par une enchère très simple. Chaque joueur, en commençant par l'aîné, dit : «J'y vais» ou «Je n'y vais pas». Dire : «J'y vais» signifie qu'on doit faire au moins une levée.

L'aîné entame la première levée en étalant sur la table une carte de sa main. La personne assise à sa gauche étale à son tour une carte, puis le jeu continue dans le sens des aiguilles d'une montre. Chaque joueur est tenu de suivre, c'est-à-dire de fournir une carte de la Couleur demandée. Si un joueur ne peut suivre, il a le droit de couper ou de jouer n'importe quelle carte. On remporte la levée quand on a joué la carte la plus forte de la Couleur demandée ou, si on a coupé la Couleur d'entame, la carte d'atout la plus forte. Le joueur qui remporte une levée entame la levée suivante.

«J'y vais» : dans certaines circonstances, les joueurs n'ont pas le choix. Ils ont l'obligation d'y aller.

1- Quand la carte qui désigne l'atout est un As, un 2 ou un 10, **tous** les joueurs sont tenus d'y aller. Il y a, toutefois, des restrictions à cette règle.

a- Après dix coups, l'obligation d'y aller disparaît quand le donneur retourne un 10.

b- Après vingt coups, l'obligation disparaît quand le donneur retourne un 2.

c- Après trente coups, l'obligation disparaît quand le donneur retourne un As.

2- Quand le score d'un joueur est égal ou inférieur à cinq, il n'a plus le choix : il est toujours obligé d'y aller.

Fin du coup : le coup prend fin quand les joueurs ont joué les cinq cartes de leur main.

Pointage : au début de la partie, on crédite 25 points à chaque joueur.

À la fin de chaque coup, le marqueur ajoute cinq points au score du joueur qui n'a pas fait de levée alors qu'il avait annoncé qu'il en ferait au moins une. On encercle le pointage d'un joueur chaque fois qu'il augmente : ce cercle, c'est le beigne qui donne son nom au jeu.

Par contre, le marqueur soustrait un point par levée au score du joueur qui a fait une ou des levées et qui avait dit : «J'y vais.»

Si un joueur avait dit : «Je n'y vais pas» et s'il a fait une ou des levées, son score ne change pas.

Variante :

Pour décourager certains joueurs à être trop prudent, on ajoute cinq points au score d'un joueur qui dit :«Je n'y vais pas», mais qui fait une levée ou plus.

Feuille de pointage

	Olivier	Mélanie	Marie-Pierre
début de la partie	25	25	25
premier coup	(30)	22	23
deuxième coup	26	22	(28)

Cette feuille de pointage nous apprend qu'au premier coup les trois joueurs ont dit : «J'y vais», Mélanie et Marie-Pierre ont fait au moins une levée (Mélanie en a fait trois et Marie-Pierrre deux), mais Olivier a échoué à en faire une. Au deuxième coup, seuls Olivier et Marie-Pierre y sont allés. Olivier a fait quatre levées, son score a baissé de quatre points. Marie-Pierre se retrouve avec cinq points de plus parce qu'elle n'a pas fait de levée. Quant à Mélanie qui avait dit qu'elle n'y allait pas, elle a fait une levée : c'est pourquoi son score n'a pas changé.

Fin de la partie : la partie prend fin quand le pointage d'un joueur atteint zéro. C'est le gagnant.

Irrégularités :

maldonne : quand il y a maldonne, le donneur perd sa donne, et c'est à la personne assise à sa gauche à donner. Il y a maldonne dans les cas suivants.

a) si le donneur a enfreint une des règles de la distribution;

b) si le donneur a retourné une carte autre que la carte d'atout;

c) si, pendant la distribution, quelqu'un s'aperçoit que le donneur n'a pas fait couper le paquet ou qu'il ne l'a pas fait couper par la personne assise à sa droite;

d) si on constate, avant que chaque joueur ait joué son premier tour, qu'un joueur a reçu moins de cartes que le nombre réglementaire.

Il n'y a pas maldonne si un joueur reçoit une carte étrangère au jeu dans le paquet. Dans ce cas, il montre la carte au donneur, puis il la met de côté. Le donneur remplace la carte écartée.

jeu prématuré : si quelqu'un joue alors que ce n'est pas à son tour de le faire, il peut reprendre sa carte si on lui demande de le faire avant que tous les joueurs aient joué pour cette levée. Si on s'en aperçoit après que la levée a été ramassée, on considère que le tour est réglementaire, et il n'y a pas d'amende.

levées : lorsqu'un joueur remporte une levée, il la place devant lui, faces couvertes. On doit garder les levées bien séparées les unes des autres afin d'être en mesure de prouver, à la fin de la partie, qu'il y a eu renonce, le cas échéant. Si les levées d'un joueur sont si mélangées qu'il devient impossible de prouver qu'il y a eu renonce, on lui donne automatiquement cinq points, et cela que la renonce ait été faite par lui ou par n'importe quel autre joueur. Les autres joueurs se voient créditer zéro pour ce coup.

renonce : faire une renonce, c'est refuser de jouer la Couleur demandée quand on peut le faire.

Un joueur peut corriger une renonce avant que la levée ne soit terminée, c'est-à-dire avant que les cartes ne soient déposées couvertes sur la table. Si on découvre plus tard qu'il y a eu renonce, on cesse aussitôt de jouer. Le joueur pris en défaut est automatiquement pénalisé de cinq points. Les autres joueurs inscrivent zéro pour ce coup. Si deux ou plusieurs joueurs ont renoncé, chacun se voit imposer une amende de cinq points.

Pour être valide, la dénonciation d'une renonce doit avoir lieu avant que les cartes ne soient coupées pour la donne suivante.

Le Bésigue

Nombre de joueurs : Deux. Toutefois, il est possible de jouer à trois ou à quatre.

Les cartes :

matériel requis : 2 paquets de 32 cartes battues ensemble, comprenant les A, R, D, V, 10, 9, 8 et 7.

ordre : l'ordre décroissant suivant : l'As est la carte la plus forte, suivie du 10, du Roi, de la Dame, du Valet, du 9, du 8 et, enfin, du 7.

valeur : seuls l'As et le 10 ont une valeur : on les appelle brisques. Chaque brisque vaut 10 points. L'As prend toutes les cartes, le 10 inclus. Le 10 prend toutes les autres cartes.

Le jeu :

type : individuel.

but : faire le plus grand nombre de points en étalant des combinaisons ou en réalisant des levées qui comportent des brisques. Les combinaisons permises sont les suivantes :

combinaisons	points
a) le mariage (un Roi et une Dame de la même Couleur)	20
b) le mariage d'atout (le R et la D d'atout)	40
c) le Carré de Valets (quatre V, n'importe lesquels)	40
d) le Carré de Dames (quatre D, n'importe lesquelles)	60
e) le Carré de Rois	80
f) le Carré d'As	100

g) le bésigue (une D de Pique et un V de
   Carreau)   40

h) un double bésigue (deux D de Pique et
   deux V de Carreau)   500

i) une quinte majeure (A, 10, R, D, V de l'atout) 250

j) un 7 de l'atout   10

k) plusieurs 7 de l'atout (chacun)   10

l) les Carrés de 10, de 9, de 8 ou de 7
   n'ont aucune valeur

règles :

la distribution : après une mêlée préliminaire, on désigne le premier donneur par tirage au sort. Celui qui tire la carte la plus basse est le premier à distribuer les cartes. Si les deux joueurs tirent des cartes de même valeur, ils tirent de nouveau. Chaque joueur peut battre le paquet, le donneur ayant le privilège d'être le dernier à le faire. L'adversaire du donneur coupe le paquet. Le donneur distribue huit cartes couvertes à chaque joueur : il les donne par groupe de 3, 2, 3, en commençant par son adversaire. Quand la distribution est finie, le donneur retourne la carte sur le dessus du paquet : elle désigne l'atout. (Quand on joue avec huit cartes, c'est la 17e carte; quand on donne neuf cartes, c'est la 19e; et c'est la 21e quand on donne dix cartes.) La retourne qui désigne l'atout reste à découvert sur la table. Le donneur dispose le talon sur la retourne d'atout de manière à la couvrir en partie.

Variante :

On peut jouer aussi avec des mains de neuf ou dix cartes : dans le premier cas, on donne trois cartes à chaque joueur à chaque tour de table. Dans le second, on donne trois cartes à chacun aux trois premiers tours de table et une carte au quatrième.

le déroulement : avant de commencer à jouer, chaque joueur classe sa main et forme des combinaisons. Si un joueur a un 7 d'atout, il a le privilège de l'échanger pour la carte de retourne.

Une manche de bésigue se déroule en deux temps : avant l'épuisement du talon et après l'épuisement du talon.

Avant l'épuisement du talon : c'est l'adversaire du donneur qui commence en abattant une carte de sa main sur la table. Le donneur doit aussi abattre une carte, mais il n'est pas obligé de suivre, c'est-à-dire d'abattre une carte de la même Couleur, ni de prendre, ni de couper. Le joueur qui abat la carte la plus forte en valeur numérique ou un atout remporte la levée. La Couleur ne compte pas. Les levées sont posées face couverte devant le joueur qui les fait, et on n'a pas le droit de les consulter pendant la partie.

Comme on joue avec deux paquets, il est possible pour les joueurs d'abattre la même carte : par exemple, un 7 de cœur sur un 7 de cœur. Dans ce cas, c'est le joueur qui a joué le premier qui prend la levée.

Gagner un pli ou une levée donne le droit de marquer des points : pour cela, le joueur annonce une combinaison de sa main, l'étend, puis inscrit les points correspondants.

Dans ce jeu, étendre des combinaisons ne signifie pas que les cartes sont écartées de la main. Au contraire, un joueur peut se servir en tout temps d'une carte étalée. On peut, par exemple, étaler un mariage d'atout, inscrire ses points, piger une carte du talon et, au tour suivant, se servir du Roi pour jouer.

Après avoir étalé une combinaison et inscrit ses points, le joueur qui vient de remporter une levée pige une carte du talon de manière à toujours avoir une main de huit cartes. C'est ensuite au tour de son adversaire à le faire. Le joueur qui prend la levée joue le premier au tour suivant.

Un joueur n'a le droit d'annoncer qu'une seule combinaison par levée. Toutefois, une même carte peut servir à former plusieurs combinaisons. Supposons que Pierre vienne d'étaler un Carré de Valets, dans lequel il y a un V de carreau. Il pige une Dame de pique. Au tour suivant, s'il remporte la levée, il peut annoncer un bésigue et enregistrer 40 points. Il a déjà en main l'As et le Roi de carreau, qui est l'atout. Il pige la Dame, puis le 10 de carreau. Après sa levée suivante, il pourra annoncer une quinte majeure et se créditer 250 points. En d'autres termes, son Valet de carreau aura servi trois fois. Il y a une exception : la même carte ne peut servir dans deux Carrés. Si Pierre pige trois autres Valets après avoir étalé son premier Carré, il ne pourra annoncer un nouveau Carré de Valets en se servant d'un des Valets du Carré déjà étalé.

Si un joueur a une quinte majeure dans sa main, il peut, après la première levée, déclarer un mariage d'atout et étaler son Roi et sa Dame : il marque alors 40 points. Après la levée suivante, il peut enregistrer 250 points en leur ajoutant l'As, le Valet et le 10. S'il annonce la quinte majeure après la première levée, il perd le crédit des 40 points alloués au mariage d'atout. Le raisonnement est également valide dans le cas d'un double bésigue. Si un joueur en a un dans sa main, il a intérêt à l'étaler en deux fois : il marquera d'abord 40 points pour le premier bésigue, puis en y ajoutant, à la levée suivante, le deuxième couple Dame de pique et Valet de carreau, il enregistrera 500 points. S'il étale le double bésigue d'un seul coup, il devra se contenter de 500 points.

Bien sûr, un joueur peut avoir en main d'excellentes combinaisons sans être capable de faire de levées. Il ne pourra malheureusement, dans ce cas, marquer de points.

Après l'épuisement du talon : quand le talon est épuisé, le joueur qui vient de faire une levée peut alors s'emparer de la retourne. Les deux joueurs reprennent alors les combinaisons qu'ils ont déjà étalées. Ils n'ont pas le droit de reprendre les levées. Le jeu continue, mais, **à partir de ce moment**, l'adversaire du gagnant d'une levée est tenu de remplir deux obligations : à chaque levée,

1- il doit suivre, c'est-à-dire fournir une carte de la Couleur demandée, et

2- il doit «forcer» le jeu, c'est-à-dire jouer une carte plus forte que la carte d'entame.

S'il ne peut suivre, il est obligé de couper. S'il ne peut couper, il peut jouer n'importe quelle carte.

Fin du coup : le coup prend fin quand les deux joueurs, après avoir étalé de nouvelles combinaisons, n'ont plus de cartes en main. Chaque joueur additionne alors ses points. D'abord, il fait le décompte de ses points alloués par les combinaisons. Ensuite, il y ajoute les points annexes, qui sont les points pour la dernière levée, pour les brisques et pour la retourne. Ainsi, le gagnant de la dernière levée marque 10 points. De plus, chaque brisque, As ou 10, vaut 10 points. Enfin, si la retourne était un 7, le donneur marque 10 points.

Variante :

Avant l'épuisement du talon : on peut entamer une levée avec n'importe quelle carte et cette carte remporte automatiquement la levée, sauf dans deux cas : si l'adversaire suit avec une carte plus forte ou s'il coupe, c'est lui qui prend le pli.

Après l'épuisement du talon : lorsqu'il reste une seule carte couverte dans le talon, le joueur qui vient de remporter la levée la prend et son adversaire prend la retourne. À partir de ce moment, on n'a plus le droit de faire de déclaration, donc d'étaler des combinaisons. Il s'agit alors tout simplement de réaliser les huit dernières levées. Elles ne sont pas inutiles puisqu'elles peuvent rapporter des brisques aux joueurs. Le joueur qui a remporté la levée précédente entame et, pour ces huit derniers tours, l'adversaire **est obligé** de suivre, c'est-à-dire de fournir une carte de la Couleur demandée s'il en a, ou de couper s'il en est capable.

Fin de la partie : la partie prend fin quand l'un des joueurs atteint 1 500 points. Si les deux joueurs atteignent ou dépassent 1 500 points à la fin du même coup, le gagnant est celui qui a le pointage le plus haut. En cas d'égalité, le gagnant est le joueur qui a remporté le dernier pli.

Variante :

Certains jouent des parties de 1 000 points seulement. D'autres fixent l'enjeu à 2 000 points.

Irrégularités :

1- *maldonne :* il y a maldonne quand un joueur n'a pas reçu huit cartes (ou bien neuf, ou bien dix, selon le choix que l'on a fait). S'il n'en a pas assez, on peut corriger la situation après accord mutuel. Toutefois, l'un des joueurs peut exiger une nouvelle distribution. Si on s'aperçoit qu'un joueur a trop de cartes **avant** qu'on ait commencé à jouer, on reprend la donne.

2- *main non réglementaire :* si on s'aperçoit, à un moment ou l'autre de la partie, que les deux joueurs ont plus de huit cartes, on reprend la donne. Si on s'aperçoit après le premier tour, c'est-à-dire après que les deux joueurs eurent pigé une carte du talon, qu'il manque une carte à l'un des joueurs, son adversaire peut décider d'annuler le coup ou l'obliger à piger deux cartes du talon après sa levée suivante.

3- *cartes exposées :* l'adversaire du donneur peut exiger une nouvelle donne si l'une de ses cartes a été découverte pendant la distribution. On reprend la donne si on trouve une carte à découvert dans le paquet avant de commencer à jouer. Si on la découvre après le début du jeu, on la remet dans le talon que l'on remêle.

4- *carte vue illégalement :* il est possible qu'un joueur, en pigeant, voie une carte du talon qui ne lui est pas destinée. Dans pareil cas, son adversaire peut, lorsque vient son tour de piger, regarder les deux cartes sur le dessus du talon et garder celle qui lui convient le mieux.

5- *entame prématurée :* si un joueur entame une levée alors que ce n'est pas à lui de le faire, son adversaire peut lui demander de retirer sa carte d'entame. Le joueur pris en défaut ne peut retirer sa carte de sa propre initiative, c'est-à-dire s'il n'en a pas reçu la permission du joueur offensé.

6- *annonce erronée :* si un joueur fait une annonce erronée, s'il annonce, par exemple, un Carré alors qu'il n'a qu'un Brelan en main, il doit soustraire de son pointage les points correspondant à la combinaison lorsque l'erreur est reconnue. Il peut aussi être forcé de jouer une des trois cartes si l'erreur a été reconnue après que son adversaire a joué et que, ce faisant, il a abattu une carte que l'annonce erronée ne lui donnait aucune raison de conserver.

7- *pointage inexact :* lorsqu'un joueur étale une combinaison et se trompe en marquant ses points (il peut inscrire les points d'une autre combinaison), son adversaire doit exiger une correction avant que la carte d'entame pour la levée suivante ne soit jouée. S'il le fait après, les points restent inscrits tels quels.

8- *renonce :* si un joueur renonce après l'épuisement du talon, c'est-à-dire s'il refuse de fournir une carte de la Couleur demandée alors qu'il en a une dans sa main, la dernière levée va à son adversaire, qui marque les points pour cette levée.

9- *paquet imparfait :* lorsqu'on s'aperçoit qu'un paquet est imparfait avant le décompte final des points d'un coup, on annule le coup. Il y a cependant une exception à cette règle : si le paquet est imparfait parce qu'une ou plusieurs cartes sont tombées sur le plancher ou dans les environs de la table au cours de la partie, le coup compte tel que joué. Les cartes égarées sont considérées comme étant mortes.

10- *compter les cartes du talon :* ce n'est pas une irrégularité. Il est en effet permis de compter les cartes du talon pour voir combien il en reste, à condition, évidemment, de ne pas en regarder la valeur.

Ces irrégularités s'appliquent à toutes les variantes qui suivent.

◻ ◻ ◻

Le Bésigue sans retourne

Cette variante se joue exactement comme le Bésigue, à une exception près : après la distribution, le donneur ne retourne pas la carte sur le dessus du talon pour désigner l'atout. C'est le premier mariage annoncé par un joueur qui fixe l'atout. C'est donc dire qu'on peut jouer un certain temps sans atout. Dans ce cas, un joueur ne peut marquer de points pour une quinte majeure tant et aussi longtemps que l'atout n'a pas été fixé par le mariage correspondant. De plus, le 7 d'atout perd sa valeur de 10 points. Pour le reste, les autres combinaisons gardent leur valeur respective.

◻ ◻ ◻

49

Le Bésigue à trois ou la Trifouille

Trois joueurs utiliseront trois paquets de 32 cartes battues ensemble. C'est l'aîné qui entame la première levée; par la suite, le gagnant d'une levée entame la suivante. L'ordre de jeu suit le sens des aiguilles d'une montre. Comme au Bésigue ordinaire, seul le gagnant d'une levée peut faire une déclaration et étaler une combinaison. Une nouvelle combinaison est permise : le triple bésigue (trois Dames de pique et trois Valets de carreau). Il vaut 1 500 points. Seul le joueur qui a étalé un double bésigue peut en former un triple en lui ajoutant la troisième Dame de pique et le troisième Valet de carreau.

L'enjeu de la partie est de 2 000 points.

◻ ◻ ◻

Le Bésigue à quatre

À quatre, on joue avec quatre paquets de 32 cartes mêlées ensemble. Cette variante offre le choix entre le jeu individuel ou le jeu d'équipe. Si on choisit le jeu individuel, on suit les règles du Bésigue ordinaire et du Bésigue à trois.

Lorsqu'on joue en équipe, on détermine par tirage au sort les partenaires des équipes. Les partenaires s'assoient l'un en face de l'autre.

Le gagnant d'une levée peut déclarer et étaler une combinaison ou céder ce privilège à son partenaire. Ce faisant, il perd le droit de déclarer pour cette levée. Autrement dit, si son partenaire ne fait pas de déclaration, le gagnant de la levée ne peut le faire, lui non plus. Il est interdit aux partenaires d'une équipe de se consulter pour déterminer celui qui doit déclarer.

Il est permis d'annoncer et d'étaler des cartes pour compléter une combinaison de son partenaire, qui est encore sur la table. Il est interdit de faire une déclaration que son partenaire ne pourrait faire lui-même. Supposons que Pierre et Jean forment une équipe. Jean a étalé un mariage de cœur, fixant par le fait même l'atout. Pierre peut le compléter en quinte majeure, s'il a l'As, le 10 et le Valet de cœur. Mais si Jean avait déjà étalé la quinte, Pierre ne peut pas se servir de la Dame de la table pour former un mariage en y ajoutant un Roi. De même, s'il y a déjà un double bésigue sur la table, on ne peut former un bésigue simple en se servant d'une des cartes du double. C'est donc dire aussi que la règle des Carrés est toujours valide. Pour former un nouveau Carré, on doit obligatoirement utiliser quatre nouvelles cartes, jamais se servir d'une carte déjà sur la table.

Après l'épuisement du talon, chaque joueur a l'obligation de suivre en forçant ou de couper, même si en le faisant il force ou coupe une carte maîtresse de son partenaire.

Comme au Bésigue à trois, le double bésigue vaut 500 points et le triple 1 500. Toutefois, pour marquer les points d'un double ou d'un triple, **toutes** les cartes doivent venir de la main du **même** joueur. En d'autres termes, il est interdit de former un double ou un triple bésigue en se servant des cartes de son partenaire.

L'enjeu de la partie est de 2 000 points.

☐ ☐ ☐

Le Bésigue chinois ou Bésigue à six paquets

Ce jeu était le préféré de Sir Winston Churchill (1874-1965), qui a été premier ministre de Grande-Bretagne de 1940 à 1945 et de 1951 à 1955. On reconnaît qu'il en a été l'un des premiers joueurs experts.

Nombre de joueurs : deux.

Les cartes :

matériel requis : six paquets de 32 cartes mêlées ensemble. Il importe peu que les motifs et couleurs du verso soient différents.

ordre : l'ordre décroissant suivant : l'As est la carte la plus forte, suivie du 10, du Roi, de la Dame, ainsi de suite jusqu'au 7.

valeur : contrairement au Bésigue, aucune carte n'a de valeur prise individuellement.

Le jeu :

type : individuel.

but : comme au Bésigue, faire le plus grand nombre de points en étalant des combinaisons ou en remportant la dernière levée.

combinaisons	points
a) le mariage (un Roi et une Dame de la même Couleur)	20
b) le mariage d'atout (un R et une D d'atout)	40
c) le Carré de Valets (quatre V, n'importe lesquels)	40
d) le Carré de Dames (quatre D, n'importe lesquelles)	60
e) le Carré de Rois (quatre R, n'importe lesquels)	80
f) le Carré d'As (quatre As, n'importe lesquels)	100
g) un Carré d'As d'atout	1 000
h) un Carré de 10 d'atout	900
i) un Carré de Rois d'atout	800
j) un Carré de Dames d'atout	600
k) un Carré de Valets d'atout	400
l) le bésigue	
- une D de pique et un V de carreau, pique atout	40
- une D de carreau et un V de pique, carreau atout	40
- une D de cœur et un V de trèfle, cœur atout	40
- une D de trèfle et un V de cœur, trèfle atout	40
m) un double bésigue (une des combinaisons ci-dessus en double)	500
n) un triple bésigue	1 500

o) un quadruple bésigue 4 500

p) la quinte majeure (A, 10, R, D, V d'atout) 250

q) une quinte d'une autre Couleur 150

r) la dernière levée vaut 250

s) les Carrés de 10 sauf d'atout, de 9, de 8 ou de 7 n'ont aucune valeur

règles :

la distribution : les deux joueurs mêlent bien les cartes allant jusqu'à s'échanger des portions du paquet de 192 cartes pour s'assurer que les six jeux sont bien mélangés. Le choix des places et du premier donneur se fait par tirage au sort. Chaque joueur soulève une portion du paquet et montre la carte du dessous. Celui qui a la plus haute choisit les places et d'être ou non le premier donneur. Si les cartes coupées sont de même valeur, on coupe de nouveau. On reforme le paquet que l'on dépose sur la table, et le donneur le coupe. L'adversaire du donneur évalue alors le nombre de cartes que le donneur a en main en avançant un chiffre. Si son évaluation est juste, il marque 150 points. S'il y a exactement 24 cartes dans la portion que le donneur a en main, ce dernier marque 250 points. Le donneur se sert de la portion qu'il a soulevée pour distribuer les cartes. Il donne 12 cartes à chaque joueur. Il les distribue une à une et en alternance en commençant par son adversaire. Le donneur étale le reste du paquet en pente, en gardant les faces couvertes, de manière à faciliter la pige. Ce paquet étalé, c'est le talon.

le déroulement : après la donne, les joueurs regroupent les combinaisons. Si, dans sa main de douze cartes, un joueur n'a aucune figure (pas un Roi, pas une Dame ni Valet), il a la «carte blanche» qui vaut 250 points. Il doit montrer sa main à son adversaire. Par la suite, chaque fois qu'il pige une carte du talon, il marque 250 points si ce n'est pas une figure, à condition de la montrer à son adversaire avant de l'ajouter à sa main.

Variantes :

Certains joueurs n'acceptent pas la règle de la «carte blanche».

Une autre règle que nombre de joueurs suivent au Bésigue chinois : ils ne reconnaissent que le bésigue formé de la Dame de pique et du Valet de carreau, quelle que soit la Couleur d'atout. Ils ne reconnaissent pas les trois autres bésigues.

C'est l'adversaire du donneur qui entame la première levée en abattant n'importe quelle carte. Le donneur joue aussi une carte de sa main. Il n'est pas obligé de suivre ni de couper. La carte d'entame remporte la levée, sauf dans deux cas : le donneur a suivi l'entame avec une carte plus forte ou bien il a coupé la carte d'entame, alors c'est lui qui remporte la levée.

Les cartes comprises dans les levées ne valent rien. C'est pourquoi on ne ramasse pas les levées, mais on les empile, cartes retournées.

Le gagnant d'une levée peut déclarer et étaler une seule combinaison et marquer les points correspondants. Cela fait, le gagnant de la levée pige une carte du talon, puis c'est au tour de son adversaire de piger. Le gagnant entame alors la levée suivante.

La Couleur d'atout : comme au Bésigue sans retourne, c'est la Couleur du premier mariage annoncé par un joueur qui détermine l'atout. Toutefois, si un joueur déclare une Quinte, avant qu'un mariage ait été étalé, c'est la Couleur de la Quinte qui détermine l'atout. Il est interdit de choisir la même Couleur pour en faire l'atout de deux coups consécutifs. Par exemple, si on a joué cœur atout au dernier coup et si Pierre a un Roi et une Dame de cœur, il ne peut les déclarer comme mariage d'atout. Il a cependant le droit de le déclarer comme un mariage ordinaire et de marquer 20 points, mais non pas 40 points.

Variante :

Quand les joueurs décident de ne reconnaître que le bésigue formé de la Dame de pique et du Valet de carreau, quel que soit l'atout, on peut choisir la même Couleur comme atout de deux coups consécutifs ou plus.

Comme au Bésigue, un joueur déclare une combinaison en en étalant les cartes retournées devant lui, sur la table. Les cartes ainsi étalées restent à la disposition du joueur pour le reste du jeu comme si elles faisaient encore partie de sa main. On marque les points d'une déclaration dès qu'elle est faite. Comme on marque rapidement des points au Bésigue chinois, on tient le compte de chaque joueur par des moyens distincts. Certains joueurs utilisent des jetons pour le décompte des points. Ils se servent de jetons de trois couleurs différentes, chaque couleur correspondant à une unité, par exemple, 10 100 et 1 000 points. Quand un joueur marque des points, il prend dans chaque pile le nombre de jetons correspondants.

La même carte peut servir à plus d'une déclaration. Supposons que Pierre étale un Carré d'As. Il marque 100 points. Il entame la levée suivante avec l'un des As qu'il vient d'étaler et la remporte. S'il a un cinquième As dans sa main, il peut l'ajouter aux trois restés sur la table en déclarant un Carré d'As et marquer de nouveau 100 points.

Il y a une restriction, cependant, à cette pratique : quand un joueur annonce une combinaison, l'ajout qu'il fait aux cartes qui sont sur la table ne doit pas faire en sorte qu'il y aura plus de cartes que le nombre permis par la combinaison. Autrement dit, pour avoir le droit de faire un nouveau Carré en se servant de cartes étalées, il faut d'abord détruire le premier Carré en jouant l'une des cartes qui le compose. Supposons que Pierre déclare un Carré de Rois. Il marque 80 points. Il a en main un cinquième Roi. S'il remporte la levée suivante, il ne pourra pas déclarer un nouveau Carré de Rois en ajoutant son cinquième Roi aux quatre déjà étalés. L'ajout ferait en sorte que le nombre de cartes, cinq, dépasserait le nombre permis par la combinaison annoncée, quatre. Pour former son nouveau Carré, il doit d'abord détruire le premier en jouant l'un des Rois de la table, puis, s'il remporte la levée, déclarer un Carré de Rois en ajoutant le Roi qu'il a en main aux trois restés sur la table.

Il est permis de déclarer un mariage, puis de le transformer en Quinte en y ajoutant l'As, le 10 et le Valet de la même Couleur. On ne peut pas déclarer d'abord une Quinte, puis, en y ajoutant un nouveau Roi ou une nouvelle Reine, se servir d'une carte de la Quinte pour marquer un mariage.

La règle s'applique au bésigue. Si on a un double bésigue dans sa main, il vaut mieux les déclarer en deux fois. On en déclare d'abord un et on marque 40 points. Puis, à la levée suivante, on déclare le second et on marque 500 points, à condition que les deux cartes du premier bésigue soient encore sur la table. Avec cette technique, on totalise 540 points tandis que si on déclare le double d'un seul coup, on ne peut en marquer que 500. Le principe est tout aussi vrai pour le triple bésigue : déclaré en trois fois, il vaut 2 040 points plutôt que 1 500 quand il est déclaré en un coup. Encore une fois, pour marquer les points du troisième bésigue, il faut que les cartes soient restées sur la table. Ceci montre qu'il peut être désavantageux pour un joueur de se servir de ses cartes étalées pour jouer.

Faire une levée donne le droit de marquer une seule déclaration. Ce qui ne veut pas dire qu'un joueur n'a pas le droit d'en annoncer plusieurs. Si, après une levée, un joueur choisit d'annoncer deux combinaisons, il inscrit la marque de l'une et peut inscrire la marque de l'autre à la levée suivante. Un joueur a le droit de choisir l'ordre dans lequel il marquera ses déclarations et il n'est pas obligé de marquer une combinaison. Il le fait seulement si cela lui convient, que les cartes nécessaires soient encore sur la table ou non.

Quand un joueur ne marque pas les points d'une déclaration, on dit qu'il la laisse en suspens. Un joueur qui laisse une déclaration en suspens doit le rappeler après chaque levée, et cela, qu'il ait ou non remporté la levée.

Fin du coup : on ne peut plus faire de déclaration après l'épuisement du talon, c'est-à-dire après que la dernière carte a été pigée. Pour la levée qui suit l'épuisement du talon et seulement pour cette levée, chaque joueur prend une carte qu'il a étalée sur la table. Ensuite, il s'agit de jouer les douze dernières cartes. Suivant la règle, celui qui a remporté la dernière levée entame la suivante. Son adversaire est obligé, à chaque levée, de suivre et de forcer l'entame ou de la couper, s'il le peut, de manière à remporter la levée.

Fin de la partie : une partie de Bésigue chinois ne comprend qu'un seul coup. C'est le joueur qui a cumulé le plus de points qui gagne. On crédite automatiquement 1 000 points au vainqueur. Si le perdant a moins de 3 000 points, c'est un «rubicon». Le gagnant ajoute alors ses points à son propre total, même s'il avait moins de 3 000 points. Par exemple, Pierre gagne avec 2 900 points et Jean perd avec 2 500 points. Pierre gagne avec un total de 6 400, soit 2 900 + 2 500 + 1 000 = 6 400. Dans le calcul final des points, on ne compte pas en général les dizaines.

Irrégularités : les irrégularités qui peuvent être commises au Bésigue chinois sont les mêmes que celles qui sont décrites dans les règlements du Bésigue.

〇 〇 〇

Le Bésigue à huit paquets

Certains préfèrent jouer le Bésigue chinois avec 256 cartes (huit paquets de 32 cartes) plutôt que 192 cartes (six paquets).

Les règles du Bésigue à huit paquets sont exactement les mêmes que celles décrites plus haut pour le Bésigue à six paquets. Les deux seules choses qui changent sont la distribution et le pointage.

la distribution : on donne 15 cartes à chaque joueur.

Le pointage des combinaisons : certaines combinaisons changent de valeur. Ainsi :

combinaisons	points
a) le bésigue simple	50
b) le double bésigue	500
c) le triple bésigue	1 500

d) le quadruple bésigue	4 500
e) le quintuple bésigue (5 combinaisons D-V)	9 000
f) cinq As d'atout	2 000
g) cinq 10 d'atout	1 800
h) cinq Rois d'atout	1 600
i) cinq Dames d'atout	1 200
j) cinq Valets d'atout	800

Le perdant est un «rubicon» s'il n'a pas cumulé 5 000 points.

〄 〄 〄

Le Bésigue «Rubicon»

Ce jeu est l'ancêtre du Bésigue chinois et du Bésigue à huit paquets. Il ressemble beaucoup au Bésigue sans retourne, sauf qu'il se joue avec quatre paquets de 32 cartes.

Les autres différences sont les suivantes.

Le jeu : le donneur distribue neuf cartes à chacun des deux joueurs. Comme il n'y a pas de retourne pour désigner l'atout, c'est la Couleur du premier mariage annoncé, comme au Bésigue sans retourne, qui fixe l'atout pour le coup. Une partie ne comprend qu'un coup. Les joueurs ramassent leurs levées respectives au fur et à mesure que la partie avance, même si les brisques n'entrent pas dans le décompte final. On peut cependant les compter dans deux cas : pour départager le vainqueur du vaincu dans un cas d'égalité ou pour sauver le perdant d'un rubicon.

Le pointage des combinaisons : en plus de la Quinte majeure ou Séquence à cinq cartes d'atout (A, 10, R, D, V), on peut former des Quintes dans les autres Couleurs. Ces Quintes s'appellent «portes arrière» et valent 150 points. Comme au Bésigue à huit paquets, le triple bésigue vaut 1 500 points et le quadruple, 4 500. La dernière levée rapporte 50 points à son auteur. On ne compte pas le 7 d'atout. On joue la «carte blanche», telle que décrite dans le

Bésigue chinois, mais elle ne vaut à chaque fois que 50 points. Un joueur peut se servir des mêmes cartes pour faire plusieurs déclarations, comme au Bésigue chinois. Toutefois, les Carrés d'As, de 10, de Rois, de Dames ou de Valets d'atout ne valent rien.

Le vainqueur de la partie ajoute 500 points à son total. On ne tient pas compte des dizaines dans le décompte final, sauf pour départager le vainqueur du perdant. Si, par exemple, Pierre et Jean ont tous deux 9 500, en oubliant de compter les dizaines, on désignera le gagnant, Pierre, en retenant qu'il a 9 570 points contre les 9 530 de Jean. Le perdant est un «rubicon» s'il a cumulé moins de 1 000 points, incluant ses brisques. Quand le perdant est un «rubicon», la prime du vainqueur passe de 500 à 1 000 points. Non seulement il additionne cette prime à ses points, mais il y ajoute aussi les points du perdant, plus 320 points pour les brisques.

Les irrégularités sont les mêmes que celles décrites au Bésigue chinois.

◻ ◻ ◻

La Chouette

Cette variante permet à trois joueurs ou plus de jouer au Bésigue chinois ou au Bésigue à huit paquets ou au Rubicon.

On coupe le paquet pour établir la préséance des joueurs.

Celui qui coupe la carte la plus forte devient le joueur dans la boîte. Le joueur qui coupe la carte suivante dans l'ordre décroissant est le capitaine. Ce sont eux qui s'affrontent. Les autres joueurs deviennent les partenaires du capitaine et prennent place près de lui en tenant compte de la préséance établie par le tirage au sort. Ils ont le droit de le consulter ou de le conseiller, mais c'est toujours le capitaine qui prend les décisions finales.

Si le joueur dans la boîte gagne la partie, il multiplie son décompte final par le nombre de ses adversaires. Par exemple, s'il finit avec 9 000 points et qu'il avait trois adversaires, son décompte final atteint 27 000 points. Quand on joue à l'argent, le gagnant encaisse son résultat final de chacun de ses adversaires. Il reste dans la boîte, mais le capitaine se retire pour faire place à son premier conseiller, c'est-à-dire au joueur qui a coupé la carte la plus forte après la sienne.

Si c'est le joueur dans la boîte qui perd, il doit verser à chacun de ses adversaires l'équivalent de son résultat final. Il se retire et va occuper la place du dernier conseiller du capitaine. Le capitaine, qui a gagné la partie, devient le nouveau joueur dans la boîte et celui qui était son premier conseiller prend sa place. Supposons que Pierre était dans la boîte, Jean, le capitaine, Jacques son premier conseiller et Paul son deuxième conseiller. Après la défaite de Pierre, Jean entre dans la boîte, Jacques devient le capitaine, Paul son premier conseiller et Pierre le deuxième conseiller de Jacques.

La Canasta

Nombre de joueurs : quatre. La Canasta se joue aussi à deux, trois, cinq ou six joueurs.

Les cartes :

matériel requis : deux paquets conventionnels avec les quatre Fous.

ordre des cartes :

pour la formation des équipes : l'ordre décroissant habituel, l'As étant la carte la plus forte, suivie du Roi, puis de la Dame et ainsi de suite jusqu'au 2. Le Fou n'a aucune valeur pour la formation des équipes. L'ordre des Couleurs est le même qu'au bridge : le pique est la Couleur la plus forte, suivie du cœur, du carreau et, enfin, du trèfle. Si deux joueurs tirent des cartes identiques, par exemple l'As de cœur, ils tirent de nouveau. Dans les cas suivants, un joueur doit également tirer de nouveau :

1- s'il tire un Fou;

2- s'il tire par inadvertance plus d'une carte à la fois;

3- s'il tire une des quatre premières ou une des quatre dernières cartes du paquet.

pour le jeu : des 108 cartes, 88 sont dites naturelles tandis que 20 cartes jouent un rôle spécial. Ces cartes se divisent en trois catégories :

- 12 cartes sont «passe-partout» : les quatre Fous et les huit 2. Elles peuvent remplacer n'importe quelle autre carte dans une combinaison, au gré du joueur. On ne peut étaler une carte passe-partout que si elle accompagne des cartes naturelles; la carte passe-partout prend automatiquement leur valeur.

- 4 cartes d'arrêt : les quatre 3 noirs. Quand un joueur écarte un 3 noir, il gèle la pile de défausses; autrement dit, le joueur suivant ne peut la ramasser. On ne peut pas former de combinaison avec des 3 noirs, sauf pour finir le coup (voir plus loin).

- 4 cartes primes : les quatre 3 rouges. Dès qu'un joueur en tire un, il l'étale devant lui. À la fin du coup, ces cartes donnent des points bonus ou des points de pénalité. Comme pour les 3 noirs, on ne peut s'en servir pour former des combinaisons.

valeur :

3 rouge	100 points
Fou	50 points
2	20 points
As	20 points
R D V 10 9 8	10 points
7 6 5 4	5 points
3 noirs	5 points

Le jeu :

type : d'équipe.

but : se débarrasser de sa main en formant des combinaisons regroupant au moins 3 cartes de même valeur, avec ou sans l'aide de cartes passe-partout.

règles :

formation des équipes : chaque joueur tire une carte au hasard. Celui qui a tiré la plus forte choisit sa place et a le privilège d'être l'aîné au premier coup. Celui qui a tiré la carte suivante dans l'ordre décroissant devient le partenaire de l'aîné.

la distribution : le premier donneur est le joueur assis à la droite de l'aîné, c'est-à-dire du joueur qui a tiré la carte la plus forte. Ensuite, la donne suit le sens des aiguilles d'une montre. Tout joueur a le privilège de mêler les cartes, le donneur, celui d'être le dernier à les battre. Une fois le jeu bien mêlé, le donneur fait couper le paquet par le joueur assis à sa gauche. Le donneur distribue onze cartes couvertes à chaque joueur. Il les passe une à une, en suivant le sens des aiguilles d'une montre et en commençant par l'aîné. À chaque tour de la donne, il est le dernier à recevoir une carte.

Le donneur place ensuite le reste du paquet au centre de la table, face couverte : c'est le talon. Il en retourne la carte du dessus et la dépose à côté du talon : c'est la première carte de la pile de défausses. Si cette carte est un Fou, un 2, un 3 rouge ou un 3 noir, le donneur retourne une autre carte et ce, jusqu'à ce qu'il retourne une carte naturelle, soit une carte comprise entre le 4 et l'As.

les 3 rouges : si un joueur a un 3 rouge dans sa main, il doit, quand vient son tour de jouer, le retourner devant lui et le remplacer en tirant une autre carte du talon. Si un joueur pige un 3 rouge du talon, il le retourne tout de suite devant lui et pige une nouvelle carte. Quand un joueur s'empare de la pile de défausses et qu'il y trouve un 3 rouge, il le retourne immédiatement devant lui, mais, cette fois-ci, il ne tire pas une nouvelle carte du talon.

le déroulement : l'aîné joue le premier, ensuite c'est au tour du joueur assis à sa gauche, et ainsi de suite.

À chaque tour, un joueur pige une carte du talon, étale une ou plusieurs combinaisons de cartes de même valeur s'il est en mesure de le faire, puis termine son tour en écartant. Pour cela, il place une carte de sa main, face retournée, sur la pile de défausses. Si un joueur peut former un Brelan (trois cartes de même valeur ou deux cartes de même valeur + une carte passe-partout) en prenant la carte située sur le dessus de la pile de défausses, il est autorisé à la prendre. Mais il doit prendre aussi **le reste de la pile** et il doit étaler **immédiatement** son Brelan.

Pour qu'un joueur puisse «ouvrir» le jeu, c'est-à-dire commencer à étaler des combinaisons de cartes identiques, il doit être en mesure d'étaler un minimum de points. Ce minimum varie selon le nombre de points déjà accumulés par son équipe au moment de l'ouverture.

si l'équipe a un score :	le nombre de points d'ouverture est :
négatif	15
entre 0 et 1 495	50
entre 1 500 et 2 995	90
de 3 000 et plus	120

Pour connaître la valeur d'une combinaison, il suffit d'additionner la valeur des cartes qui la composent. Pour obtenir le minimum de points requis pour l'ouverture, on peut étaler autant de combinaisons qu'on le désire. Si la carte placée sur le dessus de la pile de défausses permet à un joueur d'obtenir le minimum de points requis pour ouvrir son jeu, il peut s'emparer de la pile, mais il ne peut utiliser que la carte du dessus pour l'ouverture, non pas les autres cartes comprises dans la pile. Ne comptent pas dans les points requis pour l'ouverture : a) les points bonis des 3 rouges; b) les points bonis pour les canastas. Le partenaire d'un joueur qui a ouvert son jeu peut, à son tour, étaler d'autres combinaisons ou ajouter des cartes à une combinaison existante.

On concentre toutes les cartes étalées devant l'un des partenaires de l'équipe. Une équipe peut étaler une combinaison identique à une combinaison déjà étalée par l'autre, mais elle ne peut former deux combinaisons avec des cartes de valeur identique. Par exemple, les équipes A et B ont chacune le droit d'étaler un Carré de 4, mais aucune n'a le droit d'étendre deux Carrés de 4. Un joueur peut compléter une combinaison commencée par son partenaire, mais il ne peut jamais ajouter de carte à une combinaison de l'équipe adverse.

combinaisons : on peut étaler une combinaison seulement si elle comporte plus de cartes ordinaires que de cartes passe-partout. Ainsi :

1- le Brelan doit être composé d'au moins 2 cartes naturelles;

2- le Carré (une combinaison de 4 cartes de même valeur) et la combinaison de 5 cartes doivent comprendre au moins 3 cartes naturelles;

3- la combinaison de 6 cartes et la canasta (une combinaison de 7 cartes) seront composées d'au moins 4 cartes naturelles.

la pile de défausses : comme dans tous les jeux de cartes, cette pile est composée de toutes les cartes rejetées par les joueurs. N'importe quel joueur peut s'en emparer à certaines conditions. S'emparer de la pile de défausses aide souvent à former ou à compléter une combinaison. On peut s'emparer de la pile a) si on a dans sa main deux cartes de même valeur que la carte retournée sur le dessus de la pile ou une carte de même valeur et une carte passe-partout; b) si son équipe a déjà étalé une combinaison de même valeur que la carte du dessus. (Illustration 5 : pile de défausses avec une main partielle, en page 75)

gel de la pile de défausses : la pile est dite gelée quand certaines conditions ou certaines cartes interdisent à un joueur de s'en emparer. La pile est gelée pour toute équipe qui n'a pas encore ouvert de jeu. Le fait d'ouvrir son jeu pour un membre d'une équipe dégèle la pile de défausses non seulement pour lui-même mais aussi pour son partenaire, à condition que la pile ne soit pas gelée par une carte.

Les cartes qui peuvent geler la pile de défausses sont :

- un 3 noir retourné par le donneur ou écarté par un joueur gèle la pile pour le joueur suivant. Dès que ce dernier a écarté à son tour, la pile est dégelée;

- un 3 rouge retourné par le donneur au début du tour;

- une carte passe-partout retournée par le donneur ou écarté par un joueur en cours de partie.

Dans ces deux derniers cas, on place le 3 rouge ou la carte passe-partout en travers de la pile pour bien marquer qu'elle est gelée. Il n'y a qu'une façon de s'emparer d'une pile ainsi gelée, c'est d'avoir en main une paire de cartes naturelles de même valeur que la carte du dessus. Autrement dit, on ne peut pas utiliser de carte passe-partout pour dégeler une pile de défausses.

N. B. La pile de défausses ne peut contenir plus de six cartes passe-partout. Autrement dit, un joueur n'a pas le droit de geler la pile en écartant une septième carte passe-partout. (Illustration 6 : une pile de défausses gelée par un 3 rouge, en page 76)

Avant de s'emparer de la pile de défausses gelée, un joueur doit prouver qu'il a en main les deux cartes ordinaires de même valeur que celle qui est sur le dessus de la pile. S'il s'empare de la pile pour ouvrir son jeu, il doit montrer non seulement sa paire, mais aussi toutes les cartes nécessaires pour obtenir le minimum de points requis.

parler : à la Canasta, il est permis de parler pour signaler certaines choses à son partenaire. On peut lui rappeler :

a) le nombre minimum de points requis pour ouvrir son jeu;

b) de déclarer ses 3 rouges ou de piger une carte de remplacement;

c) le nombre de points accumulés par chaque équipe;

d) le nombre de cartes que n'importe quel joueur a dans sa main;

e) le nombre de cartes qui restent dans le talon.

Fin du coup : le coup prend fin quand un joueur se débarrasse de toutes ses cartes soit en étalant une combinaison soit en écartant : on dit alors qu'il «sort».

Sortir : pour qu'un joueur ait le droit de sortir, son équipe doit avoir au moins une Canasta étalée sur la table. Un joueur doit demander la permission de sortir à son partenaire et se conformer à sa réponse, quelle qu'elle soit. La sortie rapporte 100 points à l'équipe. Si un joueur sort en étalant toutes ses cartes d'un seul coup, il effectue une «sortie-surprise». Cette tactique rapporte 200 points à l'équipe.

Dernière carte du talon : Lorsqu'un joueur prend la dernière carte du talon, si c'est un 3 rouge, il le retourne sur la table. C'est la fin du coup : ce joueur ne peut ni étaler de cartes ni même en écarter. Lorsque le talon est épuisé et que personne ne peut s'emparer de la pile de défausses, le coup prend fin. Toutefois, aucune équipe n'enregistre les points de sortie. Si un joueur n'a que trois ou quatre 3 noirs en main, il a le droit de les étaler pour sortir et, ainsi, mettre fin au coup.

Le pointage : À la fin d'un coup, chaque équipe commence par faire le décompte des points étalés sur la table. Puis elle compte les points qui sont restés dans la main de chaque joueur. Enfin, elle soustrait ce dernier total du total des points étalés sur la table.

Chaque 3 rouge donne une prime de 100 points. Si une équipe a étalé les quatre 3 rouges, elle obtient une prime additionnelle de 400 points, ce qui lui donne un total de 800 points. Ces primes ne sont accordées qu'à l'équipe qui a réussi à ouvrir son jeu, c'est-à-dire à étaler des combinaisons sur la table. Si une équipe ne réussit pas à ouvrir son jeu, ses primes se transforment en pénalités. Autrement dit, elle perd autant de points qu'elle a de 3 rouges. Par exemple, si une équipe a retourné **deux** 3 rouges pendant une manche, sans avoir réussi à étaler des combinaisons, elle perd 200 points.

Chaque canasta donne aussi des points à l'équipe. Une canasta pure ou rouge, formée de sept ou huit cartes de même valeur, rapporte 500 points. Dès qu'une équipe réussit à former une canasta pure, on en ramasse les cartes en pile, face retournée. On met une carte de couleur rouge sur le dessus de la pile, pour se rappeler qu'on a étalé une canasta pure. (Illustration 7a : la canasta pure ou rouge, en page 76)

Une canasta impure ou noire peut être formée :

- soit de 6 cartes de même valeur + une carte passe-partout;

- soit de 5 cartes de même valeur + deux cartes passe-partout;

- soit de 4 cartes de même valeur + trois cartes passe-partout.

Une canasta impure rapporte 300 points. Quand on a formé une canasta impure, on ramasse les cartes en pile, face retournée. On place une carte de couleur noire sur le dessus de la pile, pour se rappeler qu'on affaire à une canasta impure. (Illustration 7b : la canasta impure ou noire, en page 76)

pour résumer la manière de compter les points. On compte d'abord les points des cartes sur la table. Après avoir additionné les points de sortie, les points pour chaque canasta pure, chaque canasta impure, chaque 3 rouge, chaque 3 noir (s'ils forment un Brelan ou un Carré), il ne faut pas oublier d'ajouter les points de chaque carte étalée. Ensuite on additionne les points restés dans la main de chacun des joueurs de l'équipe, s'il y en a. On soustrait ce dernier total du premier.

Marquage des points : on écrit les points sur deux colonnes, une par équipe, sur une feuille de papier. On inscrit les points remportés par chaque équipe après chaque coup, puis on fait le cumulatif des points pour déterminer le minimum de points requis pour l'ouverture du coup suivant.

Fin de la partie : la partie prend fin quand l'une des deux équipes cumule 5 000 points. On joue le dernier coup jusqu'au bout même si une équipe ou même les deux ont déjà atteint 5 000 points. Gagner la partie ne rapporte pas de prime. Pour connaître la marge de la victoire, on soustrait le total de l'équipe perdante de celui de l'équipe gagnante.

Irrégularités :

1- *nouvelle donne :* un joueur doit reprendre sa distribution dans les cas suivants :

a) s'il a enfreint une des règles de la distribution;

b) s'il a retourné une carte autre que la première carte de la pile de défausses;

c) si, pendant la distribution, quelqu'un s'aperçoit que le donneur n'a pas fait couper le paquet;

d) si on constate, avant que chaque joueur ait joué son premier tour, qu'un joueur a reçu moins de cartes que le nombre réglementaire;

e) s'il y a une carte retournée dans le talon;

f) s'il y a une carte étrangère au jeu dans le paquet.

Dans les trois derniers cas, si on s'aperçoit trop tard de l'irrégularité, le jeu continue :

en d), le joueur doit jouer le tour avec une ou des cartes en moins;

en e), on remet la carte retournée au hasard dans le talon;

en f) on retire tout simplement la carte étrangère du paquet de cartes ou de la main d'un joueur, si elle s'y trouve. Le joueur pige alors une carte de remplacement du talon.

2- *carte pigée en trop :* si un joueur pige plus d'une carte du talon et s'il ne les a pas encore ajoutées à sa main, il doit les montrer aux autres joueurs et les remettre dans le talon. Cette irrégularité donne au joueur suivant le droit de remêler le talon, s'il le désire, avant de piger sa carte. Si le joueur a déjà placé les cartes pigées en trop dans sa main, il doit ramener sa main au nombre de cartes réglementaire :

a) pour cela, il évite de piger autant de fois qu'il a pigé de cartes en trop . Par exemple, s'il a pris 2 cartes au lieu d'une seule, il n'a pas le droit de piger au tour suivant; s'il en a pris 3, il lui est interdit de piger pendant 2 tours.

b) de plus, ce joueur perd le droit d'étaler des combinaisons sur la table ou d'ajouter des cartes à des combinaisons existantes tant qu'il n'a pas ramené sa main au nombre de cartes réglementaire.

3- *carte exposée :* si un joueur expose par mégarde ou intentionnellement une carte de sa main, sans intention d'étaler ou d'écarter, cette carte devient une carte de pénalité et reste retournée sur la table. Une carte de pénalité continue de faire partie intégrante de la main du joueur, et ce dernier peut l'étaler dans une combinaison ou l'ajouter à une combinaison. S'il ne peut s'en débarrasser par un étalement ou un ajout, le joueur a tout intérêt à l'écarter le plus vite possible. Si un joueur a deux cartes ou plus de pénalité, il a le privilège de choisir celle qu'il écartera.

4- *compte insuffisant :* si un joueur ouvre en étalant des combinaisons dont le nombre de points est insuffisant, deux possibilités s'offrent à lui :

a) il peut corriger son erreur en ajoutant des cartes aux combinaisons déjà sur la table;

b) s'il ne peut le faire, il ramasse toutes les cartes étalées et, alors, le nombre de points requis pour ouvrir est automatiquement augmenté de 10 pour son équipe.

Si un joueur ouvre son jeu en étalant des combinaisons comportant un nombre de points insuffisant et s'il corrige la situation en ajoutant d'autres cartes, mais qu'il reprenne une ou plusieurs cartes étalées, donc exposées au regard des autres joueurs, son équipe est pénalisée par une amende de 100 points.

Pour que l'amende s'applique, il faut que l'irrégularité soit signalée **avant** qu'un joueur de l'équipe adverse ait pigé une carte du talon ou pris la pile. Si on la signale après que le joueur a commencé son tour, l'amende ne s'applique pas. L'ouverture avec un nombre de points insuffisant devient alors réglementaire.

5- *cartes étalées illégalement :* tout joueur qui étale illégalement des cartes doit les remettre dans sa main. Les cas d'étalement illégal sont les suivants :

a) quand un joueur étale des combinaisons avec l'intention de finir alors que son équipe n'a pas de canasta complétée ou quand il finit alors que son partenaire ne l'a pas autorisé à sortir;

b) quand un joueur a étalé plus de cartes passe-partout que le règlement ne le permet.

L'équipe prise en défaut se voit imposer une amende de 100 points. Pour que l'amende s'applique, il faut que l'irrégularité soit signalée **avant** qu'un joueur de l'équipe adverse ait pigé une carte du talon ou pris la pile. Si on la signale après que le joueur a commencé son tour, l'amende ne s'applique pas.

Si un joueur a étalé une combinaison contenant plus de cartes passe-partout que ce qui est permis, il peut remettre les cartes dans sa main, sauf les cartes passe-partout en trop qu'il doit laisser sur la table. Une amende de 50 points par carte passe-partout étalée en trop est imposée à l'équipe prise en défaut. Par exemple, si un joueur étale une canasta composée de 3 cartes naturelles et 4 cartes passe-partout, il peut ramasser ses 3 cartes naturelles et 3 cartes passe-partout. Il doit laisser la quatrième carte passe-partout sur la table et, à la fin du coup, on imposera une amende de 50 points à son équipe.

6- *remise de pénalité :* si les irrégularités aux numéros 4 et 5 ne sont pas signalées avant qu'un joueur de l'équipe adverse ait pigé ou pris la pile, l'amende prévue pour la faute ne s'applique pas.

7- *oubli de déclarer un 3 rouge :* si, au moment de compter les points à la fin d'un coup, un joueur a en main un 3 rouge, son équipe se voit imposer une amende de 500 points. L'amende est réduite à 100 points si un autre joueur finit au premier tour en se débarrassant de toutes ses cartes et que le joueur pris en défaut n'a pas eu le temps de jouer.

8- *prendre la pile de façon illégale :* si un joueur tente de s'emparer de la pile de défausses sans avoir au préalable montré les cartes qui lui donnent le droit de le faire, on doit l'arrêter sur-le-champ. Si le joueur peut faire reconnaître son droit en montrant lesdites cartes, il n'y a pas d'amende. Mais, s'il a ajouté la «pile» à sa main sans avoir montré les cartes, l'équipe adverse peut lui faire découvrir toutes ses cartes, en retirer celles qui viennent de la pile et reconstituer cette dernière. Le joueur pris en défaut peut reprendre sa main et piger une carte du talon, mais son équipe se verra imposer une amende de 100 points.

9- *demande non réglementaire :* si un joueur demande à son partenaire l'autorisation de sortir et qu'il ait déjà étalé des combinaisons ou qu'il ait signifié son intention de s'emparer de la «pile», il doit sortir. S'il pose la question au bon moment, mais qu'il étale des combinaisons avant d'avoir reçu la réponse, il doit sortir. S'il demande et obtient l'autorisation de sortir, il doit le faire. Dans chacun de ces 3 cas, si le joueur ne sort pas, son équipe reçoit une amende de 100 points.

◻ ◻ ◻

La Canasta à deux

On suit les règlements de la Canasta expliqués plus haut, sauf que :

1- on distribue 15 cartes à chacun;

2- à chaque tour, les joueurs pigent deux cartes du talon, mais n'en écartent qu'une seule;

3- pour sortir, un joueur doit avoir deux canastas complètes;

4- les amendes expliquées aux numéros 4 et 5 ne s'appliquent pas.

◻ ◻ ◻

La Canasta à trois

Pour jouer à 3, on suit les règlements expliqués ci-dessus, à la différence que chaque joueur joue seul. Cependant, le jeu sera plus rapide et plus vivant si on modifie les règlements comme suit :

Les joueurs : à 3, chaque joueur compte ses points individuellement, mais, au cours de la partie, deux joueurs peuvent s'unir contre le troisième.

La pige : à chaque tour, les joueurs pigent deux cartes du talon, mais n'en écartent qu'une seule, comme à la Canasta à deux.

La main isolée : le premier joueur à s'emparer de la pile de défausses devient la «main isolée». Les deux autres joueurs se liguent contre lui, c'est-à-dire qu'à partir de ce moment, ils ont le droit de jouer en équipe. Chacun peut donc utiliser des combinaisons étalées par son «partenaire» pour se débarrasser de ses cartes, comme à la Canasta à quatre. Si un joueur sort sans que personne ne se soit emparé de la pile, il devient la «main isolée». En conséquence, les deux autres joueurs comptent leurs points en équipe. Par exemple, A devient la main isolée par sa sortie, automatiquement B et C forment équipe.

L'ouverture : l'ouverture se fait toujours sur une base individuelle. Autrement dit, ce sont les points qu'un joueur a accumulés qui déterminent le nombre de points qui lui sont nécessaires pour ouvrir. C'est pourquoi, même si deux joueurs font équipe, il est possible qu'un des deux ait besoin de plus de points que l'autre pour ouvrir.

Épuisement du talon : si le talon s'épuise avant qu'un joueur ne sorte, le jeu s'arrête au moment où le joueur qui a pris la dernière carte du talon écarte. Si aucun des joueurs n'est devenu la «main isolée», autrement dit si aucun joueur ne s'est emparé de la pile de défausses, on compte les points individuellement.

Fin de la partie : la partie prend fin quand un joueur atteint 7 500 points : il gagne la partie. Quand deux joueurs font équipe pour un coup, chacun enregistre la somme de ses points pour ce coup et de ceux de son co-équipier, **sauf** les points bonus ou de pénalité des 3 rouges. Un 3 rouge ne rapporte ou n'enlève de points qu'au joueur qui le détient. Par exemple, B et C font équipe. B a 750 points sans le décompte de ses trois 3 rouges alors que C, qui n'a pas de 3 rouge, a 680 points. Ainsi, C enregistrera 1 430 points (750 + 680), tandis que B ajoutera 300 points à cette somme.

❑ ❑ ❑

La Canasta à cinq

On forme deux équipes : l'une de deux, l'autre de trois joueurs. Chaque joueur de l'équipe de trois s'abstient de jouer à tour de rôle. Ainsi, ses partenaires affrontent l'autre équipe comme si on jouait à quatre. Le joueur qui ne joue pas n'a pas le droit de conseiller ses partenaires ni de signaler une irrégularité, sauf au décompte des points quand le coup est fini.

❑ ❑ ❑

La Canasta à six

Il y a trois façons différentes de jouer à six :

a) on forme deux équipes de trois joueurs, qui s'installent de la façon suivante autour de la table : A, B, A, B, A, B. Donc, chaque joueur est placé entre deux adversaires. Tous les joueurs jouent chaque coup. On suit les règlements de la Canasta à quatre.

b) on forme deux équipes de trois joueurs, mais il n'y a que deux joueurs de chaque équipe qui jouent à la fois. On suit les règlements de la Canasta à quatre et de la Canasta à cinq.

c) on forme trois équipes de deux joueurs, qui s'installent comme suit autour de la table : A, B, C, A, B, C. On suit les règlements de la Canasta à quatre.

Pour jouer à six, on utilise trois paquets conventionnels plus six Fous. On distribue treize cartes à chacun. La première équipe qui atteint 10 000 points gagne la partie. Lorsqu'une équipe a accumulé 7 000 points, il lui faut 150 pour ouvrir. Si une équipe a quatre 3 rouges, on lui crédite 100 points chacun; si elle a mis la main sur cinq 3 rouges, elle cumule 1 000 points en tout; six 3 rouges donnent un total de 1 200 points à une équipe. Une équipe ne peut sortir que si elle a deux canastas complètes.

⬚ ⬚ ⬚

Tête et Queue (Head and foot)

Tête et Queue est une variante qui se distingue non seulement de la Canasta mais de presque tous les jeux par sa façon curieuse de donner les cartes.

On étale les cartes couvertes sur la table et on les mélange bien. Chaque joueur ramasse environ le quart des cartes, puis il forme deux tas de onze cartes. Il donne un tas au joueur assis à sa droite et l'autre au joueur assis à sa gauche. Les cartes qui restent sont regroupées pour former le talon. En recevant ses deux tas, un joueur n'a pas le droit de les regarder comme des mains normales en les ouvrant en éventail : il doit seulement regarder la carte qui se trouve sous chacun et choisir, en fonction de cette seule carte, avec quel tas il commencera à jouer la partie. Il dépose le deuxième tas sur la table, face couverte, pour la suite du jeu. Alors seulement il a le droit de regarder les cartes de sa première main.

Les deux tas qu'un joueur reçoit deviennent deux mains qu'il est obligé de jouer l'une à la suite de l'autre. D'abord, un joueur doit tenter d'ouvrir son jeu, comme à la Canasta, en formant des combinaisons. Ensuite, il doit se débarrasser de toutes les cartes de sa première main afin de pouvoir jouer sa deuxième main.

Pour le déroulement du jeu, on suit les règles de la Canasta, sauf quelques exceptions.

Les points d'ouverture :

pour la :	le nombre de points d'ouverture est :
première donne	30
deuxième donne	60
troisième donne	90
quatrième donne	120

La pile de défausses :

Si la première carte de la pile de défausses intéresse un joueur, ce dernier ne ramasse que les trois premières cartes, et non pas toute la pile comme à la Canasta.

Sortir :

Pour sortir, une équipe doit avoir étalé une canasta rouge et une canasta noire. Lorsqu'un joueur sort, on additionne la valeur de toutes les cartes que détient encore son partenaire : en d'autres termes, on additionne la valeur des cartes qu'il a en main et celle de sa deuxième main, si elle est encore sur la table. Puis on soustrait ce premier total du total des points accumulés par l'équipe pendant le coup.

Les 3 rouges :

Les 3 rouges, contrairement à la Canasta, ne donnent pas de points bonis mais seulement des points de pénalité. Un joueur a intérêt à s'en débarrasser le plus vite possible en les écartant, car chaque 3 rouge coûte 100 points à l'équipe qui le détient. De là l'intérêt pour chacun des membres d'une équipe d'aller voir le plus vite possible le contenu de sa deuxième main.

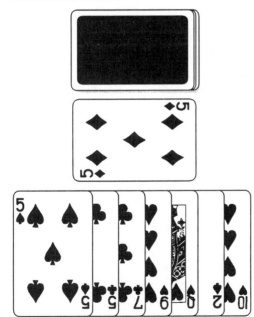

Illustration 5
Pile de défausses avec une main partielle 11 cartes

75

Illustration 6
Une pile gelée par un 3 rouge

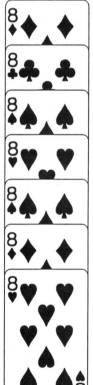

Illustration 7a
*La canasta pure
ou rouge*

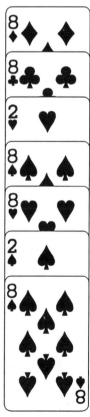

Illustration 7b
*La canasta impure
ou noire*

Le Cinq-Cents

Au cours des recherches que j'ai faites pour la rédaction de ce livre, je me suis aperçu que les Québécois jouaient une version bien à eux du Cinq-Cents. Cette version n'est codifiée dans aucun des répertoires de jeux de cartes que j'ai consultés. Elle a plusieurs points en commun avec le Cinq-Cents tel qu'on l'explique dans les livres américains, mais aussi des particularités qui en font un jeu très différent. C'est pourquoi on trouvera ci-dessous une première version du Cinq-Cents, que j'ai baptisée le Cinq-Cents québécois, et une seconde, le Cinq-Cents américain.

Le Cinq-Cents québécois

Nombre de joueurs : quatre.

Les cartes :

matériel requis : un paquet de 46 cartes, c'est-à-dire un paquet conventionnel dont on a retiré les 2 et les 3, mais auquel on a ajouté les Fous.

ordre : l'ordre décroissant suivant : le Fou Blanc est, en atout comme en sans atout, la carte la plus forte. Il est suivi du Fou en couleurs. Vient ensuite le Valet d'atout appelé le premier Bord. La quatrième carte dans l'ordre est le second Bord : c'est le Valet qui a la même couleur que le Valet d'atout. Si on joue pique atout, le Valet de pique est le premier Bord et le Valet de trèfle, le second Bord. Ensuite l'ordre est le suivant :

a) en atout et dans la Couleur complémentaire : A, R, D, 10, 9, 8, 7, 6, 5, 4;

b) dans les deux autres Couleurs : A, R, D, V, 10, 9, 8, 7, 6, 5, 4.

ordre des cartes pour le tirage au sort : l'ordre décroissant suivant : R, D, V, 10, 9, 8, ainsi de suite jusqu'au 4, et enfin A et F. On remarquera qu'ici, contrairement à l'ordre pour le jeu, l'As et le Fou sont les deux cartes les plus basses.

ordre des couleurs : au Cinq-Cents, les Couleurs aussi suivent un ordre, et cet ordre est très important pour les déclarations. En ordre décroissant, on a d'abord le sans atout, qui est suivi du cœur, du carreau, du trèfle et, enfin, du pique. En consultant le tableau de pointage, on comprend mieux l'importance de cet ordre qui détermine aussi les points liés au nombre de levées réussies.

valeur : les cartes n'ont pas de valeur, ce sont les levées qui en ont. Voir plus loin la rubrique **Pointage.**

Le jeu :

type : d'équipe. Il existe deux façons de procéder au choix des partenaires par tirage au sort : ou bien les joueurs coupent un paquet de cartes ou bien ils en pigent une d'un paquet étalé en éventail sur la table. Dans l'une ou l'autre méthode, il est interdit de prendre les quatre premières ou les quatre dernières cartes du paquet ou de l'éventail. Tous les joueurs doivent couper ou tirer une carte du **même** paquet. Si, en coupant le paquet ou en tirant une carte, un joueur fait voir plus d'une carte, il reprend sa coupe ou son tirage.

Les joueurs qui ont les cartes les plus fortes jouent contre ceux qui ont les cartes les plus faibles. Le joueur qui détient la carte la plus basse choisit les places autour de la table. Il est également le premier à donner les cartes.

but : réussir son contrat, c'est-à-dire faire le nombre de levées annoncées au début du coup, ou plus, afin de marquer des points.

règles :

la distribution : tout joueur peut mêler les cartes, mais le donneur a le privilège d'être le dernier à le faire. Après les avoir battues, le donneur présente le paquet à couper à la personne assise à sa droite. Celle-ci doit laisser au moins quatre cartes dans chaque tas de la coupe. Si une carte est retournée pendant la coupe, on mêle les cartes de nouveau, et c'est le même donneur qui fait la distribution.

Le donneur distribue les cartes en commençant par la gauche et en suivant le sens des aiguilles d'une montre. Il donne dix cartes couvertes à chacun de la façon suivante : au premier tour de table, il donne trois cartes à la fois à chaque joueur. Puis, après s'être servi, il met trois cartes de côté : c'est la Veuve. Au deuxième tour, il donne quatre cartes à la fois et, au troisième tour, il en distribue de nouveau trois et met les trois dernières dans la Veuve.

le déroulement : le jeu proprement dit commence par les déclarations. L'aîné annonce le nombre de levées qu'il croit pouvoir faire, ainsi qu'une Couleur. C'est ensuite au joueur assis à sa gauche à déclarer, puis au troisième joueur. Le donneur parle le dernier. Chaque joueur a le privilège de faire une **seule** déclaration. Un joueur n'est pas forcé d'annoncer un nombre de levées et une Couleur, il peut passer. Mais, une fois qu'il a passé, comme il n'a droit qu'à une déclaration, il ne pourra plus revenir sur sa parole.

Les déclarations se font de la façon suivante : on annonce un nombre de levées entre six et dix, en accompagnant ce nombre d'une Couleur : par exemple, huit pique ou sept cœur. Dès qu'un joueur fait une déclaration, ceux qui suivent doivent nécessairement faire une déclaration plus forte. Autrement dit, ils doivent soit annoncer le même nombre de levées mais dans une Couleur plus forte, soit annoncer un plus grand nombre de levées. Ainsi, si Pierre déclare sept cœur, Jeanne ne peut pas annoncer sept trèfle et, à plus forte raison, six. À chaque déclaration correspondent des points dont la valeur est donnée au tableau de pointage. Un joueur n'a pas le droit de déclarer moins de six levées. Un joueur ne peut pas relancer sa propre déclaration si les autres ont passé.

Si tous les joueurs passent, on enterre la donne et on passe à une autre.

C'est la Couleur annoncée dans la dernière déclaration qui détermine l'atout. Autrement dit, si la dernière déclaration est sept carreau, on joue carreau atout.

Quand les déclarations sont terminées, le joueur qui a fait l'annonce la plus forte, appelé l'ouvreur, s'empare de la Veuve et en ajoute les cartes à sa main. Après analyse de sa main, il doit, toutefois, en écarter six cartes pour la ramener aux dix cartes réglementaires. Il peut soit garder toutes les cartes de la Veuve, n'en garder qu'une partie ou n'en rien garder. Prendre la Veuve n'impose aucune obligation. Il est dans l'intérêt de l'ouvreur de ne pas montrer à l'équipe adverse les cartes de la Veuve ni celles qu'il écarte.

L'ouvreur entame la première levée, par la suite celui qui remporte une levée entame la suivante. On entame une levée en retournant sur la table n'importe quelle carte de sa main. Chacun des autres joueurs est tenu de suivre, c'est-à-dire de fournir une carte de la Couleur demandée. Si un joueur ne peut suivre, il peut soit couper si on joue en atout, soit écarter n'importe quelle carte de sa main. En sans atout, évidemment, il est impossible de couper. C'est la carte la plus forte de la Couleur demandée qui remporte une levée dans laquelle il n'y a pas de carte d'atout. S'il y a de l'atout, c'est la carte la plus forte de la Couleur d'atout qui remporte la levée.

Quand une équipe remporte une levée, l'un des joueurs la dépose, face couverte, devant lui. On concentre toutes les levées d'une équipe devant un seul des partenaires. On doit faire attention à ne pas mêler les cartes de deux levées différentes, de manière à pouvoir contrôler, le cas échéant, les irrégularités qui auraient été commises.

les Fous : on le sait, la Blanche et le Fou en couleurs sont, dans cet ordre, les cartes les plus fortes en toute circonstance. En sans atout, les Fous n'appartiennent à aucune Couleur. De plus, celui qui détient un Fou ne peut pas le jouer s'il peut suivre, c'est-à-dire fournir une carte de la Couleur demandée. S'il lui est impossible de suivre, il peut écarter n'importe quelle carte ou jouer un Fou. Si un joueur entame une levée avec un Fou, il a deux possibilités, selon qu'on joue atout ou sans atout. En atout, le Fou est considéré comme étant une carte d'atout, donc le joueur qui entame la levée n'a pas le choix de la Couleur. En sans atout, il n'a le droit de demander que la ou les Couleur(s) qui ont déjà fait l'objet d'une entame par **l'ouvreur**. Supposons, par exemple, que l'ouvreur ait déjà entamé le cœur et le carreau, le joueur qui entame une levée avec un Fou ne peut demander que du cœur ou du carreau : il n'a pas le droit de choisir de jouer pique ou trèfle.

Fin du coup : le coup prend fin quand les dix cartes ont été jouées.

Pointage : si, à la fin du coup, l'ouvreur a rempli son contrat, c'est-à-dire s'il a fait le nombre de levées qu'il avait annoncées, on lui crédite le nombre de points correspondants, selon le tableau ci-dessous. Il ne peut réclamer de prime pour les levées supplémentaires. Autrement dit, si un joueur a annoncé sept cœur et s'il finit le coup avec huit levées, il n'a droit qu'aux 200 points de sa déclaration; la huitième levée ne lui rapporte rien.

Tableau de pointage selon le barème Avondale

levées	6	7	8	9	10
Couleur					
pique	40	140	240	340	440
trèfle	60	160	260	360	460
carreau	80	180	280	380	480
cœur	100	200	300	400	500
sans atout	120	220	320	420	520

Si l'ouvreur ne remplit pas le contrat qu'il avait annoncé, l'équipe adverse encaisse les points correspondant à sa déclaration.

Fin de la partie : la partie prend fin quand le pointage d'une des équipes atteint ou dépasse 1 000 points.

Irrégularités :

Les irrégularités codifiées ci-dessous sont valides non seulement pour le Cinq-Cents québécois, mais aussi pour le Cinq-Cents américain et toutes les variantes expliquées plus loin. Il y a, cependant, quelques exceptions qui seront précisées en temps opportun.

1- *maldonne :* le donneur ne perd jamais son tour de donner. Toutefois, dans les cas suivants, il y a maldonne et le donneur doit procéder à une nouvelle donne.

a) S'il y a une carte retournée dans le paquet.

b) Si le donneur a donné plus ou moins de dix cartes à l'un ou l'autre joueur. Toutefois, si le joueur qui n'a pas reçu ses dix cartes réglementaires a joué à la première levée et si l'ouvreur et la Veuve ont le bon nombre de cartes, la donne est valide telle quelle.

c) Si le paquet est imparfait. Si on s'aperçoit que le paquet est imparfait après qu'une donne a été jouée, les équipes gardent leur pointage respectif tel que marqué sur la feuille.

d) Si, avant que le donneur ait donné la dernière carte, on s'aperçoit qu'il n'a pas fait couper le paquet.

e) Si le donneur retourne une carte d'un joueur pendant la distribution, ce dernier peut exiger une nouvelle donne.

f) Si le donneur oublie de mettre les cartes de la Veuve sur la table à la fin du premier tour de donne.

Il n'y a pas maldonne dans les cas suivants.

a) Si un joueur retourne une de ses cartes.

b) Si un joueur n'a ni As ni figure dans sa main.

2- *déclaration prématurée :* quand un joueur déclare avant son tour, non seulement la déclaration est-elle annulée, mais le partenaire du joueur pris en défaut perd son droit de faire une annonce. Par contre, si le partenaire du joueur qui parle hors tour avait déjà fait sa déclaration, elle reste valide.

3- *carte exposée :* une carte est dite exposée dans les cas suivants.

a) Si elle tombe sur la table face retournée.

b) Si un joueur la tient de façon à ce que son partenaire puisse en voir la valeur.

c) Si le détenteur d'une carte annonce qu'il l'a dans sa main.

Un joueur qui détient une carte exposée doit la déposer retournée sur la table, et est tenu de la jouer à la première occasion. Autrement dit, si la carte exposée est le Roi de cœur et si on entame la première levée avec l'As de cœur, le joueur est obligé de jouer son Roi.

4- *voir la Veuve :* si un autre joueur que l'ouvreur s'empare de la Veuve ou voit une des cartes qu'elle contient, l'ouvreur peut exiger une nouvelle donne ou laisser les choses telles quelles. Si c'est un adversaire de l'ouvreur qui a vu la Veuve en tout ou en partie, son équipe n'a pas le droit de marquer de points pour ce coup. Si un joueur voit la Veuve illégalement avant la première déclaration, l'équipe adverse peut exiger qu'il prenne la Veuve et qu'il joue six sans atout, ou bien elle peut exiger une nouvelle donne. Si tous les joueurs ne peuvent se mettre d'accord sur la marche à suivre, la règle exige qu'on joue le coup en six sans atout.

5- *entame et jeu prématurés :* on doit reprendre l'entame d'une levée qui a été faite hors tour à la demande de tout joueur qui en fait la requête avant la fin du coup. Les joueurs qui ont déjà joué reprennent leur carte sans pénalité, mais la carte du joueur qui a fait l'entame prématurée devient une carte exposée. Si le joueur pris en défaut fait équipe avec le joueur à qui revenait l'entame, l'adversaire assis à la gauche de ce dernier peut exiger qu'il entame la levée avec telle ou telle Couleur et qu'il évite la Couleur de la carte exposée.

Quand un joueur, mais non pas l'ouvreur, joue prématurément, sa carte est automatiquement exposée.

Si on s'aperçoit qu'un joueur a entamé ou joué avant son tour quand la levée est faite, la levée est valide telle que jouée.

6- *renonce :* il y a renonce quand un joueur ne suit pas la Couleur d'entame, c'est-à-dire quand il ne fournit pas une carte de la Couleur demandée alors qu'il est en mesure de le faire. Un joueur qui a fait une renonce peut la corriger en tout temps avant que lui-même ou son partenaire n'ait joué la levée suivante. Autrement la renonce reste telle que jouée.

Quand on corrige une renonce, la carte jouée illégalement est automatiquement exposée. Si on peut prouver que l'ouvreur a fait une renonce avant que les cartes aient été coupées pour la donne suivante, l'équipe adverse encaisse les points correspondant à sa déclaration. Si c'est un joueur de l'équipe adverse qui a fait la renonce, cette dernière n'a pas le droit de marquer des points. Bien sûr, l'équipe ouvreuse n'est pas pénalisée et enregistre les points correspondant à sa déclaration.

7- *pointage incorrect :* on doit, sur demande, corriger toute erreur de pointage en autant que la requête est faite avant la première déclaration de la donne suivante. Si la demande est faite plus tard, l'erreur reste telle quelle. Dans tous les autres cas, on ne peut changer une erreur qui se serait glissée dans la façon de marquer les points.

8- *mains irrégulières :* si on s'aperçoit, après la première levée, que l'ouvreur ou la Veuve n'ont pas le nombre réglementaire de cartes (l'ouvreur peut avoir écarté cinq cartes au lieu de six), l'équipe de l'ouvreur perd automatiquement le coup et l'équipe adverse encaisse les points correspondant à sa déclaration. Si l'ouvreur et l'un de ses adversaires n'ont pas une main réglementaire, la donne est aussitôt annulée, et aucune équipe ne marque de points.

9- *le droit de regard sur les levées :* aucun joueur n'a le droit de regarder les levées qui ont été faites avant la dernière, sous peine qu'on exige de lui qu'il joue telle ou telle Couleur. Après avoir entamé la première levée, l'ouvreur n'a pas le droit de regarder les cartes de la Veuve ou celles qu'il a écartées, sous peine que son adversaire de droite exige de lui qu'il joue telle ou telle Couleur.

Variantes :

1- **Prendre la partie** : cette première variante est en fait une façon spéciale de déclarer dix levées. Quand un joueur croit pouvoir faire dix levées, que ce soit en atout ou sans atout, il peut déclarer : «Je prends la partie en atout» ou «Je prends la partie sans atout». L'équipe de ce joueur est tenue de faire dix levées pour réussir le contrat annoncé. Si elle le réussit, elle encaisse automatiquement les 1 000 points de la partie au lieu des points correspondant à la déclaration à dix. Si une équipe, par exemple, prend la partie en cœur et réussit son contrat, elle inscrit 1 000 points au lieu des 500 points auxquels donne droit normalement la déclaration à dix cœur.

2- **Faire un Chicago** : lorsqu'une équipe accumule 1 000 points ou plus alors que l'autre n'a aucun point, on dit qu'elle fait un Chicago ou qu'elle envoie l'autre équipe à Chicago. Pour certains joueurs, faire un Chicago équivaut à gagner deux parties.

▯ ▯ ▯

Le Cinq-Cents québécois Nullo

Le Cinq-Cents Nullo est une variante qui permet à un joueur de déclarer «Nullo», c'est-à-dire d'annoncer qu'il ne fera aucune levée. La déclaration Nullo vaut 500 points et équivaut à la déclaration à dix cœur.

Si l'ouvreur a fait une déclaration Nullo, il joue seul contre l'équipe adverse, dans le but de lui donner toutes les chances de remplir son contrat. Son coéquipier lui donne alors sa carte la plus basse ou celle qu'il considère comme étant la moins dangereuse, puis il dépose sa main, face couverte, sur la table devant lui. L'ouvreur écarte alors sa carte la plus forte ou celle qu'il considère comme la plus dangereuse. Il n'a pas le droit de prendre la Veuve.

Si un ouvreur a fait une déclaration Nullo et s'il remporte ne serait-ce qu'une levée, il perd le coup. L'équipe adverse marque alors les 500 points de sa déclaration.

Pour remplir un contrat Nullo, il est conseillé à l'ouvreur d'écarter un Fou s'il en a un, sinon il est sûr de faire une levée. Si un autre joueur a un Fou, il n'a pas le droit de le jouer tant qu'il peut suivre la Couleur demandée. S'il ne peut pas suivre, il peut, à son gré, écarter n'importe quelle carte ou jouer son Fou.

Comme au Cinq-Cents, le joueur qui entame une levée avec un Fou a deux possibilités, selon qu'on joue atout ou sans atout.

⬜ ⬜ ⬜

Le Cinq-Cents québécois à deux

Cette variante est d'un intérêt certain : elle permet à deux passionnés de Cinq-Cents de jouer à leur jeu préféré dans une version qui ne manque pas de piquant.

On joue avec un paquet de 46 cartes. L'enjeu de la partie est le même : 1 000 points.

Les joueurs tirent au sort le premier donneur. Le donneur distribue les cartes de la manière suivante : au premier tour de table, il donne trois cartes à la fois à chaque joueur, en commençant par son adversaire. Puis il met trois cartes dans la Veuve. Ensuite, il dépose 10 cartes couvertes au centre de la table, en les alignant sur deux rangées de cinq cartes. Il place une rangée devant son adversaire et l'autre devant lui. Au deuxième tour de table, il distribue quatre cartes à la fois à son adversaire et à lui-même. Au dernier tour de table, il donne trois cartes à chacun, puis il met trois autres cartes dans la Veuve. Enfin, il retourne les dix dernières cartes sur la table. Il met une carte retournée sur chaque carte couverte des deux rangées.

Chaque rangée de dix cartes comprend donc cinq cartes couvertes sur lesquelles il y a cinq cartes retournées. Chaque joueur détient la rangée de cartes situées devant lui, au même titre qu'une deuxième main. En fait, cette rangée est ni plus ni moins son partenaire.

Donneur

☐ ☐ ☐   main du donneur

☐ ☐ ☐ ☐ ☐   rangée du donneur

☐ ☐ ☐ ☐ ☐   rangée de son adversaire

☐ ☐ ☐   main de son adversaire

Adversaire

Après avoir analysé sa main, chaque joueur a droit à une déclaration. La meilleure déclaration désigne l'ouvreur, qui s'empare de la Veuve. L'ouvreur doit écarter six cartes de sa main pour la ramener au nombre réglementaire de dix cartes.

L'ouvreur entame alors la première levée avec n'importe quelle carte de sa main. Son adversaire joue à son tour : il est tenu de suivre et, s'il ne peut le faire, il coupe ou écarte n'importe quelle carte de sa main. Ensuite l'ouvreur joue une carte retournée de sa rangée sur la table : il est tenu de suivre et, sinon, il peut couper ou écarter n'importe quelle carte. Enfin son adversaire joue, lui aussi, une carte retournée de sa rangée sur la table : là aussi, il est tenu de suivre. C'est la carte la plus forte de la Couleur demandée ou la carte la plus forte en atout ou l'un des Fous qui remporte la levée. Si la levée est remportée par une carte venant de la main d'un joueur, c'est lui qui entame la levée suivante. Si elle est remportée par une carte venant de l'une des rangées de la table, on entame la levée suivante par une carte retournée de cette rangée. C'est le joueur qui détient cette rangée qui choisit alors la carte d'entame. Son adversaire joue ensuite une carte de sa rangée. Puis le joueur qui a entamé la levée joue une carte de sa main et, enfin, son adversaire joue une carte de sa main.

Après avoir joué une carte retournée de la table, le joueur à qui appartient la rangée retourne la carte couverte sur laquelle était posée la carte jouée.

Pour le reste, on suit les règlements du Cinq-Cents québécois.

◻ ◻ ◻

Le Cinq-Cents américain

Nombre de joueurs : trois. Mais on peut aussi jouer à deux, à quatre, à cinq ou à six.

Les cartes :

matériel requis : un paquet de 33 cartes, soit les As, Rois, Dames, Valets, 10, 9, 8 et 7, plus un Fou.

ordre des cartes pour le jeu : l'ordre décroissant suivant : le Fou est, en toute circonstance, la carte la plus forte. Il est suivi du Valet d'atout appelé le Bosquet de droite. La troisième carte dans l'ordre est le Bosquet de gauche : c'est le Valet qui a la même couleur que le Valet d'atout. Si on joue pique atout, le Valet de pique est le Bosquet de droite et le Valet de trèfle, le Bosquet de gauche. Ensuite l'ordre est le suivant :

a) en atout et dans la Couleur complémentaire : A, R, D, 10, 9, 8, 7;

b) dans les deux autres Couleurs : A, R, D, V, 10, 9, 8, 7.

ordre des cartes pour le tirage au sort : l'ordre décroissant suivant : R, D, V, 10, 9, 8, 7, A et F. On remarquera qu'ici, contrairement à l'ordre pour le jeu, l'As et le Fou sont les deux cartes les plus basses.

ordre des couleurs : l'ordre est le même qu'au Cinq-Cents québécois. En ordre décroissant : le sans atout, le cœur, le carreau, le trèfle et, enfin, le pique. Voir le tableau de pointage, selon le barème Avondale, plus haut.

valeur : les cartes n'ont pas de valeur, ce sont les levées qui en ont.

Le jeu :

type : individuel.

but : réussir son contrat, c'est-à-dire faire le nombre de levées annoncées au début du coup, ou plus, afin de marquer des points.

règles :

la distribution : les joueurs coupent pour déterminer le premier donneur. Si deux joueurs coupent des cartes de même valeur, ils coupent de nouveau. La carte la plus basse désigne le premier donneur.

Tout joueur peut mêler les cartes, mais le donneur a le privilège d'être le dernier à le faire avant la donne. Après les avoir battues, le donneur présente le paquet à couper à la personne assise à sa droite. Cette dernière doit laisser au moins quatre cartes dans chaque tas de la coupe. Si une carte est retournée pendant la coupe, on mêle les cartes de nouveau, et c'est le même donneur qui fait la distribution.

Le donneur distribue les cartes en commençant par la gauche et en suivant le sens des aiguilles d'une montre. Il donne dix cartes couvertes à chacun de la façon suivante : au premier tour de table, il donne trois cartes à la fois à chaque joueur. Puis, après s'être servi, il met trois cartes dans la Veuve. Au deuxième tour, il donne quatre cartes à chacun et, au troisième tour, il en distribue de nouveau trois.

Le déroulement : le jeu proprement dit débute par les déclarations. L'aîné commence en annonçant le nombre de levées qu'il croit pouvoir faire, ainsi qu'une Couleur. C'est ensuite au joueur assis à sa gauche à déclarer, puis, enfin, au donneur. Chaque joueur a le privilège de faire une **seule** déclaration. Un joueur n'est pas forcé de déclarer, il peut passer. Mais, une fois qu'il a passé, il ne peut plus revenir sur sa parole.

Les déclarations se font comme au Cinq-Cents québécois, en annonçant un chiffre et une Couleur.

Variante :

Quand tous les joueurs passent, on joue le coup en «sans atout». Dans ce cas précis, on oublie le tableau de pointage, et chaque levée rapporte dix points au joueur qui la fait. Comme il n'y a pas de déclaration, il ne peut y avoir de «reculade». De plus, personne n'a le droit de s'emparer de la Veuve. Deux possibilités s'offrent alors aux joueurs : ou bien la Veuve reste sur la table, face couverte, ou bien les joueurs peuvent la retourner pour en examiner le contenu.

C'est la Couleur annoncée dans la dernière déclaration qui détermine l'atout.

Quand les déclarations sont terminées, l'ouvreur s'empare de la Veuve et en ajoute les cartes à sa main. Il en écarte ensuite le nombre de cartes nécessaires pour ramener sa main à dix cartes. Il est dans l'intérêt de l'ouvreur de ne pas montrer à ses adversaires les cartes de la Veuve ni celles qu'il écarte.

L'ouvreur entame la première levée, par la suite celui qui remporte une levée entame la suivante. Pour jouer le coup, on suit les règlements expliqués au Cinq-Cents québécois.

Après avoir remporté une levée, un joueur la dépose, face couverte, devant lui. On doit faire attention à ne pas mêler les cartes de deux levées différentes, de manière à pouvoir contrôler les irrégularités qui auraient été commises.

le Fou : on le sait, c'est la carte la plus forte en toute circonstance. En sans atout, le Fou n'appartient à aucune Couleur. De plus, celui qui détient un Fou ne peut pas le jouer s'il peut suivre. S'il lui est impossible de suivre, il peut écarter n'importe quelle carte ou jouer un Fou. Si un joueur entame une levée avec un Fou, il a le privilège de désigner la Couleur qu'il désire voir jouer pour cette levée, mais il n'a pas le droit d'exiger qu'un autre joueur joue telle carte en particulier.

Fin du coup : le coup prend fin quand les dix cartes ont été jouées.

Pointage : si, à la fin du coup, l'ouvreur a rempli son contrat, on lui crédite le nombre de points correspondants, selon le tableau de pointage. Il ne peut réclamer de prime pour les levées supplémentaires. Il existe toutefois une exception à cette règle : si la déclaration d'un ouvreur valait moins de 250 points et si ce joueur a remporté les dix levées, on lui crédite 250 points au lieu du pointage fixé pour sa déclaration. Si la déclaration de l'ouvreur valait plus de 250 points, on ne lui crédite pas de points additionnels pour les levées supplémentaires qu'il pourrait avoir faites.

Variante :

Au joueur dont la déclaration était inférieure à 250 points, mais qui a fait toutes les levées, on crédite le pointage correspondant au nombre de levées réussies.

Si l'ouvreur ne remplit pas le contrat qu'il avait annoncé, on soustrait les points correspondant à sa déclaration du pointage qu'il a déjà accumulé : cela s'appelle une reculade. Si Olivier avait déjà 300 points et s'il a failli à remplir un contrat de sept pique, il se retrouvera avec 160 points (300 - 140 = 160).

Cela signifie qu'un joueur peut se retrouver avec un score négatif. On dit alors qu'il «est dans le trou». Si Olivier a annoncé huit sans atout et qu'il échoue à le réaliser, il se retrouve dans le trou avec un score de moins 20 (300 - 320 = -20). Sur la feuille de pointage, on indique un pointage négatif en encerclant le nombre.

Les adversaires de l'ouvreur ont droit à 10 points pour chaque levée qu'ils ont faite. Comme cette forme de Cinq-Cents se joue sur une base individuelle, chaque joueur ramasse ses levées qu'il dépose devant lui afin de pouvoir réclamer les points auxquels il a droit.

Fin de la partie : la partie prend fin quand le pointage d'un des joueurs atteint ou dépasse 500. Si un joueur se retrouve dans le trou avec un score de moins 500 points, il perd la partie. Quand on joue à deux, la partie s'arrête immédiatement. À trois ou cinq joueurs, on continue à jouer jusqu'à ce qu'un autre joueur cumule 500 points. Si, malgré tout, le joueur qui a eu un score de moins 500 est le premier à cumuler 500 points, personne ne gagne la partie.

À la fin de chaque coup, on compte d'abord les points de l'ouvreur de sorte que, s'il a rempli son contrat, on lui crédite ses points. Ainsi, si son pointage atteint 500, c'est lui qui gagne la partie, et cela, même si le pointage d'un de ses adversaires atteint ou dépasse 500 à la fin du même coup.

Si, à la fin d'un coup, l'ouvreur n'a pas 500 points et si le pointage des deux autres joueurs atteint 500, le gagnant est celui qui a été le premier à faire la levée décisive, c'est-à-dire la levée lui donnant les points nécessaires pour que son total passe à 500. Quand le pointage de deux joueurs est près de 500, mais que ni l'un ni l'autre n'est l'ouvreur, le premier à faire la levée décisive doit se déclarer gagnant. Il gagne effectivement la partie à condition qu'à la fin du coup, le total de l'ouvreur soit inférieur à 500. S'il est égal ou supérieur, c'est l'ouvreur qui gagne.

Quand un adversaire de l'ouvreur gagne la partie pendant un coup et qu'on est sûr que l'ouvreur ne peut pas l'emporter même en remplissant son contrat, on cesse immédiatement de jouer. Chaque joueur doit alors montrer les cartes qui lui restent afin de prouver qu'il n'y a pas eu de renonce.

Irrégularités :

Les irrégularités reconnues au Cinq-Cents américain sont les mêmes qu'au Cinq-Cents québécois. Nous ne donnerons, ici, que les irrégularités particulières au jeu individuel.

1- *maldonne :* il y a maldonne dans les cas suivants.

a) Si le donneur a donné plus ou moins de dix cartes à l'un ou l'autre joueur. Toutefois, si le joueur qui n'a pas reçu ses dix cartes réglementaires a joué à la première levée et si l'ouvreur et la Veuve ont le bon nombre de cartes, la donne est valide telle quelle. Le joueur qui n'a pas une main réglementaire n'a pas le droit de marquer de points pour ce coup.

b) Si le paquet est imparfait. Si on s'aperçoit que le paquet est imparfait après qu'une donne a été jouée, les joueurs gardent leur pointage respectif tel que marqué sur la feuille.

2- *déclaration prématurée :* quand on joue à trois, il n'y a pas d'amende pour le joueur qui déclare alors que ce n'est pas à lui de le faire. Sa déclaration est annulée et il a le droit de faire une annonce réglementaire quand vient son tour de parler. Pour le jeu d'équipe, voir les explications données au Cinq-Cents québécois.

3- *carte exposée :* l'ouvreur n'est pas pénalisé pour une carte exposée s'il joue seul, sauf si une renonce a été corrigée (voir plus loin).

4- *voir la Veuve :* si un autre joueur que l'ouvreur s'empare de la Veuve ou voit une des cartes qu'elle contient, l'ouvreur peut exiger une nouvelle donne ou laisser les choses telles quelles. Dans ce dernier cas, le joueur qui a vu la Veuve en tout ou en partie n'a pas le droit de marquer de points pour ce coup. Si un joueur voit la Veuve illégalement avant la première déclaration, les autres peuvent exiger qu'il prenne la Veuve et qu'il joue six sans atout, ou bien ils peuvent exiger une nouvelle donne. Si tous les joueurs ne peuvent se mettre d'accord sur la marche à suivre, la règle exige qu'on joue le coup en six sans atout.

5- *renonce :* un joueur qui a fait une renonce peut la corriger en tout temps avant que lui-même ou son partenaire (s'il joue en équipe) n'ait joué la levée suivante. Autrement la renonce reste telle que jouée.

Quand on corrige une renonce, la carte jouée illégalement est automatiquement exposée. Cette règle inclut le cas où la carte appartient à un ouvreur qui joue seul. Si on peut prouver que l'ouvreur a fait une renonce avant que les cartes aient été coupées pour la donne suivante, l'ouvreur perd les points correspondant à sa déclaration. Si c'est l'un de ses adversaires qui a fait la renonce, ce dernier n'a pas le droit de marquer des points. Bien sûr, l'ouvreur n'est pas pénalisé et enregistre les points correspondant à sa déclaration.

6- *mains irrégulières :* si on s'aperçoit, après la première levée, que l'ouvreur ou la Veuve n'ont pas le nombre réglementaire de cartes, l'ouvreur perd automatiquement le coup et on soustrait de son pointage les points correspondant à sa déclaration. Toutefois, la donne n'est pas annulée si ses deux adversaires ont le bon nombre de cartes : on joue le coup afin de leur permettre de faire des points. Par contre, si l'ouvreur et l'un de ses adversaires n'ont pas une main réglementaire, la donne est aussitôt annulée.

◻ ◻ ◻

Le Cinq-Cents américain à deux joueurs

Il existe deux façons de jouer au Cinq-Cents quand on est seulement deux. La première consiste à suivre les règles du Cinq-Cents à trois. Le donneur distribue **trois** mains, dont l'une est la main morte. Autrement dit, les cartes de cette main sont déposées couvertes sur la table, et aucun des deux joueurs n'a le droit de les regarder. Déclarer ressemble alors à un jeu de devinettes. Lorsqu'un joueur est dans le trou et que son score atteint moins 500, l'autre gagne automatiquement la partie.

Pour la deuxième façon, on forme un paquet de 24 cartes avec les As, Rois, Dames, Valets, 10 et 9. On élimine le Fou et les autres cartes. Le donneur met quatre cartes dans la Veuve. Pour le reste, on suit les règlements du Cinq-Cents à trois.

⛶ ⛶ ⛶

Le Cinq-Cents américain à quatre joueurs

Pour jouer au Cinq-Cents à quatre, il faut un paquet de 43 cartes, composé en enlevant les 2, les 3 et les 4 noirs d'un paquet conventionnel et en y ajoutant le Fou. On joue en équipe de deux. Les joueurs coupent les cartes pour former les équipes et désigner le premier donneur. Les deux joueurs qui ont coupé les cartes les plus basses forment une équipe contre ceux qui ont coupé les plus fortes. Les partenaires d'une équipe s'assoient l'un en face de l'autre. La carte la plus basse désigne le premier donneur.

Pour le reste, on suit les règles du Cinq-Cents à trois.

Variante :

On peut jouer une partie sans le Fou. Dans ce cas, on met seulement deux cartes dans la Veuve au lieu de trois, comme on le fait habituellement.

⛶ ⛶ ⛶

Le Cinq-Cents américain à cinq joueurs

À cinq, on utilise un paquet conventionnel, auquel on ajoute habituellement le Fou. Une particularité de la table à cinq : on peut choisir de jouer individuellement ou en équipe.

Quand cinq personnes désirent jouer sur une base individuelle, elles doivent déterminer si trois ou quatre joueurs s'affronteront en même temps. Ensuite, elles coupent les cartes pour désigner lesquelles joueront la première partie. À la fin de cette partie que l'on joue en suivant les règles du Cinq-Cents à trois, ceux qui ont joué coupent de nouveau pour savoir lesquels céderont leur place à ceux qui attendent leur tour.

La façon de jouer en équipe est assez particulière. Seul, à vrai dire, l'ouvreur joue avec un ou même deux partenaires. Après les déclarations, il peut demander à un autre joueur d'être son partenaire pour le coup, et le joueur sollicité n'a pas le droit de refuser. Les autres joueurs se défendent seuls. Il y a plusieurs façons, pour l'ouvreur, de se choisir un partenaire.

1- Si sa déclaration est de six ou sept, il peut choisir un seul partenaire.

2- Mais si elle est de huit, neuf ou dix, il a le droit d'en choisir deux.

3- L'ouvreur peut également demander au détenteur d'une carte donnée d'être son partenaire. Il dit alors : «Je demande au détenteur de telle carte d'être mon partenaire.» Dans certains clubs, la personne qui détient la carte demandée ne se découvre pas avant qu'il ne soit opportun, pour elle, de jouer ladite carte. Dans d'autres clubs, le détenteur de la carte demandée annonce immédiatement qu'il est le partenaire choisi.

⬚ ⬚ ⬚

Le Cinq-Cents américain à six

Cette variante présente une curiosité que peu de jeux de cartes offrent : il faut, pour y jouer, des cartes dont la valeur nominale est de 11, 12 et 13.

Les cartes :

matériel requis : un paquet de 63 cartes, composé d'un paquet conventionnel auquel on ajoute quatre 11, quatre 12 et deux 13. Pour ce faire, on prend les As, les 2 et deux 3 d'un second paquet parfaitement identique au premier, et on écrit le chiffre 1 devant les A, les chiffres 2 et 3. On y inclut aussi le Fou.

ordre : l'ordre décroissant donné au Cinq-Cents à trois, sauf que les 13, 12 et 11 prennent place entre la Dame et le 10 en atout et sa Couleur complémentaire, et entre la Dame et le Valet dans les deux autres Couleurs.

Le jeu :

type : d'équipe. Trois équipes de deux joueurs. Pour la formation des équipes, voir le Cinq-Cents à quatre. Au Cinq-Cents à six, les joueurs s'assoient comme suit autour de la table : A_1, B_1, C_1, A_2, B_2, C_2.

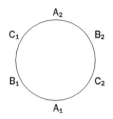

Illustration :
La table de 6 joueurs

but : Voir le Cinq-Cents à trois.

règles :

la distribution : le donneur distribue dix cartes à chacun et met trois cartes dans la Veuve.

le déroulement : Voir le Cinq-Cents à trois.

◻ ◻ ◻

La partie en 1 000 ou 1 500 points

La partie en 1 000 ou 1 500 points n'est pas une variante à proprement parler du Cinq-Cents. C'est plutôt une façon d'ajouter des points. L'ouvreur qui remplit son contrat et ses adversaires ont droit à des points non seulement pour les levées qu'ils font, mais aussi pour les cartes contenues dans chaque levée.

Ainsi un ouvreur qui remplit son contrat a droit aux points supplémentaires suivants : chaque As qu'il détient lui rapporte un point supplémentaire; chaque Roi, chaque Dame, chaque Valet et chaque 10 vaut 10 points; les autres cartes lui donnent le nombre de points correspondant à leur valeur nominale. Autrement dit, le 9 vaut neuf points, le 8 rapporte huit points, ainsi de suite. Dans le paquet à 62 cartes, les 11, 12 et 13 valent 10 points chacun. Mais le Fou ne vaut rien.

Quand on joue à	avec un paquet	cela permet d'ajouter
deux	24 cartes	200 points
trois	33 cartes	260 points
quatre	43 cartes	320 points

cinq	53 cartes	340 points
six	63 cartes	440 points

Si l'ouvreur ne remplit pas son contrat, c'est-à-dire s'il recule, il n'a pas droit à ces points supplémentaires.

Les joueurs fixent l'enjeu de la partie avant de commencer à jouer : soit 1 000 soit 1 500 points.

 ◻ ◻ ◻

Le Cinq-Cents américain Nullo

Le Cinq-Cents Nullo joué en version américaine vaut 250 points, selon le barème Avondale, et se situe entre les déclarations à huit pique et à huit trèfle.

En situation de jeu d'équipe, si l'ouvreur a fait une déclaration nullo, il joue seul contre les autres joueurs, afin d'avoir toutes les chances de remplir son contrat.

Si un ouvreur a fait une déclaration nullo et s'il remporte ne serait-ce qu'une levée, il recule de 250 points. Si ses adversaires font des levées, ils marquent dix points pour chacune.

Pour remplir un contrat nullo, il est conseillé à l'ouvreur d'écarter le Fou, sinon il est sûr de faire une levée. Si un autre joueur a le Fou, il n'a pas le droit de le jouer tant qu'il peut suivre la Couleur demandée. S'il ne peut pas suivre, il peut, à son gré, écarter n'importe quelle carte ou jouer son Fou.

Comme au Cinq-Cents, le joueur qui entame une levée avec le Fou doit préciser la Couleur qu'il désire jouer, mais il n'a pas le droit d'exiger que telle ou telle carte soit jouée.

Les Cœurs

Nombre de joueurs : de trois à sept. Idéalement, quatre joueurs.

Les cartes :

matériel requis : un paquet conventionnel.

ordre : l'ordre décroissant habituel.

valeur : chacun des cœurs vaut un point et la Dame de pique, 12 points.

Le jeu :

type : individuel.

but : éviter de ramasser des cœurs et la Dame de pique **ou alors** faire le contrôle, c'est-à-dire ramasser tous les cœurs et la Dame de pique.

règles :

la distribution : le choix du premier donneur se fait par tirage au sort. Le joueur qui tire la carte la plus basse donne le premier. Le joueur assis à sa gauche donnera les cartes au coup suivant. N'importe qui a le droit de battre les cartes, mais le donneur est le dernier à les mêler. Il les fait couper par son voisin de droite. Il distribue ensuite les cartes en suivant la méthode conventionnelle, tant et aussi longtemps qu'il peut en donner le même nombre à chaque joueur. À trois, cinq, six ou sept joueurs, il restera des cartes. Dans ce cas, le donneur les dépose couvertes sur la table. Le joueur qui remporte la première levée a le droit de les ramasser. Personne d'autre ne peut les regarder.

le déroulement : dès que la distribution est terminée, chaque joueur regarde sa main et choisit trois cartes qu'il donne au joueur assis à sa gauche. Cette opération se fait à l'aveuglette, c'est-à-dire que :

1- il faut passer les cartes sans en montrer la valeur aux autres joueurs;

2- un joueur doit passer ses cartes **avant** de regarder celles qu'il reçoit de son voisin de droite.

Quand il y a six ou sept joueurs autour de la table, chacun passe deux cartes à son voisin de gauche.

L'aîné commence en étalant une carte de sa main sur la table. Les autres joueurs doivent suivre, c'est-à-dire jouer la Couleur demandée. Si l'aîné a joué un trèfle, tous les joueurs qui en ont ont l'obligation d'étaler une carte de trèfle. Si un joueur n'en a pas dans sa main, il peut étaler n'importe quelle carte. Le joueur qui détient la Dame de pique, sans avoir de cartes de la Couleur demandée, tient là une occasion en or de s'en débarrasser. D'ailleurs, une règle exige que le joueur qui a la Dame de pique s'en débarrasse à la première occasion. Le joueur qui a étalé la carte la plus forte de la Couleur demandée remporte la levée. C'est lui qui entame le pli suivant.

Variantes :

Il est interdit de jouer du cœur avant le troisième tour. Une autre règle interdit d'écarter la Dame de pique à la première occasion.

Décompte des points : à la fin du coup, chaque joueur compte les cartes de cœur qu'il a ramassées et on lui crédite un point pour chacune. Le malchanceux qui a la Dame de pique reçoit 12 points.

Une partie de Cœurs peut se jouer de deux façons : dans l'une, la partie ne comprend qu'un seul coup, et dans l'autre, la partie en comprend cinq.

Quand la partie comprend un seul coup, le gagnant est le joueur qui a le moins de points. Si l'on joue à l'argent, les autres joueurs paient au gagnant la différence entre leur résultat respectif et celui du gagnant. Par exemple, Pierre sort gagnant de la partie avec un point. Jean en a cinq, Jacques, dix-sept (il a ramassé la Dame de pique, le pauvre!) et Paul a deux points. Jean doit payer à Pierre quatre fois la mise, Jacques, lui, doit payer 16 fois la mise et Paul, une seule fois la mise. Si deux ou plusieurs joueurs gagnent avec des résultats identiques, ils se partagent à parts égales la cagnotte. Si on ne peut la partarger à parts égales, on tire au sort celui qui recevra la portion de la cagnotte qui reste. La carte la plus forte l'emporte.

Toutefois, si un seul joueur ramasse les treize cœurs et la Dame de pique, il gagne la partie. Cela donne automatiquement 25 points à chacun des autres joueurs, et chacun doit payer 25 fois la mise au gagnant.

Quand la partie comprend cinq coups, on note sur une feuille de pointage les résultats de chaque coup. À la fin de la partie, on additionne les points. Le gagnant est le joueur qui en a le moins. Comme dans le cas précédent, il empoche la différence entre son résultat et le résultat de chacun des autres joueurs.

Variantes :

Pour jouer cette variante, il faut augmenter la valeur de la Dame de pique à 13 points. À la fin de la partie, on additionne les points obtenus par tous les joueurs. Puis on fait la moyenne. Après quoi chaque joueur dont le total est supérieur à la moyenne met la différence entre son résultat et la moyenne dans la cagnotte. Les joueurs dont le résultat est inférieur à la moyenne empochent la différence entre leur total et la moyenne. Par exemple, Pierre finit la partie avec 66 points; Jean, avec 59 points; Jacques, avec 23 points et Paul, avec 34 points. Le total des quatre résultats donne 182 (66 + 59 + 23 + 34 = 182). La moyenne est donc de 45,5 (182/4 = 45,5). Les résultats de Pierre (66 - 45,5 = 20,5) et de Jean (59 - 45,5 = 13,5) sont supérieurs à la moyenne. Donc, Pierre doit mettre 20 fois la mise dans la cagnotte et Jean, 13 fois la mise. Les résultats de Jacques (23 - 45,5 = - 22,5) et de Paul (34 - 45,5 = - 11,5) sont inférieurs à la moyenne. Ils se partagent la cagnotte : Jacques empochera de la cagnotte 22 fois la mise et Paul, 11 fois la mise. Notez bien qu'après chaque coup et à la fin de la partie, l'addition des résultats des joueurs doit donner un multiple de 26.

Il existe une autre variante pour la partie à un seul coup : à la fin de la partie, chaque joueur met dans la cagnotte une fois la mise pour chaque cœur qu'il a ramassé, le joueur qui a la Dame de pique y met 12 fois la mise. Seul le joueur qui n'a **aucun** point a le droit de ramasser la cagnotte. Si tous les joueurs finissent le coup avec des points, la cagnotte reste sur la table pour la deuxième partie. Autrement dit, elle double automatiquement, puisqu'à la fin de cette partie les joueurs devront mettre une mise correspondant à leurs points respectifs dans la cagnotte. Si personne ne ramasse la cagnotte après cette deuxième partie, la mise aura triplé à la fin de la troisième.

Irrégularités :

maldonne : il y a maldonne quand le donneur expose une carte pendant la distribution ou quand il donne trop de cartes à un joueur et pas assez à un autre. Dans les deux cas, ce joueur perd sa donne, et c'est au joueur assis à sa gauche à donner.

jeu prématuré : si quelqu'un joue alors que ce n'est pas à son tour de le faire, il peut reprendre sa carte si on lui demande de le faire avant que tous les joueurs aient joué pour cette levée. Si on s'en aperçoit après que la levée a été ramassée, on considère le tour comme étant réglementaire, et il n'y a pas d'amende.

levées retournées : lorsqu'un joueur remporte une levée, il la place devant lui, faces couvertes. On doit garder les levées bien séparées les unes des autres afin d'être en mesure de prouver, à la fin de la partie, qu'il y a eu renonce, le cas échéant. Si les levées d'un joueur sont si mélangées qu'il devient impossible de prouver qu'il y a eu renonce, on lui donne automatiquement les 25 points du coup, et cela que la renonce ait été faite par lui ou par n'importe quel autre joueur.

renonce : faire une renonce, c'est refuser :

1- de jouer la couleur demandée quand on peut le faire ou

2- d'écarter la Dame de pique à la première occasion. Cette règle peut être désavantageuse pour celui qui la détient. Supposons qu'au troisième tour, la Couleur demandée soit du cœur et que le détenteur de la Dame de pique n'ait pas de cœur. Il devine que le joueur qui a entamé la levée en cœur cherche à ramasser tous les cœurs et la Dame pour mettre les autres joueurs, donc lui-même, dans le trou. La règle exige qu'il écarte sa Dame, même s'il croit qu'en le faisant, il va perdre.

Un joueur peut corriger une renonce avant que la levée ne soit terminée, c'est-à-dire avant que les cartes ne soient déposées couvertes sur la table. Si on découvre plus tard qu'il y a eu renonce, on cesse aussitôt de jouer. Le joueur pris en défaut est automatiquement pénalisé de 25 points. Les autres joueurs inscrivent zéro pour ce coup ou cette partie. Si deux ou plusieurs joueurs ont renoncé, chacun se voit imposer une amende de 25 points.

Pour être valide, la dénonciation d'une renonce doit avoir lieu avant que les cartes soient coupées pour la donne suivante.

main non réglementaire : s'il manque une carte à un joueur, il ramasse automatiquement la dernière levée en guise d'amende. S'il lui en manque plusieurs, il ramasse toutes les levées qu'il ne peut pas jouer.

Le Concierge
(Le trou du cul)

Nombre de joueurs : de trois à six joueurs. Idéalement quatre. Chacun des joueurs occupe un poste stratégique dans l'entreprise. Ces postes sont par ordre d'importance : le président, le vice-président, le secrétaire et le concierge. Quand il y a plus de quatre joueurs, les deux autres occupent des postes intermédiaires de commis 1 et de commis 2 entre le secrétaire et le concierge.

Les cartes :

matériel requis : un paquet conventionnel, plus les Fous, à trois ou quatre joueurs. Deux paquets conventionnels, plus deux Fous, à cinq ou six joueurs.

ordre : l'ordre décroissant suivant : le Fou blanc ou la Blanche est la carte la plus forte, suivie du Fou en couleurs, puis du 2, de l'As, du Roi, ainsi de suite jusqu'au 3. Un Fou bat n'importe quelle combinaison. Un 2 bat n'importe quelle Paire, mais pas un Brelan. Une Paire de 2 bat n'importe quel Brelan, mais pas un Carré, et un Brelan de 2 bat n'importe quel Carré.

valeur : la valeur des cartes n'a pas d'importance puisqu'il n'est pas question de faire ici des levées.

Le jeu :

type : individuel.

but : être le premier à se débarrasser de ses cartes pour devenir ou rester le président.

règles :

la distribution : on tire au sort les places et le choix du premier donneur. Comme la place du donneur est désavantageuse, c'est le joueur qui tire la carte la plus basse qui donne le premier. Celui qui tire la carte la plus forte s'assied à sa gauche et devient le président de la compagnie. Le joueur qui tire la deuxième carte s'assied à la gauche du président et devient le vice-président. Celui qui tire la troisième carte la plus forte remplit le rôle de secrétaire et s'assied à la gauche du vice-président. Quant au joueur qui tire la carte la plus basse, comme un concierge c'est lui qui fait tout le sale boulot. (Illustrations 8 : une table de quatre joueurs, en page 106)

Le concierge passe les cartes : d'abord il mêle bien le paquet et le présente à couper au secrétaire. Puis il distribue toutes les cartes couvertes : il les donne une à une en commençant par le président et en suivant le sens des aiguilles d'une montre.

le déroulement : d'abord les joueurs regroupent les cartes de même valeur : au lieu de placer les cœurs ensemble, il vaut mieux regrouper les 4, les 7 ou les 9. Le jeu débute par un échange de cartes entre le président et le concierge de même qu'entre le vice-président et le secrétaire. Le président donne ses deux cartes les moins intéressantes au concierge qui, en échange, lui donne ses deux meilleures cartes. Quant au vice-président, il donne sa plus mauvaise carte au secrétaire qui lui passe sa meilleure en retour.

Le président lance le premier tour de table. Quatre choix s'offrent à lui, comme à tout joueur qui lance un tour de table.

1- Il peut étaler sur la table une seule carte retournée.

2- Il peut étaler une Paire retournée.

3- Il peut étaler un Brelan retourné.

4- Il peut étaler un Carré retourné.

Le vice-président doit battre la carte ou la combinaison jouée par le président. Cela veut dire qu'il doit mettre une carte plus forte sur une seule carte, une Paire plus forte sur une Paire; de même il doit couvrir un Brelan par un Brelan plus fort, et un Carré par un Carré plus fort. Le secrétaire doit battre la carte ou la combinaison étalée par le vice-président, et le concierge a l'obligation de couvrir la ou les cartes étalées par le secrétaire. Quand un joueur ne peut battre une carte ou une combinaison, il passe. Il n'est pas nécessaire de suivre pour battre une carte ou une combinaison. Autrement dit, il n'est pas nécessaire de jouer un 7 de cœur sur un 6 de cœur pour le battre. Dans le jeu de base, seule la valeur des cartes compte, non pas la Couleur. Un 7 de n'importe quelle Couleur bat toute carte de moindre valeur, peu importe sa Couleur.

Un joueur qui a un ou plusieurs 2 ou encore un Fou est très avantagé. En effet, un 2, nous le rappelons, bat n'importe quelle Paire; une Paire de 2 bat n'importe quel Brelan, et un Brelan de 2, n'importe quel Carré. Quant au Fou, il bat n'importe quelle carte ou combinaison. Le principe est le suivant : la force du Fou est absolue et celle du 2 est telle qu'il en faut un de moins pour battre toute combinaison.

Quand le concierge a joué ou passé, il ramasse les cartes. Et le joueur qui a étalé la carte ou la combinaison la plus forte entame le tour de table suivant.

Fin de la partie : la partie prend fin quand l'un des joueurs reste avec des cartes dans sa main alors que les autres se sont débarrassés de toutes leurs cartes. Le joueur qui a été le premier à se défaire de ses cartes devient le président de la partie suivante. Celui qui a été le deuxième à s'en défaire occupe le poste de vice-président, et le troisième devient le secrétaire.

Variantes :

Il existe deux variantes au Concierge. La première est le jeu en continu et la seconde tient compte de la hiérarchie des Couleurs. On peut jouer le jeu de base et la première variante en conjonction avec la hiérarchie des Couleurs.

1- Le jeu en continu : le principe en est assez simple. Au lieu de ramasser les cartes après avoir donné à chaque joueur l'occasion de jouer une fois ou de passer, on joue tant et aussi longtemps qu'un joueur peut battre la dernière carte ou combinaison étalée, pourvu que ce ne soit pas la sienne. En d'autres termes, si, après un tour de table complet, un joueur est en mesure de battre la dernière carte ou combinaison étalée, il continue de jouer. Et si un autre joueur est en mesure de battre sa ou ses cartes, il joue. Par exemple : Olivier a entamé le tour, Mélanie a joué, Francis a passé et Marie-Pierre a joué. Olivier ne peut battre le jeu de Marie-Pierre, il passe, mais Mélanie joue parce qu'elle peut battre la carte de Marie-Pierre. Francis, qui a déjà passé, passe de nouveau. Et finalement Marie-Pierre passe. Le coup prend fin.

2- **La hiérarchie des Couleurs** : on tient compte de la hiérarchie suivante : le pique est plus fort que le cœur, le cœur l'emporte sur le carreau, et le carreau bat le trèfle. Ainsi, sur l'entame d'un 6 de cœur, on peut mettre le 6 de pique, et non pas obligatoirement un 7. Pour les Paires et les Brelans, c'est la combinaison qui comprend la Couleur la plus forte qui l'emporte. Par exemple, la Paire de 6 de trèfle et de pique l'emporte sur la Paire de 6 de carreau et de cœur, à cause du 6 de pique.

◻ ◻ ◻

Le Concierge à cinq ou six joueurs

Le jeu se joue essentiellement comme le Concierge à trois ou quatre joueurs. Seuls quelques détails changent. D'abord on joue avec deux paquets conventionnels, plus les Fous. Ensuite, les places autour de la table restent les mêmes, sauf que le joueur qui a tiré la quatrième carte la plus forte s'assied à gauche du secrétaire et, à sa gauche, il aura pour voisin celui qui a tiré l'avant-dernière carte. Le président échange deux cartes avec le concierge. Le commis 1 donne sa carte la plus basse au commis 2 qui, en retour, lui donne sa meilleure carte. Ensuite, le secrétaire passe sa carte la plus faible au commis 1 qui, en retour, lui donne sa carte la plus forte. Enfin, le vice-président échange sa carte la plus faible contre la meilleure carte du secrétaire. (Illustration 9 : une table de six joueurs, page 106)

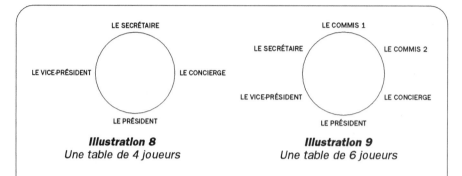

Illustration 8
Une table de 4 joueurs

Illustration 9
Une table de 6 joueurs

Le Cribbage

Nombre de joueurs : idéalement deux. Toutefois, on peut jouer aussi à trois ou à quatre. On trouvera plus loin les règles à suivre dans ces cas-là.

Les cartes :

matériel requis : un paquet conventionnel.

De plus, comme on est sans cesse en situation de marquer des points, il est conseillé de se procurer une planchette de cribbage. En général, elle se présente sous la forme d'une petite planche de bois rectangulaire d'environ 38 cm sur 10 cm. Sur cette planche est dessinée une spirale composée de trois bandes de couleur différente : en général, celle de gauche est rouge, celle du centre, verte et celle de droite, bleue. Chaque bande de couleur est creusée d'une rangée de petits trous destinés à recevoir des fiches en plastique. Les rangées comptent soit 60 soit 120 trous, qui sont gradués par cinq. Si on joue une partie de 121 points avec une planche dont les rangées comprennent 60 trous, on fait deux fois le parcours. Un jeu de deux fiches par joueur est également nécessaire : chaque jeu de fiches a la même couleur qu'une des rangées de la planche.

ordre : l'ordre décroissant suivant : le R est la carte la plus forte, suivie de D, V, 10, 9, 8, 7, 6, 5, 4, 3, 2, As.

valeur : chaque figure vaut 10, l'As vaut 1 et les autres cartes gardent leur valeur nominale.

Le jeu :

type : individuel, à deux ou trois joueurs. D'équipe, à quatre.

but : être le premier à cumuler 61 ou 121 points en formant des cumulatifs de 15 ou 31 et des combinaisons. Les combinaisons permises sont la Paire, le Brelan, le Carré, la Séquence à trois cartes ou plus. On ne tient pas compte de la Couleur dans la Séquence.

règles :

la distribution : le premier donneur est désigné par tirage au sort. Celui qui tire la carte la plus basse donne le premier coup. Si des joueurs tirent des cartes de même valeur, on procède à un autre tirage. Les deux joueurs ont le droit de mêler les cartes, le donneur a le privilège d'être le dernier à les battre. Il fait couper le paquet par son adversaire. Ce dernier ne doit pas couper de manière à laisser moins de cinq cartes dans un des tas de la coupe. Le donneur distribue six cartes couvertes à chaque joueur en alternance. La donne passe ensuite à l'autre joueur, puis revient au premier donneur pour le troisième coup. Quand on joue plus d'une partie, le perdant est le premier à donner pour la partie suivante. Dès que la donne est terminée, le donneur pose les cartes qui restent sur la table entre son adversaire et lui. Au Cribbage, contrairement à la plupart des jeux de cartes, ce paquet ne forme pas le talon même s'il doit encore remplir une fonction. On verra plus loin laquelle.

le déroulement : *formation de la huche* (crib) : chaque joueur analyse sa main et en écarte deux cartes couvertes. Les quatre cartes ainsi écartées sont placées à la droite du donneur. Elles forment la huche et appartiennent au donneur. Il ne s'en servira qu'à la fin du coup pour tenter d'en tirer des points.

la carte de départ : quand on a formé la huche, l'adversaire du donneur coupe le paquet de cartes qui restent et le donneur ouvre la carte placée sur le dessus du tas resté sur la table. Le joueur qui a coupé reforme le paquet en remettant le tas qu'il a en main sur celui qui est resté sur la table. Le donneur dépose alors la carte retournée sur le paquet ainsi reformé. Ce paquet n'est pas un véritable talon car aucun des joueurs ne peut désormais y piger de cartes. La carte posée retournée sur le paquet s'appelle la carte de départ. Si c'est un Valet, le donneur marque deux points sur-le-champ. La carte de départ ne sert à rien pendant le jeu proprement dit, mais, on le verra plus loin, elle peut aider les deux joueurs à marquer des points.

le jeu proprement dit : c'est l'adversaire du donneur qui commence le premier cumulatif. Il joue une carte de sa main en l'ouvrant devant lui et en annonce la valeur. À son tour, le donneur fait de même : il ouvre une carte devant lui et annonce le cumulatif atteint en additionnant la valeur de sa carte et celle de la carte ouverte par son adversaire. Soient les joueurs Pierre et Jean. Pierre ouvre le jeu avec un 3 et annonce : «Trois». Jean ouvre un 7 et annonce le cumulatif «Dix» (3 + 7 =10).

Dès qu'un joueur en ouvrant une carte atteint un cumulatif de quinze, il marque deux points. Si Pierre, par exemple, ouvre un 5 après le 10 de Jean, il annonce : «Quinze» et marque deux points.

Les joueurs continuent ainsi jusqu'à ce que le cumulatif atteigne trente et un. Le cumulatif des cartes ouvertes ne doit jamais dépasser ce chiffre. Si, lorsque vient son tour d'ouvrir une carte, un joueur ne peut le faire sans dépasser trente et un, il dit : «Go», ce qui signifie qu'il ne peut pas jouer. Son adversaire se retrouve devant l'alternative suivante : ou bien il peut ouvrir une ou plusieurs autres cartes sans que le cumulatif dépasse trente et un; ou bien il ne peut pas ouvrir de nouvelle carte sans défoncer trente et un. Dans le premier cas, il ouvre autant de cartes qu'il peut jusqu'au cumulatif maximum de trente et un. S'il finit avec un trente et un, il marque deux points; s'il finit avec moins de trente et un, il marque un point. Dans le deuxième cas, s'il ne peut ajouter aucune autre carte au cumulatif sans dépasser trente et un, il marque aussitôt un point.

Le joueur qui a dit «Go» ayant encore des cartes, il entame un nouveau cumulatif : il ouvre une première carte et en annonce la valeur. Si c'est un 5, il annonce : «Cinq», et non «Trente-six». Autrement dit, quand un cumulatif a atteint son maximum (trente et un ou Go), on recommence à zéro.

Le joueur qui joue la dernière carte de la manche marque un point, peu importe le cumulatif.

façon d'ouvrir les cartes : chaque joueur ouvre les cartes de son jeu en les étalant devant lui. Un joueur ne doit jamais mêler ses cartes avec celles de son adversaire, sinon il deviendrait impossible de calculer les points de chacun à la fin de la manche.

Décompte des points : on marque les points aussitôt qu'on les réalise, sinon il devient impossible de se rappeler tous les points qu'on a faits pendant le coup. Pour marquer les points, on avance une de ses fiches d'autant de trous sur la planchette qu'on a fait de points. Si on fait deux points, on avance une fiche de deux trous. On se sert des deux fiches pour marquer les points : l'une indique l'ancien pointage pendant que l'autre indique le nouveau. Ainsi, on peut avoir une fiche à 25 et une autre à 27, ce qui veut dire qu'on a accumulé jusqu'ici 27 points. Si on fait deux points, on prend la fiche qui marque 25 et on la plante dans le deuxième trou après celle qui marque 27 : elle indique qu'on a désormais 29 points.

Il existe plusieurs façons de faire des points pendant qu'on joue.

a) Un joueur qui forme une **Paire**, en ouvrant une carte de même valeur que celle qui vient d'être étalée par son adversaire, marque **deux (2) points.**

b) Un joueur qui forme un **Brelan**, en ouvrant une carte de même valeur que les deux cartes précédemment ouvertes, marque **six (6) points.**

c) Un joueur qui forme un **Carré**, en ouvrant une carte de même valeur que les trois cartes précédemment ouvertes, marque **douze (12) points.**

d) Un joueur qui forme ou continue une **Séquence** en ouvrant une carte qui crée une suite numérique avec les deux cartes précédemment ouvertes, marque **un point par carte**. Si la Séquence est composée de trois cartes, il inscrit trois points, et quatre points si elle est formée de quatre cartes. On ne tient pas compte de la Couleur et il n'est pas nécessaire que la Séquence suive l'ordre numérique des cartes. Ainsi, une Séquence 2-3-4 peut avoir les formes suivantes : 2-3-4 ou 2-4-3 ou 3-2-4 ou 3-4-2 ou 4-3-2 ou 4-2-3. Elles donnent toutes droit à la prime de trois points.

Il est interdit de faire tourner le coin à une Séquence, c'est-à-dire de créer cette dernière en utilisant une carte faible avec deux fortes ou deux cartes faibles avec une forte. En d'autres termes, les Séquences A-R-D ou 2-A-R sont défendues.

De plus, aucune carte ne doit briser la Séquence. Par exemple, si l'adversaire ouvre d'abord un 7, puis le donneur un 6, puis l'adversaire un 6 et enfin le donneur un 5, ce dernier ne bénéficie pas des points de la Séquence pour la bonne raison que le deuxième 6 brise la Séquence. Bien sûr, l'adversaire marque deux points pour la paire de 6, mais c'est tout.

e) Si un joueur atteint un **cumulatif de quinze** en ouvrant une carte, il marque **deux (2) points**.

Fin du coup : le coup prend fin lorsque les deux joueurs ont ouvert toutes leurs cartes. On compte alors les points contenus dans chaque main. C'est l'adversaire du donneur qui commence, ensuite le donneur compte sa main, puis il compte sa huche. Cet ordre est important : *à la fin de la partie*, il peut faire en sorte que l'adversaire soit le premier à cumuler 61 ou 121 points. Autrement dit, il gagne la partie. Dès lors, le donneur n'est pas autorisé à compter sa main ni sa huche, puisque, de toute façon, il a perdu.

Décompte des points : pour faire le décompte des points, on ajoute la carte de départ à chacune des trois mains. Ainsi, l'adversaire en tiendra compte pour le calcul de ses points, comme le donneur en tiendra compte pour le calcul des points de sa main et de sa huche. Voici la valeur de chacune des combinaisons qu'on peut retrouver dans une main :

combinaisons	points
Paire (2-2)	2
Brelan (2-2-2)	6
Carré (2-2-2-2)	12
Séquence à trois cartes ou plus (2-3-4)	1 par carte
deux Séquences à trois cartes (2-2-3-4)	8
deux Séquences à quatre cartes (2-2-3-4-5)	10
trois Séquences à trois cartes (2-2-2-3-4)	15
deux Paires et deux Séquences (2-2-3-4-4)	16
quatre cartes de la même Couleur	4
cinq cartes de la même Couleur	5
Valet de la même Couleur que la carte de départ	1

Au Cribbage, les combinaisons sont si nombreuses et certaines sont si difficiles à reconnaître qu'il est fort possible qu'un débutant passe à côté de quelques points. Il est important de se rappeler que dès qu'une seule carte change dans une combinaison, celle-ci doit être considérée comme étant une nouvelle combinaison. Si elle a une valeur pour le pointage, on inscrit les points qu'elle rapporte. Prenons par exemple la main D-D-5-5. Pour le besoin de la démonstration, nous désignerons les cartes comme suit : D^1 - D^2 - 5^1 - 5^2. Nous ne tiendrons pas compte de la carte de départ. Il est possible de former quatre combinaisons différentes dont le total donne quinze : (D^1+5^1), (D^1+5^2), (D^2+5^1), (D^2+5^2). Ainsi, la main D-D-5-5 vaut douze points, soit huit points pour les quatre totaux de quinze et quatre points pour les deux Paires. Donc, quand vous comptez vos points, essayez de penser à toutes les combinaisons qui peuvent totaliser quinze, sans oublier les Paires et autres combinaisons.

Le score le plus élevé qu'une main ou une huche (quatre cartes + la carte de départ) peut donner est 29 points. Une seule combinaison permet de marquer 29 points : la main V^c-5-5-5 plus, comme carte de départ, le 5 de la même Couleur que le Valet de la main. Les quatre 5 valent 12 points et les huit manières de totaliser quinze donnent seize points. On ajoute un point pour le «Nobs», c'est-à-dire le Valet de la même Couleur que la carte de départ.

Il est à peu près impossible de répertorier toutes les combinaisons possibles au Cribbage. Toutefois, pour aider le débutant, nous proposons un exemple de chaque type de combinaisons totalisant entre douze et vingt-neuf points.

Pointage d'une main avec la carte de départ

main à cinq cartes	points	main à cinq cartes	points
5-5-5-5-V^c	29	7-7-7-7-8-8	20
5-5-5-5-10	28	3-3-4-4-5	20
6-7-7-8-8	24	6-6-7-7-8	20
4-4-4-4-7	24	6-6-9-9-9	20
3-3-3-3-9	24	5-5-V-D-R	18
7-7-8-8-9	24	3-3-3-6-6	18
4-5-5-6-6	24	3-4-4-4-5	17
4-4-5-6-6	24	2-3-3-3-4	17
3-6-6-6-6	24	2-3-4-4-4	17
4-5-5-5-6	23	6-7-8-9-9	16
5-5-5-V-V^c	23	2-6-7-7-8	16
5-5-5-R-R	22	2-2-3-3-4	16
3-3-3-4-5	21	A-A-2-3-3	16
5-5-V-V-V^c	21	V-D-D-D-R	15
7-7-7-8-9	21	1-2-2-2-3	15
4-5-6-6-6	21	4-4-7-7-7	14
3-4-4-4-4	20	3-3-6-6-9	14
A-A-7-7-7	20	A-4-4-4-V^c	13
3-3-4-5-5	20	A-A-6-7-8	13
4-4-4-7-7	20	2-6-6-7-7	12
3-3-6-6-6	20	2-2-4-9-9	12
7-8-8-9-9	20	1-4-4-4-10	12
7-8-8-8-8	20	A-A-7-7-8	12
6-9-9-9-9	20	A-A-6-7-7	12

V^c renvoie au Valet de la même Couleur que la carte de départ.

À noter que les scores de 19, 25, 26 et 27 points n'existent pas. Si jamais un joueur réclame l'un de ces pointages, c'est qu'il a mal calculé ses points.

On peut arriver au total de quinze de plusieurs façons : avec deux, trois, quatre ou cinq cartes. Toutes les combinaisons sont permises. En voici quelques exemples : (9+6), (8+7), (10+5), (V+5), (8+6+A), (7+6+A+A), (2+3+3+7), (2+3+3+3+4), (A+A+4+4+5).

Le décompte des points d'une main ou de la huche se fait à voix haute. Il peut arriver qu'un joueur, débutant ou non, oublie de compter un ou des points. Dans ce cas, son adversaire peut dire : «Muggins» et inscrire à son compte les points oubliés par l'autre. La règle du «Muggins» est facultative, et les joueurs doivent s'entendre sur son emploi avant la partie.

Quand on a terminé d'inscrire les points du premier coup, un nouveau coup commence. C'est alors au tour de l'adversaire du premier donneur à battre les cartes et à les distribuer. La huche lui reviendra de droit puisqu'il est le donneur du coup.

Fin de la partie : la partie prend fin dès qu'un des joueurs cumule 61 ou 121 points. Les joueurs doivent avoir fixé, avant de commencer la partie, l'enjeu final. Rappelons que si l'adversaire du donneur, après avoir compté ses points pour le coup, gagne la partie, le donneur n'a pas le droit de compter les points ni de sa main ni de sa huche. S'il est dans le pétrin, il y reste.

Chaque partie rapporte un point au gagnant. Toutefois, si le perdant a moins de la moitié des points du gagnant (soit 30 points ou moins pour la partie à 61 points et 60 points ou moins pour la partie à 121 points), il est dans le pétrin (*skunked*). Le gagnant inscrit alors deux points pour la partie.

Variantes :

Certains joueurs conviennent que le perdant est dans le pétrin si son pointage est inférieur aux trois quarts des points du gagnant.

Dans la partie à 61 points, il est dans le pétrin s'il a 45 points ou moins. Dans la partie à 121 points, il est dans le pétrin s'il a 90 points ou moins. Dès lors, le gagnant inscrit deux points.

Mais si le score du perdant est inférieur à la moitié des points du gagnant (30 points ou moins ou bien 60 points ou moins), on crédite trois points au gagnant pour la partie.

Irrégularités :

maldonne : il y a maldonne dans les cas suivants :

a) le donneur n'a pas distribué les cartes une à une;

b) un joueur ne reçoit pas six cartes;

c) il y a une carte retournée dans le paquet;

d) une carte est retournée pendant la donne;

e) le paquet est imparfait.

Dans chacun de ces cas, le donneur doit recommencer sa donne.

main déséquilibrée : une main est déséquilibrée quand un joueur n'a pas le nombre réglementaire de cartes, soit qu'il en ait plus soit qu'il en ait moins.

Si on s'aperçoit que l'adversaire du donneur a une main déséquilibrée après la formation de la huche et si la main du donneur et la huche comportent chacune quatre cartes, l'adversaire peut soit exiger une nouvelle distribution soit marquer deux points et corriger sa main. S'il a trop de cartes, il écarte le nombre de cartes requis pour ramener sa main à quatre. S'il n'en a pas assez, il pige du paquet le nombre de cartes requis pour en avoir quatre. Si c'est la huche qui est déséquilibrée et si les deux joueurs ont chacun une main équilibrée, on crédite deux points à l'adversaire du donneur et on corrige la huche. Si les deux mains sont déséquilibrées, on passe à une nouvelle donne. Si la main d'un des joueurs et la huche sont déséquilibrées, on passe à une nouvelle donne, mais le joueur qui avait le nombre de cartes réglementaire inscrit deux points.

erreur d'annonce : un joueur qui se trompe en annonçant le cumulatif ou en comptant ses points n'est pas pénalisé.

On corrige tout simplement l'erreur sur demande. Si on annonce un cumulatif inexact et qu'on s'aperçoive de l'erreur après que la carte suivante a été ouverte, on ne corrige pas l'erreur. Si l'adversaire du donneur se trompe en comptant ses points pour le coup et si on s'en aperçoit après que le donneur a commencé à compter les siens, on ne corrige pas l'erreur. Si c'est le donneur qui se trompe, on peut corriger l'erreur seulement si les cartes n'ont pas encore été coupées pour la donne suivante. Après, c'est trop tard. Recevoir une aide quelconque pour compter ses points est interdit.

les cartes mortes : si un joueur annonce : «Go» alors qu'il pourrait ouvrir une carte sans dépasser 31, il ne peut plus corriger son erreur dès que l'autre joueur a ouvert une carte. Le joueur qui bénéficie d'un «Go» et qui n'ouvre pas d'autre carte alors qu'il pourrait le faire, ne peut plus corriger son erreur dès que l'autre joueur a entamé un nouveau cumulatif. Dans les deux cas, les cartes qui auraient pu être jouées mais qui ne l'ont pas été deviennent des cartes mortes. Il est interdit au joueur pris en défaut de les jouer, c'est-à-dire de les ouvrir pour un cumulatif. Toutefois, le joueur se sert des cartes mortes pour compter les points de sa main à la fin du coup.

erreur de pointage : si un joueur se trompe en oubliant de marquer des points avec une fiche, il doit corriger son erreur avant de jouer sa carte suivante. S'il a marqué plus de points que ceux annoncés, il doit corriger son erreur sur demande. Son adversaire doit faire cette demande avant que les cartes ne soient coupées pour la donne suivante. S'il le fait, il inscrit deux points.

        ⬚ ⬚ ⬚

Le Cribbage à trois

On désigne le premier donneur par tirage au sort : celui qui pige la carte la plus forte distribue les cartes. Pour les donnes suivantes, on suit le sens des aiguilles d'une montre. On distribue, selon la méthode conventionnelle, cinq cartes couvertes à chaque joueur. À la fin de la distribution, le donneur met une carte dans la huche. Après analyse de sa main, chaque joueur met une carte dans la huche. C'est l'aîné qui coupe le paquet pour désigner la carte de départ.

Quand un joueur dit : «Go», le joueur assis à sa gauche continue de jouer s'il peut ouvrir une carte sans défoncer trente et un. Le troisième joueur a aussi le droit de jouer, sauf si le joueur précédent a mis un terme au cumulatif en annonçant : «Trente et un». Si le premier joueur à bénéficier du «Go» ne peut jouer, le troisième joueur ne peut jouer, lui non plus. Alors c'est le joueur qui a joué la dernière carte qui marque le point du «Go».

Pour toutes les autres règles et pour la façon de compter les points, on suit les règlements du Cribbage à deux. À la fin d'un coup, c'est l'aîné qui a la priorité pour le décompte des points, ensuite c'est au tour du troisième joueur. Le donneur est le dernier à compter ses points, et il termine en comptant les points de la huche, qui lui reviennent, évidemment.

〇 〇 〇

Le Cribbage à quatre

Le Cribbage à quatre est un jeu d'équipe. On tire au sort la composition des équipes et la première donne. Le donneur distribue, selon la méthode conventionnelle, cinq cartes couvertes à chaque joueur. Chacun, après analyse de sa main, met une carte dans la huche. Dès lors, on suit les règles du Cribbage à trois pour le «Go» et pour la rotation de la donne et du décompte des points. Pour le reste, on suit les règles du Cribbage à deux.

On compte les points par équipe. Chaque équipe désigne un joueur pour marquer les points pendant le jeu et à la fin de chaque coup.

Le «Dime»
(Le 65, le 13)

Nombre de joueurs : de trois à huit joueurs.

Les cartes :

matériel requis : de trois à cinq joueurs : deux paquets conventionnels avec les Fous. De six à huit joueurs, trois paquets avec les Fous.

ordre : l'ordre décroissant habituel. L'As est la carte la plus forte, suivie du Roi, puis de la Dame, ainsi de suite jusqu'au 2.

les cartes passe-partout : quand on joue avec deux paquets, il y a douze cartes passe-partout. Quatre ne changent pas : ce sont les Fous; huit cartes passe-partout changent de valeur à chaque coup :

  - au premier coup, les 3 sont passe-partout avec les Fous;

  - au deuxième coup, les 4 sont passe-partout avec les Fous;

  - au troisième, les 5 sont passe-partout avec les Fous, etc.

  - au onzième coup, ce sont les Rois qui sont passe-partout, sans oublier les Fous.

Quand on joue avec trois paquets, le nombre de cartes passe-partout augmente à 18, soit 6 Fous et douze cartes passe-partout dont la valeur change à chaque coup. Par exemple, au premier coup, douze 3 plus les Fous.

valeur :

Cartes	Points
une passe-partout vaut	20
un Roi	13
une Dame	12
un Valet	11
du 10 au 2,	valeur nominale
un As	1

Le jeu :

type : individuel.

but : se débarrasser à chaque coup de toutes ses cartes de manière à accumuler le moins de points possible à la fin de la partie.

Une partie comprend onze coups. On se débarrasse de ses cartes en formant des Brelans, des Carrés, des Brelans à cinq cartes (un Carré plus une carte passe-partout) ou des Séquences ayant au moins trois cartes qui se suivent sans interruption dans la même Couleur.

règles :

la distribution : les joueurs prennent place au hasard autour de la table. N'importe qui donne une carte retournée à chacun jusqu'à ce qu'un joueur reçoive un Valet qui le désigne comme premier donneur. N'importe quel joueur a le droit de mêler les cartes, le donneur conservant le privilège d'être le dernier à le faire. Il présente le paquet à couper à la personne assise à sa droite. Cette dernière doit laisser au moins cinq cartes dans chaque tas de la coupe.

À la première donne, le donneur distribue trois cartes couvertes à chaque joueur. Il les donne une à une en suivant le sens des aiguilles d'une montre. À la deuxième donne, on augmente le nombre de cartes : le donneur distribue quatre cartes couvertes au lieu de trois à chaque joueur. Puis le troisième donneur distribue cinq cartes couvertes. À chaque donne, on augmente ainsi de un le nombre de cartes, jusqu'au onzième coup alors que chaque joueur reçoit 13 cartes couvertes.

À la fin de chaque distribution, le donneur pose le paquet de cartes sur la table, faces couvertes : c'est le talon. Il ouvre la première carte sur le dessus du talon pour commencer à former la pile de défausses.

le déroulement : l'aîné commence soit en pigeant une carte du talon soit en prenant la première carte de la pile de défausses. Puis il écarte. Le joueur suivant peut prendre la carte jetée par l'aîné ou en tirer une du talon. Il écarte à son tour. Au premier coup, les joueurs ne doivent jamais avoir plus de 3 cartes dans leur main. Au deuxième coup, ils ne doivent jamais avoir plus de 4 cartes, et ainsi de suite jusqu'au onzième coup alors qu'ils ne doivent jamais avoir plus de treize cartes en main.

Au premier coup, on ne peut étaler qu'un Brelan ou une Séquence à trois cartes. Au second, on peut étaler soit un Carré ou une Séquence à quatre cartes, appelée Quatrième. Le nombre de combinaisons possibles augmente à chaque coup.

Fin du coup : dès qu'un joueur peut étaler toutes ses cartes d'UN SEUL COUP, il frappe pour annoncer la fin du coup. Les autres joueurs ont alors la possibilité de jouer encore un tour en tirant une carte du talon ou de la pile de défausses et en écartant. Après quoi, les joueurs se débarrassent du plus grand nombre de cartes possible en formant des combinaisons qu'ils étalent devant eux. Si un joueur reste avec des cartes en main, il en additionne les points et on inscrit le total à son passif. N'oubliez pas qu'il faut accumuler le moins de points possible.

Fin de la partie : la partie prend fin quand un joueur annonce la fin du onzième coup en frappant. Le joueur qui, au terme des onze contrats, a le moins de points gagne la partie.

Le Dix

Nombre de joueurs : de trois à cinq.

Les cartes :

    matériel requis : un paquet conventionnel.

    ordre : l'ordre décroissant habituel.

    valeur : ce ne sont pas les cartes qui ont une valeur mais les levées.

Le jeu :

type : individuel.

but : remporter le nombre exact de levées annoncées avant le coup. Chaque fois qu'un joueur réussit le contrat qu'il s'est engagé à faire, il encaisse dix points.

règles :

la distribution : les joueurs choisissent leur place au hasard. N'importe qui donne une carte retournée à chacun jusqu'à ce que l'un des joueurs reçoive un Valet qui le désigne comme premier donneur. Le donneur mêle bien les cartes et les distribue une à une en suivant le sens des aiguilles d'une montre.

Au Dix, le nombre de cartes données diminue à chaque donne. Ainsi le donneur distribue dix cartes couvertes à chaque joueur à la première donne; neuf cartes à la deuxième; huit à la troisième donne; sept cartes à la quatrième; six à la cinquième donne; cinq cartes à la sixième; quatre à la septième donne; trois cartes à la huitième; deux à la neuvième donne et une seule carte à la dixième et dernière donne.

Après avoir distribué les cartes aux joueurs, le donneur ouvre une carte : elle détermine la Couleur d'atout. Le donneur a le droit de prendre cette carte et de l'intégrer à sa main. Toutefois, pour avoir le nombre de cartes réglementaire, il doit faire un écart : il est conseillé d'écarter le plus discrètement possible afin que les autres joueurs ne puissent dire si le donneur a conservé ou non la carte de la Couleur d'atout dans sa main. On aura compris que le donneur bénéficie d'un avantage, aussi est-il important de changer de donneur à chaque coup. Après avoir écarté, le donneur met les cartes qui restent de côté, elles ne serviront plus pour le coup.

le déroulement : chaque joueur joue uniquement avec les cartes qu'il a en main.

Après avoir pris connaissance de la Couleur d'atout, chaque joueur analyse sa main. Puis il annonce le nombre de levées qu'il pense pouvoir faire. Celui qui est responsable de la feuille de pointage inscrit le nombre de levées pour chaque joueur, comme dans l'exemple ci-dessous.

Olivier	Mélanie	Marie-Pierre
2	5	3

Olivier pense pouvoir faire deux levées, Mélanie en annonce cinq tandis que Marie-Pierre pense en faire trois.

L'aîné commence en ouvrant une carte de sa main sur la table. Les autres joueurs sont obligés de suivre, c'est-à-dire de fournir une carte dans la Couleur demandée. S'ils ne peuvent pas suivre, ils peuvent couper ou simplement écarter n'importe quelle carte. La carte la plus forte dans la Couleur demandée remporte la levée. Toutefois, si un joueur a coupé, c'est lui qui prend la levée.

Fin du coup : le coup prend fin quand les joueurs ont joué toutes leurs cartes.

Marquage des points : quand un joueur a fait le nombre de levées annoncées avant le coup, on inscrit le chiffre 1 devant celui qui indiquait le nombre de levées pour ajouter dix points à son score, comme dans l'exemple qui suit.

Olivier	Mélanie	Marie-Pierre
12	X̶	X̶

Quant aux joueurs qui ont fait **plus ou moins** de levées que ce qu'ils avaient annoncé, on fait un X sur le chiffre indiquant le nombre de levées. La feuille de pointage, plus haut, nous apprend qu'Olivier a réussi à faire les levées qu'il avait annoncées, tandis que ni Mélanie ni Marie-Pierre n'y sont parvenues.

Fin de la partie : la partie prend fin quand on a joué les dix donnes. On additionne alors les points de chaque joueur, et celui qui en a le plus gagne la partie.

Le Fan Tan
(Le Parlement - Les Sept -
Les Dominos de cartes)

Nombre de joueurs : de trois à cinq. Idéalement quatre joueurs.

Les cartes :

matériel requis : un paquet de cartes conventionnel, plus des jetons distribués également entre les joueurs.

ordre : l'ordre décroissant suivant : le Roi est la carte la plus forte, suivie de la Dame, du Valet, du 10 et ainsi de suite jusqu'à l'As, la carte la plus basse.

valeur : les cartes n'ont pas de valeur puisqu'il n'est pas question ici de faire de points.

Le jeu :

type : individuel.

but : se débarrasser de toutes ses cartes.

règles :

la distribution : les joueurs prennent place au hasard autour de la table. N'importe qui donne une carte retournée à chacun jusqu'à ce qu'un joueur reçoive un Valet qui le désigne comme premier donneur. Tous les joueurs ont le droit de mêler les cartes, le donneur conservant le privilège d'être le dernier à le faire. Il présente le paquet à couper au joueur assis à sa droite. Ce dernier doit laisser au moins cinq cartes dans chaque tas de la coupe.

Chaque joueur dépose un jeton dans la cagnotte avant la donne.

Après quoi, le donneur distribue toutes les cartes couvertes : il les donne une à une, en commençant par l'aîné et en suivant le sens des aiguilles d'une montre. Il est possible que certains joueurs reçoivent moins de cartes que les autres. Il est d'usage d'exiger de ceux qui ont moins de cartes de déposer un jeton supplémentaire dans la cagnotte.

le déroulement : l'aîné commence. Il essaie de jouer une carte s'il le peut. Comme il est le premier à jouer, il n'a qu'une possibilité de jeu : il doit obligatoirement déposer sur la table un 7 retourné. Sinon, il passe. Chaque fois qu'un joueur passe, il dépose un jeton dans la cagnotte. C'est alors au tour du joueur assis à sa gauche à jouer. Il doit ou bien déposer une carte sur un 7 ou bien étaler un autre 7.

On peut jouer n'importe quel 7 en tout temps : chacun est le point de départ d'une séquence. On les aligne au centre de la table.

Quand un 7 est étalé, il permet aux joueurs qui détiennent le 6 et le 8 de la même Couleur de jouer en les déposant de part et d'autre du 7. Supposons, par exemple, que Mélanie est l'aînée et qu'elle a étalé le 7 de pique. Marie-Pierre, qui joue après elle, a donc cinq possibilités de jeu : elle peut écarter soit le 6 soit le 8 de pique, ou jouer un des trois autres 7. Elle joue le 7 de carreau. C'est au tour d'Olivier. Lui a six possibilités : il peut jouer soit le 6 ou le 8 de pique, soit le 6 ou le 8 de carreau, ou étaler un des deux 7 qui restent. Il dépose le 6 de pique sur le 7. Cela donne au joueur suivant, Francis, la possibilité de jouer son 5 de pique. Sans quoi, il aurait été forcé de passer. (Illustration 10, en page 125)

On continue ainsi à monter chaque séquence jusqu'au Roi à partir du 8 et à la descendre jusqu'à l'As à partir du 6. Chaque joueur joue à tour de rôle, s'il est en mesure de le faire. Sinon, il passe et dépose un jeton dans la cagnotte. Puis c'est au tour de son voisin de gauche.

Fin de la partie : la partie prend fin quand un joueur joue sa dernière carte : il gagne la partie. Les autres joueurs déposent dans la cagnotte un jeton pour chaque carte qu'ils ont encore en main. Le gagnant s'empare de la cagnotte.

Irrégularités :

1- Si un joueur passe en renonçant à jouer un 7 qu'il a en main, il doit déposer trois jetons dans la cagnotte et donner trois jetons aux joueurs qui détiennent le 6 et le 8 de la même Couleur.

2- Si un joueur passe alors qu'il aurait pu jouer une carte qui n'est pas un 7, il doit déposer trois jetons dans la cagnotte.

Il est tout à fait illégal de passer quand on peut jouer une carte.

Variantes :

1- **Le Cinq ou le Neuf** : au lieu de commencer une séquence avec un 7, on a le choix de la commencer avec un 5 ou un 9. Peu importe le choix fait par le premier joueur, il fixe la valeur de la carte qui servira de point de départ aux trois autres séquences pour cette partie. Si, par exemple, l'aîné dépose le 5 de pique sur la table, il détermine que les trois autres Couleurs devront avoir le 5 pour point de départ.

2- **Le comte de Coventry** : au lieu de commencer une séquence avec un 7, on peut choisir n'importe quelle carte comme point de départ. Mais, encore une fois, le joueur fixe ainsi la valeur de la carte qui servira de point de départ aux trois autres séquences. Si, par exemple, un joueur commence la partie en déposant l'As de pique sur la table, il détermine que les trois autres Couleurs devront aussi avoir l'As pour point de départ. Le joueur qui joue la carte servant de point de départ à la quatrième séquence a le privilège de jouer immédiatement une carte sur une des trois autres séquences, s'il peut le faire.

3- **Joue ou paie** : au lieu de commencer une séquence avec un 7, on peut choisir n'importe quelle carte comme point de départ. Mais, il faut **former toute** la séquence jusqu'à épuisement des treize cartes de cette Couleur avant de commencer à jouer une autre Couleur. On joue chaque séquence de manière continue en **montant** les cartes à partir du point de départ. Il est interdit de jouer en déposant des cartes de part et d'autre du point de départ. Par exemple, si le point de départ est le 8 de pique, la seule possibilité qui s'offre au joueur suivant, c'est de monter en déposant le 9 de pique. Ensuite, la seule possibilité de jeu, c'est de monter au 10. On continue ainsi selon l'ordre : 8, 9, 10, V, D, R, A, 2, 3, 4, 5, 6 et 7. Le joueur qui dépose la treizième carte de la séquence, le 7 en l'occurrence, a le privilège de commencer une nouvelle séquence de son choix avec la carte de son choix.

Dans chacune de ces variantes, un joueur qui passe dépose un jeton dans la cagnotte. Le premier joueur à se débarrasser de toutes ses cartes gagne la partie et ramasse la cagnotte.

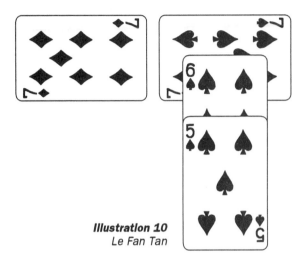

Illustration 10
Le Fan Tan

Le Gin-rami

Nombre de joueurs : deux. Les variantes à trois, quatre joueurs ou plus sont expliquées plus loin.

Les cartes :

matériel requis : deux paquets conventionnels. On joue avec un seul paquet à la fois. Pendant qu'un joueur distribue les cartes, le second bat le second paquet pour la donne suivante.

ordre : le Roi est la carte la plus forte, suivie de la Dame, du Valet, etc. jusqu'à l'As qui est la carte la plus faible.

valeur : chaque figure (R, D, V) vaut 10 points, l'As vaut un point tandis que les autres cartes conservent leur valeur nominale.

Le jeu :

type : individuel.

but : former le plus grand nombre de combinaisons (Brelans, Carrés ou Séquences) qu'on étale en *une seule fois*.

règles :

la distribution : on tire au sort les places et les cartes. Pour cela, on mêle et on étale en éventail un paquet de cartes couvertes. Chaque joueur pige une carte. Il est interdit de prendre les quatre cartes situées aux extrémités de l'éventail. Si un joueur le fait, il doit piger de nouveau. Lorsque les deux cartes pigées ont la même valeur, c'est la Couleur qui détermine la priorité : le pique est la Couleur la plus forte, suivie du cœur, du carreau et, enfin, du trèfle. Le joueur qui a pigé la carte la plus forte a le choix des places et des cartes. De plus, il peut choisir d'être le premier donneur ou non. N'importe lequel des deux joueurs peut battre les cartes, mais le donneur conserve le droit d'être le dernier à le faire. L'adversaire du donneur coupe les cartes. Le donneur distribue dix cartes couvertes à chacun : il les donne une à une et en alternance en commençant par son adversaire. Il dépose les cartes qui restent sur la table, faces couvertes, pour former le talon, puis il retourne la carte du dessus, qu'il place à côté du talon : c'est la retourne, première carte de la pile de défausses.

le déroulement : c'est l'adversaire du donneur qui commence. Au premier tour, il est obligé de prendre la retourne. S'il n'en veut pas, il doit en avertir le donneur. Celui-ci obtient alors le privilège d'être le premier à jouer en s'emparant de la retourne. Si le donneur ne veut pas de la retourne, c'est à son adversaire de jouer : il peut alors piger la carte sur le dessus du talon. Après cette pige, le joueur doit nécessairement écarter une carte de sa main. C'est maintenant au tour du donneur qui peut soit piger la carte sur le dessus du talon ou prendre l'écart de son adversaire sur la pile de défausses.

Fin du coup : le coup prend fin quand l'un des deux joueurs frappe. Un joueur peut frapper à n'importe quel tour du coup, **après** avoir pigé mais **avant** d'écarter. Avant de frapper, il doit s'assurer que la valeur des cartes isolées de sa main est inférieure à onze, autrement dit égale à dix ou moins. Les cartes isolées sont celles qui ne font pas partie d'un Brelan, d'un Carré ou d'une Séquence.

Même si un joueur peut frapper, il n'est pas obligé de le faire. Après avoir frappé, le frappeur écarte de sa main une carte couverte, c'est-à-dire dont on ne voit pas la valeur. Puis il découvre sa main en étalant, d'une part, les combinaisons et, d'autre part, les cartes isolées. Son adversaire fait de même. Toutefois, ce dernier peut, avec ses cartes isolées, compléter les Brelans ou les Séquences du frappeur.

Pour le décompte des points, voir plus bas.

Il est défendu de piger les deux dernières cartes du talon. Si un joueur pige la cinquantième carte, c'est-à-dire la carte posée sur les deux dernières du talon, et s'il écarte sans frapper, le coup est aussitôt annulé. Son adversaire n'a pas le droit de continuer à jouer en s'emparant de la carte écartée. Le même donneur fait une nouvelle distribution.

Décompte des points : Quand l'adversaire du frappeur a fini d'étaler ses cartes isolées sur les combinaisons du frappeur, chacun compte les points des cartes isolées qui lui restent. Celui qui a le moins de points gagne le coup. Si c'est le frappeur, on lui crédite la différence entre ses points et ceux de son adversaire. Le résultat de cette soustraction s'appelle la «cocotte».

Si l'autre joueur a le même nombre de points ou moins de points que le frappeur, on dit alors qu'il fait «*undercut*», et c'est lui qui gagne. On lui crédite la différence entre ses points et ceux du frappeur, plus une prime de dix points.

Toutefois, le frappeur peut faire «gin» en étalant toutes ses cartes groupées en combinaisons. Comme il ne lui reste aucune carte isolée, le total de ses points égale zéro. Dans pareil cas, son adversaire étale seulement ses combinaisons, mais n'a pas le droit de se débarrasser de ses cartes isolées en complétant les combinaisons étalées par le frappeur. Pour un gin, on crédite une prime de 20 points au frappeur plus la différence entre ses points et ceux de son adversaire.

Lorsqu'on marque les points, on souligne la marque du joueur qui gagne le coup. Si, par exemple, Pierre remporte le premier avec dix points, on inscrit 10 et on souligne ce chiffre. S'il gagne le coup suivant avec 7 points, on inscrit 17 que l'on souligne.

C'est le gagnant d'un coup qui distribue les cartes du coup suivant.

Fin de la partie : le premier joueur à cumuler cent points gagne la partie et reçoit automatiquement une prime de cent points. Si son adversaire n'a pas gagné un seul coup, on double le total de ses points, primes comprises.

Chaque joueur reçoit une prime de vingt points pour chaque «cocotte», c'est-à-dire pour chaque coup qu'il a gagné. On additionne ensuite les points de chacun, puis on fait la différence entre les deux totaux. Cet écart détermine la valeur de la victoire du gagnant.

Variante :

Certains accordent une prime de vingt-cinq points pour un «*undercut*», pour un gin ou pour une «cocotte». D'autres réduisent la prime de l'«*undercut*» à vingt points tout en accordant vingt-cinq points pour un gin et une «cocotte».

Irrégularités :

1- *maldonne :* il y a maldonne dans les cas suivants.

a) Si un joueur distribue les cartes alors que ce n'est pas à son tour de le faire. L'erreur doit être dénoncée avant que le donneur pose la retourne sur la table. La donne devient légale si l'erreur est dénoncée plus tard.

b) Si le paquet est imparfait.

c) Si une carte est retournée pendant la distribution.

d) Si on s'aperçoit pendant la distribution ou le coup qu'il y a une carte retournée dans le paquet.

e) Si l'un des joueurs ne reçoit pas le nombre réglementaire de cartes lors de la distribution.

f) Si, pendant le coup, on s'aperçoit que l'un des joueurs n'a pas le nombre réglementaire de cartes.

g) Si un joueur regarde une ou plusieurs cartes de son adversaire pendant la distribution.

Pour chacun de ces cas, le donneur reprend la distribution dès que l'erreur est dénoncée, et il n'y a pas d'amende pour le joueur pris en défaut.

2- *mains non réglementaires* : si on s'aperçoit, après que le frappeur a frappé, que son adversaire a moins de dix cartes en main, ce joueur se voit imposer une amende de dix points et ne peut réclamer, le cas échéant, la prime pour un «*undercut*». Si l'adversaire du frappeur a plus de dix cartes, il ne peut corriger sa main en écartant les cartes en trop. Il ne peut pas gagner le coup : il ne peut que le perdre ou annuler. S'il le perd en ayant plus de points que le frappeur, on suit le cours normal des choses. Si, au décompte des points, il a le même nombre de points que le frappeur, il n'a pas droit à la prime pour l'«*undercut*», et aucun des deux joueurs n'inscrit de points.

Si c'est la main du frappeur qui n'est pas réglementaire, son adversaire a deux possibilités. D'une part, il peut exiger une nouvelle donne. D'autre part, il peut accepter que le coup se poursuive : dans ce cas, il peut exiger du frappeur qu'il expose sa main et joue avec ses cartes retournées sur la table. Le frappeur doit alors corriger sa main en écartant sans piger s'il a trop de cartes ou en pigeant sans écarter s'il n'en a pas assez, et cela jusqu'à ce qu'il ait une main réglementaire de dix cartes.

3- *jeu prématuré* : si l'adversaire du donneur pige une carte du talon avant que le donneur ait refusé la retourne, on considère qu'il a joué son premier tour normalement, et il n'est pas pénalisé. Si l'un des deux joueurs pige une carte du talon avant que l'autre ait écarté, on considère que ce joueur a, lui aussi, joué à son tour.

4- *cartes vues illégalement* : si un joueur, en jouant à son tour, pige plus d'une carte du talon et voit une carte qu'il n'aurait pas dû voir, on retourne cette carte à côté de la pile de défausses. Le joueur pris en défaut n'a pas le droit de frapper lors de ce tour : il doit attendre le tour suivant pour le faire à moins de faire gin. L'autre joueur a le droit de s'emparer de la carte exposée comme si c'était une pige normale et conserve ce droit tant qu'il ne prend pas de carte dans la pile. S'il s'empare d'une carte de la pile de défausses, le droit passe au joueur pris en défaut. Dès que ce dernier s'empare d'une carte de la pile, il perd son droit. On met alors la carte ainsi exposée dans la pile de défausses.

Variante :

Le joueur pris en défaut n'a **jamais** le droit de s'emparer de la carte exposée à côté de la pile de défausses. Dès que l'autre joueur aliène son droit en s'emparant d'une carte de la pile, on rejette la carte exposée dans la pile de défausses.

5- *cartes retournées :* si on découvre une carte retournée dans le talon, on la remet dans le talon que l'on mêle, et le jeu continue.

Si, pendant le coup, on découvre une carte en dehors du paquet, retournée ou non, avant qu'un joueur ait frappé, on doit la remettre dans le talon que l'on mêle.

Si on découvre sur le plancher ou ailleurs en dehors de la pile une ou plusieurs cartes appartenant à un joueur, on considère que chacune de ces cartes appartient au dit joueur. On ne peut déclarer sa main non réglementaire.

Si une carte tombe de la main d'un joueur et qu'elle soit exposée à la vue de l'autre joueur, il n'y a pas d'amende. Toutefois, si la carte est tombée sur la pile de défausses, on doit considérer qu'elle a été écartée.

6- *frapper par erreur :* si le total des cartes isolées d'un joueur donne plus de dix points et que ce joueur frappe par inadvertance, il doit retourner sa main sur la table et continuer le coup avec ses cartes exposées à la vue de l'autre joueur.

Si un joueur qui a un gin dans sa main ne frappe pas et si l'autre joueur frappe avec dix points ou moins, le premier n'a pas droit à la prime pour le gin, mais seulement à celle de l'«*undercut*».

7- *examiner la pile de défausses :* avant de commencer à jouer, deux joueurs peuvent convenir qu'ils ont le droit d'examiner la pile de défausses pour savoir si une carte a déjà été écartée. Si les deux joueurs ne se sont pas entendus sur cette convention, celui qui examine la pile perd son droit de piger au tour suivant.

8- *prendre la mauvaise carte de la pile :* si un joueur prend, par mégarde, une autre carte que celle qui est posée sur la pile de défausses, il a le droit de corriger son erreur. S'il ne le fait pas, l'autre joueur peut le forcer à le faire, mais il doit l'exiger avant d'avoir lui-même écarté.

⬜ ⬜ ⬜

Le Gin-rami à trois

Il y a deux façons de jouer au Gin-rami à trois joueurs. La première consiste à laisser deux joueurs s'affronter à chaque coup, chacun observant le jeu à tour de rôle. La deuxième permet à deux joueurs de former une équipe pour affronter le troisième.

Première méthode : on tire les places au sort. Le joueur qui tire la carte la plus basse devient l'observateur du premier coup. Celui qui a la carte de valeur médiane devient le donneur. À la fin de chaque coup, le perdant cède sa place à l'observateur. Chacun joue pour soi, cumulant des points pour son compte personnel. L'observateur ou joueur inactif n'a pas le droit de conseiller l'un ou l'autre des joueurs qui s'affrontent, sauf pour rappeler une règle si on a commis une irrégularité. La partie prend fin quand le total d'un joueur atteint ou dépasse cent points. On calcule alors toutes les primes, puis chaque joueur paie à chaque joueur qui a plus de points que lui la différence entre leur résultat respectif. Par exemple, Pierre gagne avec 180 points, Jean a 100 points et Jacques 80 points. Jacques devra payer 100 points à Pierre (180 - 80) et 20 points à Jean (100 - 80). Quant à Jean, il devra payer 80 points à Pierre (180 - 100). Si l'un des joueurs n'a pas gagné un seul coup, cela donne une prime de cent points au gagnant de la partie.

Deuxième méthode : cette méthode s'appelle **le Capitaine**. Le joueur qui tire au sort la carte la plus forte devient le capitaine : les deux autres joueurs forment une équipe et jouent contre lui pendant toute la partie. Le joueur qui tire la carte de valeur médiane devient le donneur du premier coup. Le joueur qui a tiré la carte la plus faible devient l'observateur, mais son partenaire peut le consulter. Toutefois, la décision finale revient à celui qui joue. Lorsque le joueur qui affronte le capitaine perd un coup, l'observateur le remplace. On inscrit les points sur deux colonnes : d'une part, ceux du capitaine et d'autre part, ceux de l'équipe. La partie prend fin quand le capitaine ou l'équipe cumule cent points ou plus. Si c'est le capitaine qui gagne, il reçoit de **chacun** des partenaires de l'équipe la différence entre le résultat de l'équipe et le sien. Si c'est l'équipe qui gagne, le capitaine paie à **chacun** des partenaires la différence entre son résultat et celui de l'équipe. Si, par exemple, Pierre était le capitaine et s'il a cumulé 350 points contre l'équipe formée de Jean et Jacques qui a fini avec 250 points, Pierre empoche 200 fois la mise. Si c'est Jean et Jacques qui gagnent par 100 points, Pierre paie 100 fois la mise à chacun.

〇 〇 〇

Le Gin-rami à quatre

On détermine les places par tirage au sort. Pour le tirage au sort, l'As est la carte la plus forte et le 2 la carte la plus faible; le pique est la couleur la plus forte, suivie du cœur, du carreau et, enfin, du trèfle. Les partenaires de chaque équipe prennent place l'un en face de l'autre à la table de jeu.

On joue alors deux parties, chaque joueur de l'équipe A affrontant individuellement un joueur de l'équipe B. On suit les règles du Gin-rami à deux. Toutefois, le décompte des points se fait par équipe. Ainsi, par exemple, Pierre et Paul font équipe contre Jean et Jacques. Pierre gagne le premier coup contre Jean par 23 points, mais Jacques gagne ce coup contre Paul par 10 points. L'équipe Pierre et Paul inscrit un total de 13 points pour le coup.

La partie prend fin quand le total d'une des équipes atteint ou dépasse 125 points. Les primes sont les mêmes qu'au Gin-rami à deux.

Le Gin alternance permet aux joueurs des deux équipes de s'affronter, comme son nom l'indique, en alternance. Autrement dit, Pierre joue le premier coup contre Jean, le second contre Jacques, puis le troisième de nouveau contre Jean et ainsi de suite.

⬜ ⬜ ⬜

Le Gin-rami en équipe

Le Gin-rami en équipe est une variante du jeu à quatre. Il suffit de former deux équipes ayant un nombre égal de joueurs : on peut jouer à six, à huit, et même jusqu'à douze joueurs. Chaque joueur de l'équipe A prend place en face d'un joueur de l'équipe B à la table de jeu et joue la partie contre lui. Encore une fois, on calcule les points par équipe. L'enjeu de la partie, c'est-à-dire le nombre de points nécessaires pour la gagner, augmente de vingt-cinq à chaque fois qu'on ajoute un joueur par équipe. Ainsi l'enjeu d'une partie jouée par deux équipes de trois partenaires monte à 150 points, celui d'une partie jouée par des équipes de quatre partenaires est de 175 points, et ainsi de suite. Pour le reste, on applique toutes les règles du Gin-rami à deux.

⬜ ⬜ ⬜

Le Gin Oklahoma

Dans cette variante du Gin-rami, le nombre de points qui permet à un joueur de frapper varie d'un coup à l'autre. Et c'est la valeur de la retourne, c'est-à-dire de la première carte de la pile de défausses, qui détermine ce nombre de points. Autrement dit, le total des points des cartes isolées du frappeur ne doit pas dépasser la valeur de la retourne. Si la retourne est le 7 de carreau, le total des cartes isolées du frappeur doit être égal ou inférieur à sept. Si la retourne est une figure (Roi, Dame ou Valet) ou un dix, il lui faut dix points ou moins pour frapper. Si la retourne est un As, il peut frapper seulement s'il a un Gin.

Si la retourne est une carte de pique, on double automatiquement tous les points de ce coup.

L'enjeu de la partie est 150 points : le premier joueur qui atteint ou dépasse ce total gagne la partie. Les primes sont les suivantes : 20 points pour un «*undercut*», 25 points pour un gin ou une cocotte.

Pour le reste, on suit les règles du Gin-rami.

⬜ ⬜ ⬜

Le Gin Hollywood

Cette variante permet à deux joueurs de jouer trois parties simultanément. Tout se joue sur la façon de noter les points. Voici comment. On divise la feuille de pointage en trois colonnes, chacune correspondant à une partie. On inscrit ensuite le nom des joueurs sous chacune des colonnes.

Illustration :	Partie 1		Partie 2		Partie 3	
	Pi.	Je.	Pi.	Je.	Pi.	Je.

Puis on joue en suivant tout simplement les règles du Gin-rami. Quand un joueur gagne un premier coup, on inscrit ses points sous la colonne de la partie 1. Si le même joueur gagne un deuxième coup, on lui crédite alors ses points sous la colonne de la partie un **ET** sous la colonne de la partie deux. Au troisième coup, ses points sont notés sous les **trois** colonnes. Par la suite, on lui crédite ses points pour les trois parties à chaque coup qu'il gagne. L'enjeu de chaque partie est de 100 points. À partir du moment où un joueur atteint ou dépasse 100 points pour la première partie, on inscrit ses points seulement sous les colonnes des parties deux et trois. Quand le total des points de ce joueur atteint ou dépasse 100 pour la deuxième partie, on lui crédite ses nouveaux points pour la partie trois seulement. La partie prend fin quand l'un des joueurs a obtenu 100 points ou plus pour chacune des trois parties. Voici un exemple de feuille de pointage. Pierre gagne le premier coup avec 15 points. On lui crédite donc ses points sous la colonne de la première partie. Puis Jean gagne le deuxième coup par 12 points. À lui aussi, on crédite ses points sous la colonne de la première partie, parce que c'est le **premier coup** qu'il gagne.

Illustration 11 :	Partie 1		Partie 2		Partie 3	
	Pi.	Je.	Pi.	Je.	Pi.	Je.
	15	12				

Le coup suivant, c'est Jean qui gagne par 18 points. Il encaisse automatiquement 18 points pour la première et pour la deuxième partie, parce que c'est le **deuxième coup** qu'il gagne.

Illustration 12 :	Partie 1		Partie 2		Partie 3	
	Pi.	Je.	Pi.	Je.	Pi.	Je.
	15	12		18		
		30				

Le coup suivant, Jean l'emporte par 32 points. Comme c'est sa troisième victoire, on lui crédite ces points sous les colonnes des trois parties. Puis Pierre gagne et on inscrit ses points, 26, sous les colonnes des parties un et deux, car c'est la deuxième fois qu'il emporte.

Illustration 13 :	Partie 1		Partie 2		Partie 3	
	Pi.	Je.	Pi.	Je.	Pi.	Je.
	15	12	26	18		32
	41	30		50		
	62					

Les primes s'appliquent pour chacune des parties.

Cela peut paraître compliqué à première vue, mais c'est relativement simple et fascinant. Essayez, vous verrez.

◻ ◻ ◻

Le Gin-rami «tourner-le-coin»

Cette variante a une particularité : on peut ajouter ses règles particulières aux règles de n'importe quelles variantes du jeu expliquées plus haut. La principale consiste à avoir le droit d'utiliser l'As pour faire «tourner le coin» à une Séquence. Autrement dit, en plus des Séquences (A-2-3) et (R-D-A), la Séquence (R-A-2) est autorisée. Ainsi l'As peut non seulement commencer ou finir une Séquence, mais aussi jouer un rôle intermédiaire en faisant le lien entre le Roi et le 2. Dans cette variante, l'As vaut quinze points, tandis que les autres cartes conservent les valeurs reconnues pour le Gin-rami.

Si le frappeur fait «gin» mais que son adversaire parvienne à réduire ses points à zéro, aucun des deux joueurs ne se voit créditer de points pour ce coup.

L'enjeu de la partie est de 125 points. On ajoute 25 points à cet enjeu lorsque deux équipes s'affrontent plutôt que deux joueurs.

Les joueurs ont le droit d'examiner en tout temps la pile de défausses.

Le Golf

Il existe deux formes assez différentes de ce jeu : on joue la première avec quatre cartes et la seconde avec six cartes.

Le Golf à quatre cartes

Nombre de joueurs : de deux à six.

Les cartes :

matériel requis : un paquet conventionnel auquel on ajoute les Fous.

ordre : l'ordre n'a pas d'importance.

valeur : le Fou vaut moins un, le Roi vaut zéro, l'As vaut un, les autres cartes gardent leur valeur nominale, c'est-à-dire que le 2 vaut deux, le 3 vaut trois, ainsi de suite jusqu'au 10, le Valet vaut onze et la Dame vaut douze.

Le jeu :

type : individuel.

but : réaliser le pointage le plus bas possible.

règles :

la distribution : on tire au sort les places et le premier donneur. Le joueur qui tire la carte la plus forte est le premier à passer les cartes. Il mêle bien le paquet et distribue les cartes une à une en commençant par l'aîné et en suivant le sens des aiguilles d'une montre. Il donne quatre cartes couvertes à chacun. Les joueurs n'ont pas le droit de regarder leurs cartes avant de les avoir disposées sur deux rangées de deux cartes chacune. (Illustration 14, en page 141)

Le donneur dépose les cartes qui restent au centre de la table : c'est le talon. Il retourne la carte du dessus et la dépose à côté du talon : c'est la retourne, première carte de la pile de défausses.

le déroulement : pour commencer, les joueurs regardent deux des quatre cartes qu'ils ont devant eux. Puis l'aîné pige une carte du talon ou prend la retourne. S'il a pigé une carte du talon, il se trouve alors devant l'alternative suivante : ou bien il l'écarte en la déposant sur la pile de défausses parce que sa valeur est trop élevée, ou bien il remplace l'une de ses quatre cartes par celle qu'il vient de piger. Dans ce dernier cas, il peut indifféremment choisir de remplacer l'une des cartes qu'il a vues et dont il connaît la valeur, ou courir le risque de remplacer une carte à l'aveuglette, c'est-à-dire une carte qu'il n'a pas vue. Peu importe la carte choisie, il l'écarte en la déposant sur la pile de défausses et met la carte pigée du talon à sa place, face couverte. S'il a pris la retourne, on présume qu'elle faisait son affaire et, donc, il remplace automatiquement une carte de son jeu par elle. Même si les autres joueurs connaissent la valeur de la retourne, le joueur qui s'en empare doit la déposer **couverte** sur la table.

C'est ensuite au joueur assis à sa gauche à faire de même. Chaque joueur a toujours le choix soit de piger une carte du talon ou de prendre la carte sur le dessus de la pile de défausses. Prendre la carte sur le dessus de la pile peut être très avantageux quand le joueur précédent a écarté à l'aveuglette un Fou, un Roi ou un As, par exemple.

Fin du trou : au Golf, un coup ou une donne s'appelle un trou. Le trou prend fin quand l'un des joueurs frappe sur la table. Les autres joueurs ont alors le droit de jouer encore un tour en pigeant une carte du talon ou en prenant la première carte de défausses pour tenter de réduire leur pointage. Puis les joueurs retournent leurs cartes et additionnent leurs points.

Si le joueur qui a frappé a le même nombre de points qu'un autre joueur, c'est ce dernier qui gagne le trou.

Marquage des points : on inscrit zéro sur la feuille de pointage sous le nom du gagnant du trou. Pour les autres joueurs, on soustrait leurs points respectifs des points du gagnant et on inscrit la différence sur la feuille de pointage.

Olivier finit le trou avec cinq points, Mélanie avec huit points, Marie-Pierre avec trois points et Francis avec dix points. On inscrit donc zéro pour Marie-Pierre, deux pour Olivier (5 - 3 = 2), cinq pour Mélanie (8 - 3 = 5) et sept pour Francis (10 - 3 = 7), pour le premier trou.

Fin de la partie : une partie de Golf peut se jouer en neuf ou dix-huit trous. Les joueurs doivent fixer la longueur de la partie avant de commencer à jouer. Quand le nombre de trous a été joué, on additionne les points de chaque joueur et celui qui en a le moins gagne la partie. Les joueurs qui aiment jouer à l'argent doivent déterminer avant le début de la partie la valeur de chaque point. À la fin de la partie, chaque joueur paie au gagnant l'équivalent en argent de son pointage final.

⬛ ⬛ ⬛

Le Golf à six cartes

Nombre de joueurs : de trois à neuf.

Les cartes :

matériel requis : de trois à cinq joueurs, un paquet conventionnel plus les Fous. À six ou plus, deux paquets conventionnels plus les Fous.

ordre : l'ordre n'a pas d'importance.

valeur : les cartes ont la même valeur qu'au Golf à quatre cartes.

Le jeu :

type : individuel.

but : comme au Golf à quatre cartes, faire le moins de points possible en neuf ou en dix-huit trous.

règles :

la distribution : le donneur donne six cartes couvertes à chaque joueur. Les joueurs **n'ont absolument pas** le droit de regarder leurs cartes. Ils doivent les disposer sur la table, devant eux, sur deux rangées de trois cartes chacune. (Illustration 15, en page 141)

Chaque carte de la rangée du haut est jumelée avec sa vis-à-vis de la rangée du bas, sur un axe vertical. Il est important de s'en rappeler au moment de compter les points à la fin d'un coup.

Le donneur dépose le talon au centre de la table et retourne la carte du dessus et la dépose à côté du talon : c'est la retourne.

le déroulement : l'aîné commence en pigeant une carte du talon ou en prenant la retourne. S'il a pigé une carte du talon, il doit décider s'il l'écarte ou s'il la garde. S'il la garde, il remplace nécessairement une de ses cartes à l'aveuglette, puisqu'il n'en a vu aucune. Il doit donc choisir au hasard la carte qu'il veut remplacer. Peu importe la carte choisie, il l'écarte de son jeu en la déposant sur la pile de défausses et met la carte pigée du talon à sa place, **face retournée**. S'il a pris la retourne, on présume qu'elle faisait son affaire et, donc, il remplace automatiquement une carte de son jeu par elle. Il l'insère dans sa main, face retournée.

C'est ensuite au joueur assis à sa gauche à faire de même. Chaque joueur a toujours le choix soit de piger une carte du talon ou de prendre la carte sur le dessus de la pile de défausses. Prendre la carte sur le dessus de la pile peut être très avantageux quand le joueur précédent a écarté à l'aveuglette un Fou, un Roi ou un As, par exemple, ou même une carte qu'on peut jumeler pour former une Paire.

N'oubliez pas : chaque fois qu'un joueur remplace une carte de son jeu par une carte pigée du talon, il doit déposer celle-ci sur la table, face **retournée**. C'est l'une des principales différences entre le Golf à quatre cartes et celui à six cartes : au Golf à quatre cartes, un joueur remplace toujours une carte de sa main par une carte **couverte**, tandis qu'au Golf à six cartes, il **retourne** la carte de remplacement.

Une autre différence importante entre les deux versions, c'est la formation de Paires. Au Golf à quatre cartes, former une Paire n'apporte aucun avantage, alors que c'est très avantageux de le faire au Golf à six cartes.

Les Paires : peu importe la valeur des cartes jumelées, l'une annule l'autre. Autrement dit, une Paire vaut toujours zéro, comme le Roi. Pour former une Paire, il faut que les deux cartes de même valeur soient placées l'une au-dessus de l'autre, comme dans l'exemple ci-dessous. (Illustration 16, en page 142)

Fin du trou : le coup prend fin quand toutes les cartes d'un joueur ont été retournées.

Résultat nul : on peut produire un résultat nul de trois façons. La première consiste à former une Paire sur un axe vertical. La seconde, à placer un As et un Fou sur le même axe vertical (1 - 1 = 0); et la dernière à retourner deux Rois sur le même axe vertical (0 + 0 = 0). (Illustration 17, en page 142)

Marquage des points : chaque joueur additionne d'abord les points sur les trois axes verticaux de son jeu, puis il fait la somme totale, comme ci-dessous. (Illustration 18, en page 143)

Enfin, on inscrit le résultat brut sur une feuille de pointage. Ou bien il paie au gagnant la valeur de ses points en argent, selon l'unité fixée avant le début de la partie ou bien on attend à la fin de la partie pour régler les comptes. Supposons que quatre joueurs jouaient à un cent le point. Olivier finit le premier trou avec 15 points, Mélanie avec un résultat nul, Marie-Pierre avec 18 points et Francis avec 14 points. Mélanie gagne la partie et reçoit 15 cents d'Olivier, 18 cents de Marie-Pierre et 14 cents de Francis.

Fin de la partie : la partie prend fin quand on a joué neuf ou dix-huit trous. Le gagnant est le joueur qui a cumulé le moins de point.

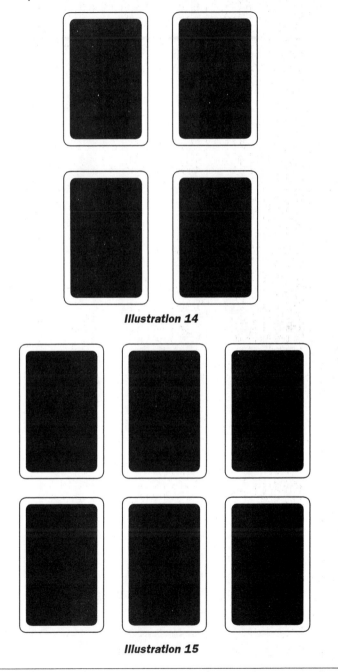

Illustration 14

Illustration 15

141

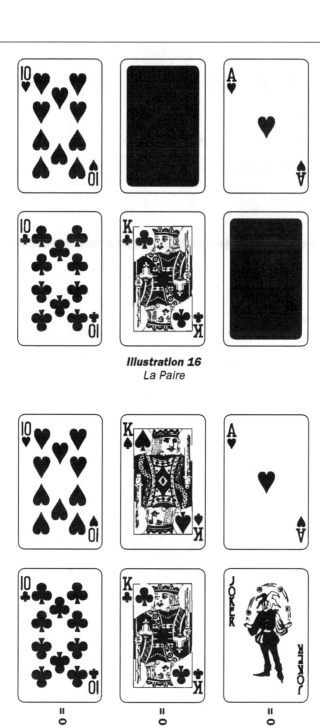

Illustration 16
La Paire

Illustration 17
La main de valeur 0

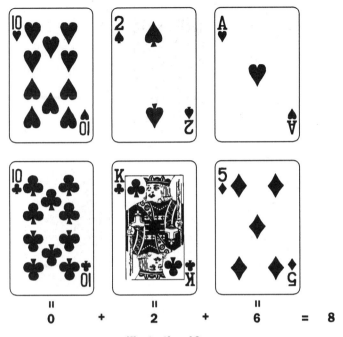

Illustration 18
Comment additionner les points

Les Huit
(Les Huit fous - les Valets - le Rami suédois)

Nombre de joueurs : de deux à huit. Idéalement trois ou quatre en équipe.

Les cartes :

matériel requis : de deux à cinq joueurs : un paquet conventionnel; six joueurs et plus : deux paquets conventionnels.

ordre : l'ordre n'a pas d'importance puisqu'il n'est pas question de faire de levées.

valeur : un 8 vaut 50 points, le Roi, la Dame, le Valet et le 10 valent chacun 10 points, l'As vaut un point et les autres cartes conservent leur valeur nominale.

cartes passe-partout : les 8 sont des cartes passe-partout : on peut jouer un 8 sur n'importe quelle carte. Jouer un 8 donne le privilège au joueur qui le détient de demander une Couleur, mais non pas une valeur. Cela signifie que le joueur suivant se retrouve devant deux possibilités : ou il joue une carte de la Couleur demandée ou il joue, lui aussi, un 8.

Le jeu :

type : individuel ou d'équipe. À quatre, on joue en équipe. Mais, si on le désire, on peut aussi jouer en équipe de deux ou trois à six joueurs, et en équipe de deux ou quatre joueurs à huit.

but : éviter de faire des points en se débarrassant de toutes ses cartes ou faire le moins de points possible.

règles :

la distribution : les joueurs prennent place au hasard autour de la table. N'importe qui donne alors une carte à chacun jusqu'à ce qu'un joueur reçoive un pique, qui le désigne comme premier donneur. Tout joueur a le droit de mêler les cartes, mais le donneur conserve le privilège d'être le dernier à le faire. Il présente le paquet à couper au joueur assis à sa droite. Ce dernier doit laisser au moins cinq cartes dans chaque tas de la coupe.

À deux joueurs, le donneur donne sept cartes couvertes à chacun. Il les distribue une à une en commençant par son adversaire.

À trois joueurs ou plus, il donne cinq cartes couvertes à chacun : il les distribue une à une en commençant par l'aîné et en suivant le sens des aiguilles d'une montre. Ensuite, il dépose le reste du paquet couvert au milieu de la table pour former le talon. Il en retourne la carte du dessus, appelée la bergère, et la pose à côté du talon. Si le donneur retourne un 8, il le remet au milieu du talon et retourne la carte suivante.

Variante :

Peu importe le nombre de joueurs assis à la table, on donne huit cartes à chacun.

le déroulement : c'est l'aîné qui commence. Il joue une carte de sa main en la posant sur la bergère au centre de la table : c'est le début de la pile de défausses qui va augmenter avec la partie. C'est ensuite au joueur assis à la gauche de l'aîné de jouer en posant une carte de sa main sur la pile de défausses. Puis on continue en suivant le sens des aiguilles d'une montre. À chaque coup, un joueur a quatre possibilités de jeu :

1- Il écarte une carte de la Couleur demandée, en se débarrassant d'abord de ses cartes les plus fortes. La Couleur demandée est toujours celle de la carte sur le dessus de la pile de défausses. Pour l'aîné, c'est la Couleur de la bergère qui détermine la Couleur demandée. Autrement dit, si la carte sur le dessus de la pile est un carreau, le joueur dont c'est le tour d'écarter doit **obligatoirement** jouer du carreau.

S'il écarte le 8 de la Couleur demandée, il a alors le privilège de demander la Couleur de son choix.

Un joueur qui ne peut pas suivre a encore deux autres possibilités de jeu.

2- Il écarte une carte de la même valeur que celle qui est sur le dessus de la pile de défausses. Celui qui joue ainsi change la Couleur demandée. Si, par exemple, on jouait en carreau et qu'un joueur pose le 6 de trèfle sur le 6 de carreau, la Couleur demandée devient automatiquement le trèfle.

3- Il ne peut écarter aucune carte de sa main. Il est forcé de piger une carte du talon et, s'il peut l'écarter, il la joue. Un joueur est tenu de piger une carte du talon tant et aussi longtemps qu'il ne peut jouer une carte de sa main. Un joueur garde toujours le privilège de piger une carte du talon, même s'il peut jouer une carte de sa main.

Lorsque le talon est épuisé, on met de côté la carte posée sur le dessus de la pile de défausses pour en faire une nouvelle bergère et on mêle le reste de la pile pour former un nouveau talon. On continue à jouer avec ce talon.

Variantes :

1- On peut écarter n'importe quel 8 en tout temps. Autrement dit, un joueur a le droit d'écarter un 8 de n'importe quelle Couleur, peu importe la Couleur demandée. Il conserve, bien sûr, son privilège de demander la Couleur de son choix.

2- Lorsque le talon est épuisé, on continue de jouer sans talon. Un joueur qui ne peut jouer une carte de sa main passe tout simplement son tour, jusqu'à ce qu'il puisse écarter.

Fin de la partie : la partie prend fin quand un joueur réussit à écarter la dernière carte de sa main. Il encaisse alors tous les points que les autres joueurs ont encore en main.

Variante : si le jeu est bloqué parce qu'aucun joueur ne peut écarter et parce que le talon est épuisé (voir la variante 2 plus haut), c'est le joueur qui a le moins de cartes qui gagne la partie. Il encaisse la différence entre ses points et ceux de chacun des autres joueurs. Par exemple, Olivier finit avec deux cartes qui totalisent 6 points, Mélanie avec trois cartes pour un total de 8 et Marie-Pierre avec quatre cartes et 15 points. Olivier gagne donc la partie par 11 points, soit (8 - 6 = 2) + (15 - 6 = 9). Si on joue à l'argent et si deux joueurs finissent avec le même nombre de cartes et de points, ils partagent les gains.

Chaque coup peut compter pour une partie. Toutefois, il est d'usage, quand on joue à deux, de fixer l'enjeu de la partie à 100 points ou plus. Ainsi, une partie comprend plusieurs coups.

Lorsqu'on joue en équipe, la partie ne prend fin qu'au moment où tous les membres de l'équipe se sont débarrassés de leurs cartes. Quand un joueur n'a plus de cartes, les autres continuent à jouer. Si le jeu est bloqué, on compare les points de chaque équipe pour désigner l'équipe gagnante.

◻ ◻ ◻

Les Huit cochon

Pour jouer aux Huit cochon, on suit les règlements des Huit en ajoutant les Fous au(x) paquet(s) conventionnel(s) et la série de variantes suivantes.

1- Quand on écarte un 2, le joueur suivant doit piger deux cartes du talon. De plus, il perd son droit d'écarter pour ce tour. Si on a écarté le 2 de pique, le joueur suivant doit piger quatre cartes sans écarter.

2- Quand on écarte un Fou, le joueur suivant pige cinq cartes du talon et perd son droit d'écarter pour ce tour. De plus, celui qui joue le Fou a le privilège de demander la Couleur de son choix, comme s'il jouait un 8.

3- Écarter un Valet fait perdre son tour au joueur suivant.

4- Quand on joue à trois joueurs ou plus, écarter un 10 change le sens de rotation du jeu. Si on jouait en suivant le sens des aiguilles d'une montre, c'est-à-dire en allant toujours vers la gauche, on doit, à partir du 10, jouer en suivant le sens contraire des aiguilles d'une montre.

5- Un joueur qui ne peut jouer pige une carte du talon et **perd son droit** d'écarter pour ce tour.

6- Tout joueur est tenu d'annoncer qu'il joue son avant-dernière carte **avant de l'écarter**, en disant : «Dernière carte!» Sinon, il perd son droit de jouer au tour suivant et est obligé de piger cinq cartes.

Variantes :

Comme son nom l'indique, le Huit cochon est conçu pour faire enrager nos adversaires. Aussi est-il possible de le rendre encore plus infernal en ajoutant d'autres variantes qui ne manqueront pas de mettre de l'action autour de la table.

1- Quand un joueur écarte un 2, le suivant doit piger deux cartes mais conserve son droit d'écarter. Si ce dernier écarte un autre 2, le joueur suivant doit prendre quatre cartes du talon, puis écarter. Et si ce troisième joueur joue un troisième 2, le suivant doit piger six cartes avant d'écarter. Le joueur qui écarte un quatrième 2 consécutif force le joueur suivant à piger huit cartes du talon.

2- Jouer un 7 oblige le joueur suivant à piger une carte dans la main du joueur qui a écarté le 7. De plus, il perd son droit d'écarter pour ce tour.

3- Si un joueur a trois Dames dans sa main, dont la Dame de la Couleur demandée, il a le droit de les écarter toutes les trois au même tour en commençant, bien sûr, par la Dame de la Couleur demandée. Après ses écarts, le jeu continue dans la Couleur de la dernière Dame écartée.

Irrégularités :

1- Si le donneur donne trop de cartes à un joueur, n'importe qui pige au hasard autant de cartes qu'il est nécessaire dans la main de ce joueur pour la ramener au nombre réglementaire. Il les remet ensuite dans le talon.

2- Si le donneur ne donne pas assez de cartes à un joueur, ce dernier pige du talon les cartes nécessaires pour ramener sa main au nombre réglementaire.

⬚ ⬚ ⬚

Les Huit «Hollywood»

Cette variante se joue à deux. On calcule les points comme au Gin-rami, à partir des valeurs suivantes : le 8 vaut 20, l'As 15, les figures 10 et les autres cartes gardent leur valeur nominale. Le gagnant de la partie est le premier joueur qui cumule 100 points. On répartit la feuille de pointage en trois colonnes doubles, comme si on jouait trois parties simultanément.

Illustration 19 :	Partie 1		Partie 2		Partie 3	
	Pi.	Je.	Pi.	Je.	Pi.	Je.

Puis on joue en suivant tout simplement les règles du jeu des Huit. Quand un joueur gagne un premier coup, on inscrit ses points sous la colonne de la partie 1. Si le même joueur gagne un deuxième coup, on lui crédite alors ses points sous la colonne de la partie un **ET** sous la colonne de la partie deux. Au troisième coup, ses points sont notés sous les **trois** colonnes. Par la suite, à chaque coup qu'il gagne on lui crédite ses points pour les trois parties. Lorsqu'un joueur atteint ou dépasse 100 points pour la première partie, on inscrit ses points seulement sous les colonnes des parties deux et trois. Quand le total des points de ce joueur atteint ou dépasse 100 pour la deuxième partie, on lui crédite ses nouveaux points pour la partie trois seulement. La partie prend fin quand l'un des joueurs a obtenu 100 points ou plus pour chacune des trois parties. Voici un exemple de feuille de pointage. Pierre gagne le premier coup avec 15 points. On lui crédite donc ses points sous la colonne de la première partie. Puis Jean gagne le deuxième coup par 12 points. À lui aussi, on crédite ses points sous la colonne de la première partie, parce que c'est le **premier coup** qu'il gagne.

Illustration 20 :	Partie 1		Partie 2		Partie 3	
	Pi.	Je.	Pi.	Je.	Pi.	Je.
	15	12				

Le coup suivant, c'est Jean qui gagne par 18 points. Il encaisse automatiquement 18 points pour la première et pour la deuxième partie, parce que c'est le **deuxième coup** qu'il gagne.

Illustration 21 :	Partie 1		Partie 2		Partie 3	
	Pi.	Je.	Pi.	Je.	Pi.	Je.
	15	12		18		
		30				

Le coup suivant, Jean l'emporte par 7 points. Comme c'est sa troisième victoire, on lui crédite ses points sous les colonnes des trois parties. Puis Pierre gagne et on inscrit ses points, 6, sous les colonnes des parties un et deux, car c'est le deuxième coup qu'il emporte.

Illustration 22 :	Partie 1		Partie 2		Partie 3	
	Pi.	Je.	Pi.	Je.	Pi.	Je.
	15	12	6	18		7
	21	30		25		
		37				

En résumé, on inscrit le premier coup gagné par chaque joueur dans la colonne correspondant à la première partie. Le résultat du deuxième coup gagné par chacun est inscrit dans les colonnes correspondant à la première et à la deuxième parties. Et, à partir du troisième coup gagné par un joueur, on inscrit son résultat dans les trois colonnes.

On peut, si on le désire, jouer cinq parties simultanément. Pour cela, on ouvre une quatrième colonne double lorsque le total d'un joueur atteint ou dépasse 100 pour la première partie. Quand le total d'un joueur atteint ou dépasse 100 pour la deuxième partie, on ouvre une cinquième colonne double.

Le Knock-rami
(Le Poker Rum)

Nombre de joueurs : de deux à cinq.

Les cartes :

matériel requis : un paquet conventionnel.

ordre : l'ordre décroissant habituel.

valeur : chaque Roi, Dame et Valet vaut 10 points, les autres cartes gardent leur valeur nominale et l'As vaut 1 point.

Le jeu :

type : individuel.

but : se débarrasser du plus grand nombre possible de cartes *en une seule fois*.

règles :

la distribution : pour la mêlée, la coupe et la distribution, voir les règlements du Rami. À deux joueurs, on donne 10 cartes couvertes à chacun; à trois ou quatre, on donne sept cartes et à cinq, on en donne six.

le déroulement : pour l'essentiel, on suit les règles du Rami : chaque joueur pige une carte du talon ou s'empare de la carte du dessus de la pile, puis il écarte. La grande différence d'avec le Rami, c'est qu'il faut étaler ses Brelans, Carrés ou Séquences en **une seule fois**. Tout joueur peut, après avoir pigé mais avant d'écarter, cogner sur la table pour étaler son jeu.

Fin du coup : le coup prend fin quand un joueur cogne sur la table. Alors tous les joueurs étalent leur main, séparant les Brelans, Carrés et Séquences des cartes isolées. Chacun compte les points de ses cartes isolées.

marquage des points : on fait la différence entre les points du joueur qui en a le moins et ceux de chacun des autres joueurs. On additionne les résultats des trois soustractions, et le joueur qui a le moins de points accumule ce total. Voici un exemple de cartes isolées qui resteraient à quatre joueurs.

À Pierre, il reste un Roi, un 9 et un 2, pour un total de 21 points.

À Jean qui a cogné, il reste un 5, pour un total de 5 points.

À Jacques, il reste deux Dames, un 7, et un As, pour un total de 28 points.

À Paul, il reste un 8, pour un total de 8 points.

Jean gagne car le nombre de points de ses cartes isolées est le plus petit. On fait les trois soustractions : 21 - 5 = 16; 28 - 5 = 23 et 8 - 5 = 3. Puis on additionne les trois résultats : 16 + 23 + 3 = 42. Jean gagne donc le coup par 42 points.

Si le frappeur et un autre joueur ont tous les deux le même nombre de points et si ce nombre est le plus petit, c'est l'autre joueur qui gagne le coup. Si ce n'est pas le frappeur qui a le moins de points, il paie une amende supplémentaire de 10 points au gagnant. Dans l'exemple donné plus haut, si Paul avait cogné au lieu de Jean, il aurait dû donner treize points à Jean plutôt que trois points.

Si le frappeur n'a aucune carte isolée quand il étale sa main, si, autrement dit, il n'étale que des combinaisons et des Séquences, on dit qu'il fait rum. Il enregistre alors 25 points supplémentaires pour chacun des joueurs présents autour de la table.

Dans l'exemple donné plus haut, s'il ne restait aucune carte isolée à Jean, le total de ses points se calculerait comme suit : 21 + 28 + 8 + 25 + 25 + 25 = 132 points.

Le Neuf

Nombre de joueurs : trois.

Les cartes :

matériel requis : un paquet conventionnel.

ordre : l'ordre décroissant habituel.

valeur : ce ne sont pas les cartes qui ont de la valeur, mais les levées.

atout : les différentes manches se jouent en atout. On joue la première pique atout, la seconde cœur atout, la troisième trèfle atout, la quatrième carreau atout, la cinquième en sans atout, la sixième pique atout, la septième cœur atout, et ainsi de suite.

Le jeu :

type : individuel.

but : faire le maximum de levées pour perdre le maximum de points.

règles :

la distribution : on désigne les places et le premier donneur par tirage au sort. Le joueur qui tire la carte la plus forte est le premier à donner, celui qui tire la deuxième dans l'ordre décroissant s'assied à sa gauche, celui qui a la troisième s'assied à la gauche du deuxième. Le donneur mêle bien le paquet et le fait couper par le joueur assis à sa droite. Il distribue les cartes une à une, en commençant par l'aîné qui est assis à sa gauche, et en suivant le sens des aiguilles d'une montre. Il donne treize cartes à chaque joueur et au mort. Autrement dit, il donne une main à un joueur inexistant. Après avoir analysé sa main, le donneur a le privilège, si elle ne lui convient pas, de l'échanger contre celle du mort. Puis l'aîné a aussi le privilège d'échanger sa main contre celle que le donneur a laissée à la place du mort. Finalement, le troisième joueur peut aussi prendre la main laissée sur la table.

le déroulement : l'aîné commence en jouant n'importe quelle carte de sa main. On joue ensuite à tour de rôle, en suivant le sens des aiguilles d'une montre. Il y a obligation pour les joueurs de suivre, si possible, la Couleur d'entame, c'est-à-dire de jouer une carte de la Couleur demandée par le premier joueur. Un joueur qui n'a pas de cartes dans la Couleur d'entame peut soit écarter en jouant une carte de n'importe quelle Couleur ou couper en jouant de l'atout. La levée est remportée par le joueur qui a joué la carte la plus forte de la Couleur d'entame ou par le joueur qui a coupé. Si deux joueurs coupent, c'est celui qui a retourné la carte la plus forte qui prend la levée.

C'est le gagnant d'une levée qui entame la levée suivante.

Fin d'un coup : le coup prend fin quand les joueurs ont joué leurs treize cartes. Chacun compte alors ses levées et le joueur qui en a **plus de quatre perd** des points. Celui qui en a **moins de quatre ajoute** des points à son total.

pointage : les quatre premières levées faites par un joueur ne rapportent pas de points. Mais si un joueur en fait **plus** de quatre, il perd un point par levée supplémentaire. S'il fait **moins** de quatre levées, il soustrait le nombre de ses levées de quatre et ajoute la différence à son pointage total. Chaque joueur commence la partie avec un total de neuf points, d'où le jeu tire son nom. Voici un exemple de feuille de pointage.

Feuille de pointage

Olivier	Francis	Mélanie	
9	9	9	= 27
7	9	10	= 26
4	12	9	= 25

On s'aperçoit qu'Olivier a fait six levées au premier coup, que Francis en a fait quatre et Mélanie, trois. Olivier soustrait deux points de son pointage total (6 - 4 = -2), le total de Francis reste à neuf (4 - 4 = 0) et celui de Mélanie passe à dix (4 - 3 = +1). Au deuxième coup, Olivier a fait sept levées, Francis une seule et Mélanie cinq. Ainsi Olivier soustrait trois points de son total (7 - 4 = -3), Francis ajoute trois points au sien (4 - 1 = +3) tandis que le total de Mélanie baisse d'un point (5 - 4 = -1)

Autre chose : il existe un moyen de vérifier que chaque joueur a bien compté le nombre de levées qu'il a faites et que le marqueur a bien inscrit le nombre de points de chacun. Il suffit d'additionner les trois totaux. Au début de la partie, comme chaque joueur a neuf points, la somme des trois totaux donne 27. À chaque coup, cette somme tombe d'un point. Ainsi, après le premier coup, la somme des trois totaux passe toujours à 26, et elle tombe toujours à 25 après le deuxième coup.

Fin de la partie : la partie prend fin quand le pointage d'un joueur atteint zéro. Ce joueur gagne la partie.

Le Piquet

Nombre de joueurs : deux.

Les cartes :

matériel requis : deux paquets de 32 cartes. On utilise un paquet à la fois. Pendant qu'un joueur distribue les cartes, l'autre brasse le deuxième paquet pour la donne suivante.

ordre : l'ordre décroissant suivant : l'As est la carte la plus forte, suivie du Roi, de la Dame, ainsi de suite jusqu'au 7.

valeur : l'As vaut onze, chaque figure et le 10 valent dix et les autres cartes gardent leur valeur nominale. Il n'y a pas d'atout, donc c'est toujours la carte la plus forte de la Couleur de l'entame qui remporte la levée.

Le jeu :

type : individuel.

but : faire le maximum de points en formant des combinaisons plus fortes que celles de son adversaire et en faisant des levées.

règles :

la distribution : elle se fait en deux étapes, la distribution elle-même et l'échange.

On commence par tirer au sort le choix des places et du premier donneur. C'est le joueur qui tire la carte la plus basse qui donne en premier et choisit les places. Si deux cartes de même valeur sont coupées, on recommence le tirage au sort. Les deux joueurs ont le droit de mêler les cartes, mais le donneur conserve le privilège de les battre après son adversaire. Après quoi, le donneur fait couper les cartes par son adversaire. Chaque tas de la coupe doit contenir au moins deux cartes. Le donneur distribue les cartes en alternance par groupe de deux : il donne douze cartes couvertes à chacun. Les huit cartes qui restent sont déposées couvertes sur la table, pour former le talon.

Variante :

Le donneur sépare le talon en deux tas de cinq et trois cartes. Il pose le premier en croix sur le second.

On procède ensuite à l'échange : chaque joueur a le privilège de recomposer sa main en échangeant des cartes contre celles du talon.

C'est l'adversaire du donneur qui commence. Après avoir analysé sa main, il est obligé d'écarter au moins une carte. Mais il peut écarter jusqu'à cinq des huit cartes reçues du donneur. Pour les remplacer, il pige le même nombre de cartes dans le talon. Il peut regarder les cinq premières cartes du talon même s'il en pige moins de cinq pour remplacer les écarts de sa main. Par exemple, s'il a pigé trois cartes du talon, il peut regarder les deux suivantes. Il remet ensuite ces deux cartes dans le talon, sans les montrer au donneur.

Puis c'est au tour du donneur de faire ses échanges. Il peut prendre tout le reste du talon à condition d'écarter d'abord le même nombre de cartes. Si l'adversaire du donneur est limité à échanger cinq cartes de sa main, le donneur, lui, n'est pas limité : s'il reste sept cartes dans le talon, il a le droit de les prendre **toutes** à condition d'écarter sept cartes de sa main. Le donneur a aussi le droit de regarder les cartes du talon qu'il n'utilise pas. L'adversaire et le donneur font leurs écarts **sans montrer à l'autre** les cartes écartées.

À la fin de l'échange, les joueurs doivent avoir huit cartes en main, mais pas plus.

Chaque joueur a le droit de revoir ses écarts durant la partie.

Cet échange a pour but de permettre à chacun de former des combinaisons qui lui donneront des points. Les combinaisons, très nombreuses, se divisent en cinq catégories : le Dix de blanc, le Point, les Séquences, le Quatorze et le Brelan.

1- Le Dix de blanc : un joueur a un Dix de blanc lorsque sa main ne contient aucune figure (R-D-V). Si l'adversaire du donneur possède cette combinaison, il annonce : «Dix de blanc». Il montre ensuite sa main au donneur avant de procéder à l'échange et marque aussitôt dix points. Le donneur qui a un Dix de blanc attend que son adversaire ait fini son échange avant de montrer sa main.

Variante :

Chaque joueur a l'obligation de montrer son Dix de blanc avant que l'adversaire du donneur ait procédé à son échange.

2- le Point : les échanges terminées, chaque joueur annonce sa Couleur la plus longue. Celui qui a la Couleur la plus longue marque le nombre de points correspondant au nombre de cartes annoncées. Si Pierre annonce cinq cœurs et Jean, huit piques, c'est ce dernier qui remporte le Point et il marque huit points parce qu'il a annoncé huit cartes pour sa Couleur la plus longue.

Si les deux joueurs détiennent un Point de même longueur, c'est celui qui a le Point le plus fort qui l'emporte. Chaque joueur compte alors son Point selon la valeur accordée à chacune des cartes et déclare sa valeur totale. Pierre et Jean ont tous les deux un Point à cinq cartes. Le Point de Pierre (R-D-9-8-7 de cœur) donne un total de 44 (10+10+9+8+7 = 44), celui de Jean (A-R-V-10-8 de trèfle) un total de 49 (11+10+10+10+8 = 49). C'est Jean qui l'emporte; il marque cinq points parce que sa Couleur la plus longue comprend cinq cartes.

Si la valeur totale des deux Points est égale, aucun des joueurs ne marque. Autrement dit, si les Points à cinq cartes de Pierre et de Jean valaient 44 chacun, aucun des deux ne marquerait.

3- la Séquence : il y a six catégories différentes de Séquences ou séries de cartes qui se suivent, sans interruption, dans la même Couleur.

Séquences	Composition	points
la Tierce :	3 cartes qui suivent*	3
la Quatrième :	4 cartes qui suivent*	4
la Quinte :	5 cartes qui suivent*	15
la Seizième :	6 cartes qui suivent*	16
la Dix-septième :	7 cartes qui suivent*	17
la Dix-huitième :	8 cartes qui suivent*	18

* dans la même Couleur

Chaque joueur annonce sa Séquence la plus forte. Celui qui détient la meilleure des deux marque ses points. Il inscrit non seulement les points correspondant à sa Séquence la plus forte, mais aussi les points correspondant à toutes les autres Séquences qu'il a en main. Par exemple, Jean l'emporte avec une Quinte, mais il a aussi une Tierce. Il inscrit donc 18 points (15+3 =18).

Si les deux Séquences annoncées par les joueurs sont égales, par exemple deux Quatrièmes, c'est la Séquence la plus forte qui l'emporte. Une Quatrième à l'As (A-R-D-V) l'emporte sur une Quatrième au Valet (V-10-9-8). On peut avoir non seulement deux Séquences égales mais aussi deux Séquences de valeur égale, par exemple deux Quatrièmes à l'As. Dans ce cas, aucun des joueurs ne marque de points pour la Séquence.

4- le Quatorze et le Brelan : on appelle Quatorze un Carré ou ensemble de quatre cartes de même valeur. Au Piquet, le Carré s'appelle Quatorze parce qu'il vaut quatorze points. Seuls les Carrés d'As, de Rois, de Dames, de Valets ou de 10 ont une valeur. Les Carrés de 9, 8 ou 7 n'ont aucune valeur. Cette règle vaut également pour les Brelans. Le Brelan ou ensemble de trois cartes de même valeur vaut trois points.

Chaque joueur annonce sa meilleure combinaison de Quatorze ou de Brelan. Encore une fois, c'est celui qui a la meilleure combinaison qui marque des points. Un Quatorze l'emporte toujours sur un Brelan. Dans le cas de deux déclarations identiques (deux Quatorze ou deux Brelans), c'est le joueur qui a la combinaison la plus forte qui inscrit ses points. Un Quatorze d'As est plus fort qu'un Quatorze de Rois, ainsi de suite...

Le joueur marque non seulement les points correspondant à sa combinaison la plus forte, mais aussi ceux correspondant à toutes les combinaisons du même type. Si un joueur l'emporte avec un Quatorze d'As, mais qu'il ait aussi un Quatorze de Dames, il inscrit 28 points.

N'oubliez pas qu'il est possible d'utiliser une même carte dans plusieurs combinaisons différentes. On peut aussi masquer sa main en ne déclarant pas ses combinaisons les plus fortes. Dans ce cas, on ne tient compte que des combinaisons annoncées pour l'attribution des points.

le déroulement : le coup proprement dit commence par les déclarations. L'adversaire du donneur commence en annonçant dans l'ordre : son Point, sa Séquence, puis son Quatorze *ou* son Brelan. Après chacune de ses déclarations, le donneur répond par «Bon» ou par «Pas bon». Il dit : «Bon» quand sa combinaison est moins forte que celle de son adversaire, et «Pas bon» quand elle est plus forte. Quand sa combinaison est de même valeur, le donneur peut aussi poser une question : «Valeur?» ou «Hauteur?» À cette question, l'adversaire est tenu de répondre en précisant la valeur de son Point ou de sa combinaison. Le dialogue des déclarations peut ressembler à ce qui suit.

L'adversaire du donneur : «Cinq» (son Point comprend cinq cartes).

Le donneur : «Bon» (sa Couleur la plus longue contient moins de cinq cartes).

L'adversaire : «Quatrième» (sa Séquence comprend quatre cartes).

Le donneur : «Bon» (la sienne n'a pas quatre cartes).

L'adversaire : «Et une Tierce, je compte sept» (il a le droit de marquer non seulement les points de sa Quatrième, mais aussi de toutes ses autres séries.). Puis il poursuit : «Brelan».

Le donneur : «Pas bon. J'ai Quatorze de 8. Plus un Brelan de Valets. Je commence avec dix-sept.»

L'adversaire : «Je commence avec douze.»

Dès qu'un joueur concède une combinaison à son adversaire en disant : «Bon», il ne peut plus revenir en arrière et en déclarer une meilleure.

À la fin de la déclaration, chaque joueur inscrit ses points sur une feuille.

la preuve : un joueur peut exiger de voir toute combinaison déclarée par son adversaire. D'ordinaire, il n'est pas nécessaire de demander ainsi à l'autre joueur de justifier ses points, car l'échange et le fait d'avoir vu les cartes du talon permettent de vérifier le bien-fondé de sa déclaration.

abandon : aucun des joueurs n'est tenu de déclarer une combinaison quelle qu'elle soit. Par exemple, quand vient le moment d'annoncer le Quatorze ou le Brelan, l'adversaire du donneur peut dire : «Pas de combinaison». Pourtant, il a un Quatorze de Rois, mais il croit que le donneur a celui des As. Après avoir abandonné une déclaration, un joueur ne peut plus y revenir pour la déclarer plus tard, lorsqu'il s'aperçoit qu'elle est maîtresse.

le jeu : une fois les points de la déclaration inscrits, les joueurs sont prêts à commencer à jouer. C'est l'adversaire du donneur qui entame la première levée en étalant une carte de sa main sur la table. Le donneur doit suivre, mais, s'il ne peut le faire, il écarte n'importe quelle carte. La carte la plus forte de la Couleur demandée remporte la levée. Le gagnant d'une levée entame la suivante. Entamer une levée, c'est-à-dire en jouer la première carte, rapporte automatiquement un point. Remporter une levée rapporte également un point, mais la dernière levée vaut deux points.

Variante :

Le point pour l'entame et le point pour la levée ne sont accordés que si la carte d'entame et la carte qui remporte la levée sont supérieures à 9. Autrement dit, entamer une levée avec un 7 ou remporter une levée avec un 8 ne donne pas de point.

Chaque joueur annonce son pointage cumulatif au fur et à mesure qu'il joue. Ainsi l'adversaire du donneur, pour reprendre l'exemple cité plus haut, entame la première levée en annonçant : «Treize». (Il avait cumulé douze points pour ses déclarations, il en ajoute un pour l'entame de la levée.) Le donneur, qui remporte cette levée, compte : «Dix-huit». Il entame ensuite la seconde levée en annonçant : «Dix-neuf».

Fin du coup : le coup prend fin quand les joueurs ont épuisé leur main.

Autres points :

1- *levées :* le joueur qui remporte sept levées ou plus marque dix points. Si chacun des joueurs remporte six levées, personne ne marque ce Dix de cartes.

2- *le Capot :* le capot est le joueur qui n'a pas fait une seule levée au cours d'un coup. Son adversaire, qui a ramassé les douze levées, marque alors quarante points, appelés «Quarante de capote», au lieu du Dix de cartes.

3- *le Pic :* récompense **uniquement** l'adversaire du donneur. Il reçoit cette récompense quand il accumule trente points avant que le donneur ait pu marquer un seul point, c'est-à-dire quand l'addition de ses points de déclarations et du point d'entame de la première levée donne trente. Autrement dit, si l'adversaire du donneur cumule vingt-neuf points avec ses déclarations, comme il joue le premier et comme l'entame vaut un point, il annonce : «Trente». Il a droit à la récompense du Pic qui équivaut à une prime de trente points. Le total de ses points passe automatiquement à soixante. Le donneur ne peut jamais bénéficier de cette récompense puisque son adversaire marque nécessairement le premier point de ce coup. (Illustration 23 : le Pic, en page 164)

Explication du Pic : l'adversaire du donneur commence par marquer sept points pour son Point à cœur. Puis il marque seize points pour sa Seizième à cœur et, enfin, deux fois trois points pour ses Brelans de Rois et de Valets. Au total, ses déclarations lui rapportent vingt-neuf points (7 + 16 + 3 + 3 = 29). C'est encore insuffisant pour le Pic. Mais, comme il est le premier à jouer, il marque un point pour l'entame de la première levée. Il annonce : «Un, trente». Son score passant de vingt-neuf à trente, il déclare un Pic et obtient la prime des trente points. Il se retrouve avec un score de soixante.

le Repic : par contre, le donneur et son adversaire peuvent faire Repic. Le Repic récompense le joueur qui parvient au total de 30 grâce à ses seules déclarations, c'est-à-dire avant que la première carte du coup ne soit jouée. Autrement dit, si l'un des deux joueurs annonce à la fin des déclarations : «Je compte trente.», il a droit à la prime du Repic qui vaut soixante. Son total passe alors automatiquement à quatre-vingt-dix. (Illustration 24 : le Repic, en page 165)

Explication du Repic : nous avons modifié légèrement la donne pour la démonstration. L'adversaire du donneur commence par marquer sept points pour son Point à cœur. Puis il marque dix-sept, au lieu de seize points, pour sa Dix-septième à cœur (il a une Séquence de sept cartes au lieu de six) et, enfin, deux fois trois points pour ses Brelans de Rois et de Valets. Au total, ses déclarations lui rapportent trente points (7+17+3+3 = 30). Et cela, avant même d'avoir joué une seule carte. Il déclare un Repic et obtient la prime des soixante points. Il se retrouve avec un score de quatre-vingt-dix.

Résumé des points :

	points			points
a) le Dix de blanc	10	c) la Tierce	3
b) le Point	de 3 à 8	d) la Quatrième	4
e) la Quinte	15	l) le Pic	30
f) la Seizième	16	m) le Repic	60
g) la Dix-septième	17	n) le Capot	40
h) la Dix-huitième	18	o) le point de levée	1
i) le Quatorze	14	p) le point d'entame	1
j) le Brelan	3	q) la dernière levée	2
k) le Dix de cartes	10		

Fin de la partie : une partie comprend six coups. Chaque joueur fait le total des points qu'il a cumulés au cours des six coups. Celui qui a le plus de points gagne la partie. Pour connaître son résultat final, il doit faire deux opérations mathématiques : d'abord il fait la différence entre son total et celui de son adversaire, puis il ajoute 100 points pour la partie à ce résultat. Pierre finit avec 150 points et Jean, avec 125 points. Pierre gagne la partie par 125 points, soit 150-125+100.

Toutefois, si le total du perdant est inférieur à 100, il est «rubicon». Dans ce cas, le gagnant *additionne* les deux totaux et leur ajoute 100 pour la partie. Pierre finit avec 150 points et Jean, avec 80. Pierre gagne donc par 230 points, soit 150 + 80 +100.

Variantes :

1- Les joueurs s'entendent sur un nombre de points : habituellement 100, 150 ou 221 points. On peut jouer alors deux sortes de parties : la partie sèche ou la partie liée.

La **partie sèche** est une partie autonome. Autrement dit, le premier joueur à atteindre le nombre de points fixés gagne la partie, peu importe le nombre de coups nécessaires pour y arriver.

La **partie liée** est composée de deux ou trois coups et c'est le premier joueur qui remporte deux coups qui gagne. Pour connaître son résultat final, le gagnant fait deux opérations mathématiques : il fait d'abord la différence entre son total et celui du perdant, puis il ajoute ce résultat à son total. Si Pierre finit avec 150 points et Jean, avec 125 points, le résultat final de Pierre sera 175, soit 150 + (150 - 125).

2- Le Piquet Rubicon : la partie se joue en quatre coups. On double tous les points acquis pendant le premier et le dernier coup. Au deuxième et au troisième coup, on compte les points comme dans une partie ordinaire. Le gagnant calcule son résultat final de la même manière qu'au Piquet à six coups. On applique également la règle du «rubicon». Quand un joueur est rubicon, son adversaire additionne ses points aux siens.

Les joueurs qui aiment miser choisissent en général cette variante parce qu'elle permet d'augmenter énormément la valeur de l'enjeu.

Irrégularités :

1- *maldonne :* il y a maldonne dans les cas suivants.

a) Si le donneur expose une carte au cours de la distribution. Dans ce cas, il doit obligatoirement reprendre sa donne.

b) Si l'un des joueurs ne reçoit pas le nombre de cartes réglementaire. L'adversaire du donneur peut alors demander une nouvelle distribution, mais ce n'est pas obligatoire.

2- *échange erronée :* si un joueur échange plus ou moins de cartes qu'il n'avait l'intention de le faire, il ne peut pas corriger son échange après avoir touché au talon. S'il n'y a pas assez de cartes dans le talon pour remplacer ses écarts, il joue avec une main courte.

3- *pige non réglementaire du talon :* si l'adversaire du donneur pige plus de cinq cartes du talon, il peut y remettre les cartes pigées en trop à condition de ne pas les avoir regardées et de pouvoir les remettre dans l'ordre où il les a prises. S'il les a regardées ou s'il ne peut les remettre au talon dans l'ordre, il perd la partie.

Si le donneur pige une carte avant que son adversaire ait pigé, le donneur perd la partie.

4- *fausse déclaration :* si un joueur déclare et compte les points pour une combinaison qu'il n'a pas en main, il a le droit de corriger son erreur et son pointage tant qu'il n'a pas joué sa première carte du coup. S'il signale son erreur après avoir joué, il perd le droit de marquer quelque point que ce soit pour ce coup. Son adversaire peut déclarer toutes les combinaisons de sa main et marquer les points correspondants, même si elles sont inférieures aux combinaisons du joueur pris en défaut. De plus, il compte tous les points de levée du coup.

5- *nombre non réglementaire de cartes :* si on s'aperçoit que la main d'un joueur n'est pas réglementaire après l'entame de la première levée, le jeu continue. Une main à laquelle il manque des cartes est valide, mais elle ne peut remporter la dernière levée. Si les deux mains contiennent un nombre non réglementaire de cartes, la donne est annulée et le donneur distribue de nouveau.

Main du donneur

Main de l'adversaire

Illustration 23
Le Pic

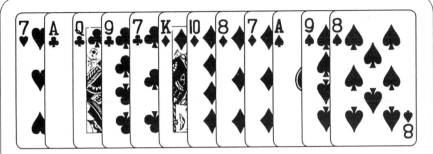

Main du donneur

Main de l'adversaire

Illustration 24
Le Repic

Le Poker

Règlements généraux

Ces règlements sont valides pour toutes les formes de Poker, sauf quand un règlement précis s'applique.

Les rudiments : les formes de Poker existent presque en nombre infini, mais elles ont toutes en commun deux principes fondamentaux, que tout joueur doit connaître : la valeur d'une main en fonction de la combinaison qu'elle contient et les principes de l'enjeu.

Nombre de joueurs : de deux à dix, quel que soit le jeu. On considère habituellement que la table idéale rassemble entre six et huit joueurs.

Les cartes :

matériel requis : un paquet conventionnel, auquel on peut ajouter un ou deux Fous comme cartes passe-partout.

ordre de prédominance : l'ordre décroissant habituel, de l'As au 2. Toutefois, dans la séquence 5-4-3-2-A, l'As devient la carte la plus basse.

les cartes passe-partout : il existe une façon de jouer au Poker appelée «Le choix du donneur». Dans ce cas, n'importe quelle carte peut servir de carte passe-partout. Autrement dit, le choix est presque illimité. Il est possible, par exemple, de choisir comme carte passe-partout une carte d'une valeur et d'une Couleur données, le 2 de cœur. On peut aussi choisir deux cartes de même valeur, comme les 2 rouges, ou décider que tous les 2 seront des cartes passe-partout. Le choix des cartes passe-partout se fait avant chaque coup - c'est le donneur qui les choisit - ou bien il se fait au début de la partie pour toute la soirée.

Le détenteur d'une carte passe-partout a le droit de lui donner la valeur qu'il veut : il peut lui donner la valeur d'une carte qu'il a en main ou la valeur d'une carte qu'il n'a pas, par exemple pour compléter une Quinte.

Voici un aperçu des cartes passe-partout souvent utilisées au Poker.

1- Le Fou (Joker) : comme les jeux de cartes sur le marché sont vendus avec deux Fous, c'est devenu presque une règle d'utiliser les deux Fous comme cartes passe-partout.

2- La petite bête ou le Bug : la petite bête désigne un Fou dont l'utilisation est limitée. Autrement dit, il ne peut pas remplacer n'importe quelle carte du paquet. Il peut prendre la place de n'importe quelle carte seulement dans trois mains : la Quinte Couleur, la Couleur ou la Quinte. On peut aussi l'employer pour remplacer un As, mais seulement un As, dans une Paire, un Brelan ou un Carré.

3- Les 2 : dans une variante très populaire du Poker fermé (*Draw Poker*), les 2 sont des cartes passe-partout. Parfois, on se sert aussi des Fous comme cartes passe-partout. Il n'est pas obligatoire de déclarer tous les 2 cartes passe-partout : on peut en choisir seulement un ou deux, les 2 noirs par exemple, comme nous l'avons déjà dit plus haut.

4- Les borgnes : cette appellation désigne trois cartes : le Roi de carreau et les Valets de pique et de cœur parce que leur visage présenté de profil ne laisse voir qu'un œil. Sur toutes les autres figures, on voit les deux yeux du personnage. On emploie souvent les borgnes comme cartes passe-partout.

5- Les Valets à moustache (pique, cœur et trèfle) sont aussi parfois choisis comme cartes passe-partout, de même que les 7 noirs.

6- La basse carte initiale : c'est le hasard qui désigne la valeur de cette carte passe-partout, et, selon le jeu choisi, il y a deux façons de le faire.

Au Poker fermé (*Draw Poker*), c'est la carte la plus faible dans la main de chaque joueur. Autrement dit, la valeur de cette carte n'est pas la même pour chacun.

Au Poker ouvert (*Stud Poker*), c'est la première carte distribuée à un joueur pour un coup. Cette carte est donnée couverte. Encore une fois, la valeur de cette carte change pour chaque joueur.

Il est, cependant, un principe général valide pour les deux formes de Poker : quand une carte devient ainsi une carte passe-partout, toutes les cartes de même valeur que détient un joueur sont également des cartes passe-partout.

Si, au Poker ouvert, vous recevez un 5 comme première carte, tous les 5 que vous recevrez pendant la même donne seront également des cartes passe-partout. Pour vous, et seulement pour vous, à moins qu'un autre joueur n'ait reçu, lui aussi, un 5 comme première carte.

paquet imparfait : s'il y a une carte déchirée, décolorée ou marquée d'une manière quelconque de sorte qu'elle devient facilement repérable même couverte, on remplace le paquet. Il est préférable de le faire avant le début de la partie. Toutefois, si on s'en aperçoit après le début de la partie, on doit remplacer le paquet avant la fin de la donne en cours. Si la donne est terminée, on continue de jouer le coup jusqu'à l'abattage, après quoi on remplace le paquet pour la donne suivante.

La valeur des mains

Ce qui détermine la valeur d'une main, c'est la combinaison qui la compose associée à l'ordre qui établit la prédominance des cartes. Les neuf mains sont présentées ci-dessous dans l'ordre décroissant, c'est-à-dire de la plus forte à la plus faible.

1- La Quinte Couleur, Quinte Couleurs ou la Floche (Straight Couleurs) : elle est composée de cinq cartes qui se suivent, sans interruption, dans une même Couleur. Cette combinaison, la plus forte, est très rare. Si deux joueurs finissent la manche avec une Quinte Couleur, le gagnant est celui dont la Quinte comprend la carte la plus forte dans l'ordre de prédominance. L'illustration montre la Quinte Couleur la plus forte appelée Quinte royale ou Quinte à l'As. (Illustration 25 : la Quinte Couleur, en page 223)

Attention : quand on utilise des cartes passe-partout, une combinaison s'ajoute aux neuf expliquées ici : c'est le Brelan à cinq cartes, une main formée de quatre cartes de même valeur et d'une carte passe-partout qui prend automatiquement la valeur des quatre premières. Cette combinaison devient la plus forte et bat la Quinte Couleur. (Illustration 26 : le Brelan à 5 cartes, en page 223)

2- Le Carré : appelée aussi Brelan carré ou Poker, cette main comprend quatre cartes de même valeur plus une carte dépareillée. Elle bat toutes les autres mains, sauf la Quinte Couleur. Quand deux joueurs ont un Carré, l'ordre de prédominance des cartes détermine le gagnant. (Illustration 27 : le Carré de Rois, en page 224)

Quand on utilise plusieurs cartes passe-partout, deux joueurs peuvent finir avec des Carrés identiques. Dans ce cas, on applique l'ordre de prédominance aux cartes dépareillées, et la plus forte gagne. En cas d'égalité absolue, les joueurs se partagent la mise. (Illustration 28 : deux Carrés identiques, en page 224)

Dans l'exemple donné plus loin, le Carré d'As au 10 l'emporte sur le Carré d'As au 6.

3- La Main pleine : appelée aussi la Full, cette main est composée d'un Brelan et d'une Paire. La Main pleine prend la valeur de son Brelan : de deux joueurs qui ont une Main pleine, c'est celui dont le Brelan est le plus fort qui gagne. L'égalité est impossible, car deux joueurs ne peuvent avoir, par exemple, un Brelan de Rois. La Main pleine bat toutes les mains qui suivent. L'illustration 29, en page 225, montre une Main pleine aux Rois par les 6.

Attention : quand on joue avec des cartes passe-partout, deux joueurs peuvent avoir dans leur main le même Brelan. Dans ce cas d'égalité, le gagnant est alors celui qui détient la Paire la plus forte. Dans l'exemple de l'illustration 30, en page 225, la Main pleine aux Rois par les 6 l'emporte sur l'autre Main pleine aux Rois par les 3. Si deux Main pleines sont parfaitement identiques, les joueurs se partagent la cagnotte.

4- La Couleur : appelée aussi la Floche, cette main est composée de cinq cartes de la même Couleur, mais qui ne se suivent pas nécessairement. C'est la dernière des mains dites fortes. Elle bat toutes les mains qui suivent. De deux Couleurs, c'est celle qui comprend la carte la plus forte qui l'emporte. Par exemple, si la carte la plus forte d'une Couleur en pique est le Valet et si la plus forte d'une Couleur en cœur est le 9, c'est le joueur qui détient la Couleur en pique qui gagne le coup. En cas d'égalité, les joueurs comparent la deuxième carte la plus forte de leur main respective. Si l'égalité persiste, ils comparent leur troisième carte, puis leur quatrième et enfin, si c'est nécessaire, la cinquième carte de leur main respective pour déterminer le gagnant. Les deux mains sont-elles parfaitement identiques, les joueurs se partagent la cagnotte. L'illustration 31, en page 225, montre une Couleur à l'As.

5- La Quinte : est composée d'une Séquence à cinq cartes, mais qui ne sont pas toutes de la même Couleur.

Cette main bat le Brelan, la Double Paire, la Paire et la carte isolée, expliqués plus bas. De deux Quintes, c'est celle qui comprend la carte la plus forte qui l'emporte. Si les cartes les plus fortes sont identiques, les joueurs se partagent la cagnotte. Les joueurs s'entendent avant le début de la partie pour accepter ou refuser la Quinte américaine. En l'acceptant, on considère que l'As peut aussi avoir la valeur la plus faible et, par voie de conséquence, former une Quinte avec un 2, un 3, un 4 et un 5. (Illustration 32 : la Quinte, en page 226)

6- Le Brelan : cette main comprend trois cartes de même valeur et deux cartes dépareillées. C'est l'ordre de prédominance des cartes qui détermine la force d'un Brelan. Un Brelan d'As l'emporte sur un Brelan de Rois; ce dernier, sur un Brelan de Dame, et ainsi de suite... L'égalité est donc impossible, sauf si on joue avec plusieurs cartes passe-partout. Cette main bat toutes celles qui suivent. (Illustration 33 : le Brelan de Rois, en page 226)

Quand on joue avec des cartes passe-partout, il est possible d'avoir deux Brelans identiques à la fin d'un coup. Dans ce cas, c'est le joueur détenant la carte dépareillée la plus forte qui gagne la manche. Si les cartes dépareillées les plus fortes sont identiques, on compare entre elles la cinquième carte des deux mains. La plus forte gagne. En cas d'égalité, les joueurs se partagent la cagnotte.

7- La Double Paire : appelée aussi les Deux Paires, cette main, comme son nom l'indique, est formée de deux combinaisons de cartes de même valeur, plus une cinquième carte dépareillée. De force moyenne, elle bat seulement la Paire et la Carte isolée. Si deux joueurs ont deux Paires, c'est celui qui détient la Paire la plus forte qui gagne la manche. Toutefois, les Paires les plus fortes des joueurs peuvent être identiques. Autrement dit, deux joueurs peuvent avoir chacun une Paire d'As. On considère alors la seconde Paire de chaque main pour départager le vainqueur du perdant. Si les secondes Paires sont identiques, on se rabat sur la carte dépareillée pour désigner le gagnant en respectant l'ordre de prédominance des cartes. En cas de nouvelle égalité, les joueurs se partagent la cagnotte. (Illustration 34 : la double Paire, en page 226)

8- La Paire : main formée de deux cartes de même valeur, accompagnées de trois cartes dépareillées. De deux Paires, c'est celle qui est composée des cartes les plus fortes qui l'emporte. Si deux joueurs ont des Paires identiques, on départage le gagnant du perdant en comparant leurs cartes dépareillées. On compare d'abord la carte la plus forte des deux mains. Le joueur qui détient la carte prédominante l'emporte. Si les cartes les plus fortes sont identiques, on compare les cartes dépareillées de force moyenne, et c'est la plus forte qui gagne. En cas d'égalité, il reste à comparer les cartes dépareillées les moins fortes de chaque main. (Illustration 35 : deux mains d'une Paire presque identiques, en page 227)

Dans cette illustration, c'est la Paire R-R-V-9-5 qui remporte la cagnotte, parce que sa troisième carte dépareillée, le 5, prédomine sur le 3 de l'autre main. Si l'égalité persiste jusqu'à la fin , les joueurs se partagent la cagnotte.

9- La carte isolée : cette main, la plus faible de toutes, est formée de cinq cartes dépareillées. Donc, il n'y a pas ici de combinaison à proprement parler. C'est la carte prédominante qui fixe la valeur de chaque main. Si deux joueurs finissent une manche avec une main de cartes isolées, c'est celui qui détient la carte la plus forte qui l'emporte. En cas d'égalité des cartes les plus fortes, les joueurs comparent la deuxième carte de leur main respective. Si l'égalité persiste, ils comparent leur troisième carte, puis leur quatrième et enfin, si c'est nécessaire, la cinquième carte de leur main pour déterminer le gagnant. (Illustration 36 : deux mains avec carte isolée, en page 227)

Dans cette illustration, c'est la main A-D-10-7-6 qui l'emporte.

Il faut se rappeler qu'au Poker les couleurs ne comptent pas, comme au Bridge par exemple. C'est toujours la combinaison jumelée à l'ordre de prédominance des cartes qui déterminent la force d'une main. C'est pourquoi deux mains peuvent être parfaitement identiques.

L'enjeu

À chaque donne, tout joueur a l'occasion de parier une ou plusieurs fois sur la valeur de sa main.

Certaines formes de Poker exigent que les joueurs fournissent une mise initiale, appelée ante, avant même d'avoir reçu des cartes. Cette mise, appelée unité de la mise, est fixée avant le début de la partie et ne peut être modifiée qu'avec l'accord de tous les joueurs. Un joueur n'est jamais tenu de participer à la cagnotte avec une mise initiale. S'il s'abstient, le donneur ne lui donnera pas de cartes et il ne pourra, de ce fait même, participer au coup.

Les enjeux se font au moyen de jetons de couleur. On accorde une unité de valeur à chacune des couleurs. Voici le tableau des valeurs les plus souvent accordées à la couleur des jetons :

Couleur des jetons	valeur
blancs	1 unité
rouges	5 unités
bleus	10 unités
jaunes	25 unités

La valeur monétaire d'une unité est laissée à la discrétion des joueurs assis autour de la table. Une unité peut aussi bien valoir 1 cent que 10, un dollar que 100 $. C'est à vous de décider.

Chaque période de paris commence ainsi : un joueur mise un certain nombre de jetons en les déposant au centre de la table. Sa mise ne peut pas être inférieure à l'unité de mise fixée avant la partie, mais elle peut être plus élevée. Ensuite, chaque joueur, à son tour, a le choix entre les trois options suivantes.

1- Il **tient l'enjeu** ou **il suit** et égale la mise du joueur qui le précède. En d'autres termes, il dépose dans la cagnotte le même nombre de jetons que lui.

2- Il **relance** la mise en pariant plus fort que le joueur qui le précède. Dans ce cas, il dit «Je tiens, plus...», et ici il annonce le chiffre dont il augmente l'enjeu. Supposons une mise initiale de 10. Le joueur qui veut la porter à 20 doit dire : «Je tiens, plus 10.» Il force alors les joueurs qui le suivent à tenir ce nouvel enjeu.

3- Il **passe** en ne pariant pas. Il dit : «Sans moi». Dès lors, il abandonne son droit à la cagnotte et perd automatiquement tous les jetons qu'il y a déjà versés. Il doit aussi jeter ses cartes sur la table, faces couvertes.

Il est important de se rappeler la dernière mise ou la dernière relance que l'on a fait. La raison en est simple : quand notre tour de miser revient, il faut pouvoir se rappeler ce qu'on a déjà mis dans la cagnotte pour savoir ce qu'il nous reste à y ajouter pour continuer à jouer. Par exemple, Olivier a misé 5 jetons, Mélanie a relancé de 3, Francis a tenu la mise et Marie-Pierre a relancé encore de 2. La nouvelle mise est donc de 10 (5+3+2=10). Si Olivier ne se rappelle pas qu'il a misé 5 jetons, comment pourra-t-il tenir le nouvel enjeu en ajoutant 5 nouveaux jetons ou relancer?

Chaque fois qu'un joueur parie, il doit dire, avant de mettre ses jetons dans la cagnotte, s'il parie, s'il tient l'enjeu ou s'il relance.

Ce sont les règles du jeu en cours qui désignent le premier joueur à parier lors d'une période de paris. Dès qu'un joueur ouvre les paris, tous ceux qui sont encore dans la course doivent, à leur tour, soit tenir l'enjeu, soit le relancer ou abandonner. Aucun joueur ne peut parler tant que le joueur assis à sa droite n'a pas mis le bon nombre de jetons dans la cagnotte ou abandonné. Si un joueur étale ou écarte sa main, ou s'il laisse ses cartes toucher aux écarts, on considère qu'il s'est retiré de la course. Il n'a pas le droit de reprendre ses cartes.

Une période de paris prend fin quand on a fait un tour de table complet sans qu'il y ait de relance, c'est-à-dire quand tous les enjeux des joueurs encore dans la course sont égaux. Autrement dit, si, après la relance de Marie-Pierre, on fait un tour de table complet sans qu'aucun des trois autres joueurs ne relance la nouvelle mise, la période de paris s'arrête.

Chaque donne comprend au moins deux périodes de paris. Après la dernière période, tous les joueurs qui sont encore dans la course retournent leurs cartes. C'est l'abattage (en anglais, le «*showdown*»). Le joueur qui détient la meilleure main remporte la cagnotte. Si un joueur fait un pari ou relance la mise et si tous les autres passent, ce joueur gagne automatiquement le coup et il n'est pas tenu de montrer sa main.

Un joueur peut, s'il le désire, rester dans la course, mais sans parier. Il n'a qu'à dire : «Parole». Autrement dit, il parie sans rien mettre dans la cagnotte. Un joueur qui dit : «Parole» se réserve le droit de parler plus tard, après que tous les autres joueurs auront parlé. On peut dire «Parole» seulement et seulement si aucun joueur n'a parié avant nous pendant la période de paris. Si quelqu'un a déjà mis un enjeu dans la cagnotte, il est interdit de dire «Parole» : il faut ou bien tenir l'enjeu ou bien relancer ou bien passer. Si tous les joueurs déclarent «Parole» l'un après l'autre pendant une même période de paris, cela met fin à la période.

À chaque période de paris, on suit le sens des aiguilles d'une montre, c'est-à-dire que le joueur qui parie le deuxième est celui qui est assis à la gauche du joueur qui ouvre les paris. Les joueurs sont tenus d'attendre leur tour pour parler, peu importe leur déclaration. Un joueur qui n'attend pas son tour peut, ce faisant, faire changer la mise d'un autre joueur et fausser les enjeux.

Limiter les enjeux : il est nécessaire de limiter les enjeux et il y a plusieurs moyens de le faire. Quand les joueurs se sont entendus sur une limite, elle reste valide pour toute la partie. Voici les différents moyens de limiter les enjeux.

1- La limite fixe : les joueurs s'entendent sur un chiffre qui fixe la limite supérieure des paris et des relances. Elle impose à chacun l'obligation de ne pas la dépasser. Si, par exemple, cette limite est de 5, personne ne peut parier ou relancer plus fort. Autrement dit, un joueur ne pourra pas ouvrir les paris à 10 ni relancer en disant : «Je tiens, plus 10.» Toutefois, cette limite varie habituellement en fonction de la progression du jeu. Dans le Poker fermé, si la limite est de trois jetons avant la prise de cartes, elle monte à six après la prise de cartes. Pareillement au Poker ouvert, si on fixe la limite à un jeton pour les trois premières périodes de pari, elle monte à deux pour le pari final. Elle monte encore de deux quand un joueur peut montrer une Paire.

2- La limite de la cagnotte : c'est le nombre de jetons contenus dans la cagnotte qui limite les paris et les relances. Le premier parieur n'a pas le droit d'ouvrir les paris en misant plus de jetons qu'il n'y en a dans la cagnotte (quand on joue avec une mise initiale, la cagnotte contient déjà des jetons quand un joueur ouvre les paris). Le suivant peut tout simplement tenir l'enjeu ou relancer. S'il relance, il peut augmenter substantiellement la cagnotte de la façon suivante. Dans un premier temps, il tient l'enjeu. Il additionne la cagnotte et son ajout, ce qui donne une nouvelle limite à sa relance. Soit Pierre qui a ouvert les paris avec 5 jetons alors que la cagnotte contenait 5 jetons de mise initiale. Jean veut relancer. Il doit d'abord tenir l'enjeu de Pierre en déposant 5 jetons dans la cagnotte, qui contient maintenant 15 jetons. Cela veut dire que la relance de Jean peut atteindre 15. Il le fait, il y a donc 30 jetons dans la cagnotte. Le joueur suivant est tenu de mettre 20 jetons (5+15) pour égaler la mise : c'est ce que fait Jacques. Il y a maintenant 50 jetons dans la cagnotte. Si Pierre, dont c'est de nouveau le tour de miser, veut relancer, il doit d'abord tenir le nouvel enjeu en mettant 15 jetons dans la cagnotte, qui en contiendra 65. De là, il pourra relancer jusqu'à 65. On le voit, la limite de la cagnotte est un moyen de faire augmenter de manière vertigineuse les enjeux.

3- Les enjeux sur la table : c'est la façon la plus répandue de limiter les mises. Elle fonctionne comme suit : avant chaque donne, chaque joueur choisit le nombre de jetons qu'il est prêt à miser. Il les place devant lui : c'est sa réserve. Pendant la donne, la réserve de chaque joueur limite ses mises. Par exemple, un joueur qui a fixé sa réserve à 15 jetons ne peut miser plus de 15 jetons ou relancer pour plus de 15 jetons. Personne n'a le droit de retirer ses jetons de la table ou de les remettre au banquier, sauf s'il quitte la partie. Un joueur a le droit d'augmenter sa réserve, mais seulement après l'abattage qui met fin à un coup et avant le début de la donne suivante.

Lorsqu'on limite les enjeux de cette façon, la coutume veut que tout joueur ait un droit de regard. Cela veut dire qu'il peut rester dans la course jusqu'à l'abattage s'il mise tous les jetons qu'il a devant lui, et cela même si, à un moment ou un autre, il est incapable d'égaler la nouvelle mise. Cette façon de faire donne lieu à la formation d'une cagnotte secondaire. En voici un exemple : Pierre a 25 jetons, Jean 50 et Paul 125. C'est à Paul de miser le premier : il met 30 jetons dans la cagnotte. Pierre veut tenir l'enjeu, mais il n'a que 25 jetons dans sa réserve. Il doit parier tous ses jetons. À partir de là, on forme deux cagnottes : la cagnotte principale et une secondaire. Pour former la cagnotte principale, on met d'un côté les 25 jetons de Pierre avec 25 jetons de Paul. Les 5 jetons qui restent de la mise de Paul forment le début de la cagnotte secondaire. Vient le tour de Jean. Il décide de relancer la mise de 10 : il doit donc mettre 30+10= 40 jetons dans la cagnotte. Il dépose d'abord 25 jetons dans la cagnotte principale, qui devient la cagnotte des trois joueurs, puis il met les 15 jetons qui restent dans la cagnotte secondaire à laquelle ne prennent part que Paul et lui. C'est de nouveau à Paul de miser. S'il passe, il perd son droit sur les deux cagnottes. S'il décide de tenir le nouvel enjeu, il doit ajouter 10 jetons dans la cagnotte secondaire qui sera portée alors à 30 jetons. S'il relance l'enjeu, il doit limiter sa relance à 10 jetons, car c'est tout ce qu'il reste dans la réserve de Jean pour lui permettre de tenir ce nouvel enjeu. Si Paul relance de 10, il place les 20 jetons dans la cagnotte secondaire. Après un premier tour de paris, on ne met plus de jetons dans la cagnotte principale parce que Pierre ne peut plus tenir les nouveaux enjeux.

Il y a donc 75 jetons dans la cagnotte principale et, on suppose que Paul a tenu l'enjeu, 30 jetons dans la secondaire. Si le vainqueur est Paul ou Jean, il ramasse les deux cagnottes. Si c'est Pierre qui a la main la plus forte, il n'a le droit de ramasser **que** la cagnotte principale parce qu'il n'a participé qu'à cette cagnotte. Dans ce cas, de Paul ou de Jean, c'est celui qui a la main la plus forte qui remporte la cagnotte secondaire.

4- «Whangdoodles» ou «Roodles» : quand on choisit la limite fixe, on peut ajouter cette variante à la façon de miser. On s'entend d'abord pour jouer plusieurs cagnottes, après qu'une très bonne main (soit une Main pleine, un Carré ou une Quinte Couleur) a gagné, en respectant les conditions suivantes :

a) tous les joueurs sont tenus de participer à chacune des cagnottes;

b) tous les joueurs sont tenus de doubler la mise initiale, c'est l'ante double;

c) la limite de chaque coup est également doublée;

d) on joue autant que cagnottes qu'il y a de joueurs assis autour de la table. Autrement dit, on adopte ces règlements pour un tour de table complet.

Lorsque la donne revient au premier donneur, on abandonne cette manière de miser et on revient à la limite fixe et aux règlements ordinaires.

5- Le Poker des pauvres : on fixe le nombre maximum de jetons qu'un joueur peut perdre. Ainsi, chacun se constitue une réserve avant le début de la partie. Si un joueur perd sa réserve, le banquier est autorisé à lui donner gratuitement une seconde réserve et, parfois, même une troisième. Il est prudent de fixer le nombre de réserves gratuites auxquelles un joueur aura droit dans le but d'inciter les joueurs assis autour de la table à miser prudemment.

6- L'enjeu sans limites : cette façon de miser qui permet de gagner et de perdre des sommes mirobolantes a été abandonnée par la grande majorité des joueurs de Poker.

Paris non réglementaires : il y a trois catégories de paris non réglementaires : les paris différés ou «à ficelles», les paris insuffisants et les paris au-dessus de la limite acceptée.

1- *Les paris différés :* chaque fois qu'un joueur parie, il doit déposer sa mise en un seul coup dans la cagnotte. En aucun temps et sous aucun prétexte, il ne peut y mettre une partie de sa mise et attendre plus tard pour y déposer le reste. Quand un joueur a déposé le nombre de jetons correspondant à sa mise dans la cagnotte, il ne peut pas en ajouter. Par contre, si un joueur n'a pas mis assez de jetons, il est tenu d'ajouter les jetons qui manquent pour compléter son pari ou sa relance.

2- *Les paris insuffisants :* si, après avoir mis dans la cagnotte un nombre de jetons insuffisant pour tenir l'enjeu, un joueur change d'idée, il perd les jetons déjà misés. Dès qu'un joueur met quelque chose dans la cagnotte, il doit aller au bout de son geste ou abandonner, ce qui veut dire qu'il abandonne aussi les jetons déjà misés.

Si la relance d'un joueur est inférieure au minimum permis, on considère non pas qu'il relance, mais qu'il tient l'enjeu. Il perd les jetons qu'il a mis en trop dans la cagnotte. Supposons que le minimum de la relance a été fixée à cinq jetons et que l'enjeu est rendu à 10. Si Pierre dit : «Je tiens, plus trois», sa relance est inférieure au minimum permis. On considère alors qu'il a seulement tenu l'enjeu et les autres joueurs ne sont pas obligés de mettre 13 jetons pour tenir l'enjeu, mais seulement 10. De plus, Pierre perd les trois jetons de trop qu'il a déposés dans la cagnotte.

3- *Les paris au-dessus de la limite acceptée :* si le pari d'un joueur dépasse la limite autorisée et qu'il met dans la cagnotte le nombre de jetons correspondant, on considère que son pari ne dépasse pas la limite, et ce joueur perd les jetons versés en trop. Cette règle ne s'applique pas lorsqu'on limite les enjeux sur la table.

Paris prématurés : si un joueur parie alors que ce n'est pas à son tour de jouer, les jetons restent dans la cagnotte, et le joueur dont c'était le tour parle. Si le joueur assis à gauche du joueur pris en défaut dépose aussi des jetons dans la cagnotte, il est coupable lui aussi. Quand c'est au tour du joueur pris en défaut de parler, il tient compte du nombre de jetons qu'il a déposés dans la cagnotte. Si ce nombre est insuffisant pour tenir l'enjeu, il doit ajouter la différence. Si ce nombre dépasse l'enjeu, on considère que le joueur relance pour le nombre de jetons additionnels. En d'autre termes, si Pierre a misé 10 jetons alors que ce n'était pas à lui de jouer et si, quand vient son tour, l'enjeu est rendu à huit, son annonce ne peut être que : «Je tiens, plus deux». Il n'a pas le droit de relancer plus fort. Si personne n'a parlé avant lui, on suppose que sa mise ouvre les paris. Si sa mise dépasse la limite acceptée, il est obligé de la laisser dans la cagnotte.

Abandonner prématurément : abandonner comme parier prématurément est une pratique à bannir parce qu'elle fausse le jeu. Toutefois, il n'y a pas d'amende ni de pénalité prévue pour le joueur coupable, sauf si les joueurs en présence se sont entendus avant le début de la partie sur une amende. Un joueur qui abandonne la course prématurément annule, par le fait même, sa main et il ne peut revenir sur sa décision ni remporter la cagnotte.

Limiter les relances : on peut limiter le nombre de relances qu'un joueur est autorisé à faire pendant une période de paris. Certains le limitent à deux, d'autres à trois. D'autres encore, plus sévères, n'autorisent que trois relances, en tout et pour tout, par période de paris. Après la troisième relance, les joueurs qui doivent encore parler se voient refuser le droit de relancer : ils ont le choix entre tenir l'enjeu ou passer.

Sa parole lie un joueur : si un joueur annonce qu'il passe ou qu'il abandonne, il est tenu de le faire, qu'il ait ou non écarté ses cartes. S'il annonce un pari, il est lié par sa parole et est obligé de déposer dans la cagnotte le nombre de jetons correspondant à son annonce. L'éthique du Poker exige d'un joueur qui annonce son intention de faire quelque chose qu'il passe aux actes. Toutefois, les autres joueurs n'ont aucun recours contre un joueur qui refuse d'exécuter une annonce.

La parole d'un joueur le lie seulement s'il parle alors que c'est à son tour de jouer. S'il parle prématurément, sa parole ne lie pas ses actes. Autrement dit, quand vient son tour de parler, un joueur peut défaire ce qu'il a dit antérieurement, alors que ce n'était pas à lui de jouer, et jouer à sa guise. Cette règle s'applique à toutes les annonces : parier, tenir l'enjeu, relancer ou abandonner. Lorsqu'un joueur se fie à une annonce prématurée, il le fait à ses propres risques et n'a aucun recours contre l'autre joueur, même s'il se sent lésé par cette annonce prématurée.

Le Poker, jeu de probabilités

La valeur d'une main de Poker repose sur le jeu des probabilités, c'est-à-dire sur la fréquence de son apparition. Plus l'apparition d'une combinaison est rare, plus elle a de la valeur. Quand on détient une combinaison rare, les chances de gagner le coup sont très élevées. Il n'y a, par exemple, que quatre possibilités pour un joueur d'avoir en main une Quinte Couleur royale (A-R-D-V-10) : cela en fait la combinaison la plus rare, donc la plus forte.

Pour calculer les probabilités de recevoir une combinaison donnée, on procède toujours de la même manière : on divise le nombre de mains différentes qu'il est possible de composer avec un paquet de 52 cartes par le nombre de combinaisons différentes d'un type donné qu'il est possible de recevoir du donneur. On a calculé qu'il est possible de composer 2 598 960 mains différentes de cinq cartes avec un paquet de 52 cartes. C'est dire, pour reprendre l'exemple de la Quinte Couleur royale, qu'il y a une chance sur 649 740 pour qu'un joueur se retrouve avec cette combinaison en main

(2 598 960 / 4 = 649 740).

Le tableau qui suit donne, en chiffres arrondis, la fréquence d'apparition des différentes combinaisons dès la première donne :

Il y a une chance sur	d'obtenir	Probabilités en %
65 000	une Quinte Couleur	0,0015
4 000	un Carré	0,025
700	une Main pleine	0,14
500	une Couleur	0,2
250	une Quinte	0,4
50	un Brelan	2,0
20	une Double Paire	5,0
8	une Paire	12,5

Ce tableau devrait permettre à tout joueur, débutant ou expert, d'avoir une vision réaliste de la main qu'il détient et de savoir quelles sont ses chances de gagner quand il parie. Il permet aussi de savoir si une main est forte, moyenne ou faible et, en conséquence, de parier de manière intelligente.

Le tableau plus haut montre les probabilités d'obtenir chacune des combinaisons à la première donne, mais, au Poker, il y a toujours moyen d'améliorer sa main. Le tableau qui suit montre les probabilités d'améliorer une main grâce à la prise de cartes.

avec la main initiale	il y a une chance sur	d'avoir comme main finale	Probabilités en %
une Paire	6,3	deux Paires	16,0
	9	un Brelan	11,0
	100	une Main pleine	1,0
	400	un Carré	0,25
deux Paires	12	une Main pleine	8,0
un Brelan	15	une Main pleine	7,0
	25	un Carré	4,0
une Quinte bilatérale*	6	une Quinte	17,0
une Quinte ventrale***	12	une Quinte	8,0

une Couleur	5	une Couleur	20,0
une Quinte	8	une Quinte	12,5
Couleur	5	une Couleur	20,0
bilatérale	25	une Quinte Couleur	4,0
une Quinte	15	une Quinte	7,0
Couleur	5	une Couleur	20,0
ventrale	50	une Quinte Couleur	2,0

* On appelle Quinte bilatérale une séquence de quatre cartes qui se suivent et offrent la possibilité de former une véritable Quinte à chacune de ses extrémités. Par exemple : 9-8-7-6. Cette main peut devenir une Quinte par l'ajout soit d'un 10 soit d'un 5.

** On appelle Quinte ventrale une séquence de quatre cartes qui se suivent mais qui n'offrent qu'une possibilité de former une véritable Quinte. Soit par l'ajout d'une carte au centre de la séquence comme, par exemple, la séquence 9-8-6-5 qui peut devenir une véritable Quinte par l'ajout du 7. Soit par l'ajout d'une carte à une seule de ses extrémités comme, par exemple, la séquence A-R-D-V qui ne peut devenir une véritable Quinte que par l'ajout du 10.

Les préliminaires

Le choix du premier donneur

Avant la partie, n'importe quel joueur bat les cartes et en passe une à chacun en la retournant. Il commence par la gauche et suit le sens des aiguilles d'une montre. Le premier joueur qui reçoit un Valet devient le premier donneur. Pour la donne suivante, ce sera au tour du joueur assis à sa gauche. Un joueur n'a pas le droit de refuser de donner.

Le choix des places

Les joueurs prennent place au hasard autour de la table, sauf si l'un d'entre eux exige qu'on désigne les places par tirage au sort. Dans ce cas, le banquier choisit sa place. Le donneur a alors le choix entre s'asseoir à sa gauche ou se joindre aux autres joueurs pour tirer sa place au sort. S'il n'y a pas de banquier, le donneur peut choisir sa place.

Pour le choix des places par tirage au sort, le donneur mêle les cartes et les fait couper par le joueur assis à sa droite. Puis il donne une carte retournée à chacun, en commençant par l'aîné. Le joueur qui reçoit la carte la plus forte s'assoit à la droite du banquier ou du donneur. Celui qui reçoit la deuxième carte s'assoit à la droite du premier joueur, et ainsi de suite jusqu'à ce que chaque joueur soit assis. Si deux joueurs reçoivent des cartes de même valeur, la première carte donnée est plus forte que l'autre et donne la préséance au joueur qui la détient.

Dès que la partie est en cours, il doit s'écouler au moins une heure après le dernier changement avant qu'un joueur n'ait le droit de demander un changement de places. Un joueur qui se joint à une partie en cours prend n'importe quelle place libre. Un joueur qui en remplace un autre doit occuper la place que ce joueur avait. Il est permis à deux joueurs d'interchanger leur place après un abattage et avant que ne commence la donne suivante, à condition que les autres joueurs ne s'y opposent pas.

Le choix du Poker

Il est possible de classer tous les jeux de Poker sous deux catégories : le Poker fermé ou «*Draw Poker*» et le Poker ouvert ou «*Stud Poker*». Toutes les autres formes de Poker relèvent plus ou moins de l'une de ces catégories.

Dans certains clubs, les règlements déterminent la forme de Poker jouée par les membres. Pour d'autres joueurs qui se rassemblent régulièrement autour d'une table de Poker, on convient de laisser l'hôte choisir le jeu. Il est toutefois une autre façon de procéder pour choisir la forme de Poker que l'on désire jouer : ce sont les joueurs en présence qui s'entendent sur le choix d'un jeu. Pour le faire, ils doivent tenir compte de deux facteurs : le nombre de joueurs assis autour de la table et l'expérience de chacun.

1- **De deux à quatre joueurs** : on recommande le Poker ouvert, l'une de ses variantes ou, encore, l'un des jeux «Au choix du donneur». Quand le groupe est restreint, on suggère de réserver le Poker fermé aux seuls joueurs expérimentés, qui se serviront d'un jeu réduit de 32 cartes.

2- **De cinq à huit joueurs** : n'importe quelle forme de Poker, au choix.

3- **Neuf ou dix joueurs** : on suggère le Poker ouvert à cinq cartes.

4- **Dix joueurs et plus** : n'importe quels jeux «Au choix du donneur» dans lequel on distribue moins de cinq cartes. Une autre suggestion : former deux tables.

Quand on joue pour le plaisir, en famille ou entre amis, on suggère de choisir un des jeux «Au choix du donneur», surtout s'il y a des femmes. On a souvent remarqué qu'elles n'avaient pas les mêmes goûts que leurs comparses masculins en matière de Poker.

La limite de temps

Avant de commencer à jouer, les joueurs doivent limiter la durée de la partie et respecter cette limite par la suite. Sinon, une partie agréable peut devenir un cauchemar.

Les devoirs du banquier

Il est important de désigner un banquier. Le banquier est le joueur qui remplit des fonctions importantes :

1- il veille à ce que les joueurs respectent les règles lorsqu'ils parient;

2- il surveille la réserve de jetons et contrôle la quantité qui est versée à chacun. Les transactions et les échanges entre joueurs sont interdits. Quand un joueur a un surplus de jetons, il doit demander un crédit au banquier, et de même, quand il lui en manque, c'est au banquier qu'il doit s'adresser pour en acheter d'autres;

3- s'il l'on utilise des espèces sonnantes plutôt que des jetons, c'est le banquier qui fait la monnaie;

4- il a également la responsabilité de la chatte, qui sert à acheter de nouveaux paquets de cartes, des rafraîchissements et un goûter, de même qu'à payer le loyer de la salle de jeu s'il y en a un.

Le jeu :

type : individuel.

but : remporter la cagnotte en détenant ou en faisant croire qu'on détient une main supérieure à toutes les autres, en suivant les règles du jeu choisi.

règles :

la distribution : bien que le Poker ne se joue qu'avec un seul paquet conventionnel, il est préférable d'utiliser deux paquets ayant des dos contrastants soit par la couleur soit par le dessin. Pendant que le donneur distribue les cartes, le donneur du coup précédent ramasse les cartes de sa donne, les mêle et dépose le paquet à sa gauche. Quand arrive la donne suivante, le paquet est passé au nouveau donneur. Supposons une table formée de Pierre, Jean, Jacques et Paul. C'est au tour de Jean à donner les cartes rouges. Pierre, qui a distribué les bleues au coup précédent, les ramasse, les bat et dépose le paquet à sa gauche. Au coup suivant, c'est à Jacques à donner. Jean lui passe le paquet de cartes bleues et, pendant que Jacques donne, il ramasse les rouges qu'il mêle.

Il faut mêler les cartes au moins trois fois avant de les donner. Tout joueur a le droit de battre les cartes avant la distribution, mais le donneur a le privilège d'être le dernier à le faire.

Ensuite, il présente le paquet au joueur assis à sa droite pour le faire couper. Quand on joue avec deux paquets, le donneur fait couper les cartes par le joueur assis à sa gauche. Le joueur auquel on présente le paquet à couper, n'est pas obligé de le faire. S'il refuse de couper, n'importe qui peut le faire. S'il ne se commet pas d'irrégularité qui exige une nouvelle coupe, on ne coupe les cartes qu'une seule fois.

Le joueur qui coupe le paquet peut former deux ou trois tas, mais il doit laisser un minimum de cinq cartes dans chaque tas de la coupe. Si on retourne une carte pendant la coupe, le donneur doit mêler de nouveau les cartes et les faire couper.

Le donneur commence la distribution par l'aîné, c'est-à-dire le joueur assis à sa gauche, et suit le sens des aiguilles d'une montre. Il est le dernier à être servi. Il donne les cartes une à la fois, faces couvertes la plupart du temps. Chaque fois qu'il donne une carte, il est tenu de prendre celle qui est sur le dessus du paquet. Il distribue habituellement cinq cartes à chaque joueur. Parfois, le jeu exige que le donneur ouvre une ou plusieurs cartes pendant la distribution, ou bien encore il exige qu'il donne plus de cinq cartes ou moins de cinq cartes à chaque joueur. Ces règlements particuliers seront fournis au moment opportun.

Les joueurs sérieux, ceux qui sont membres d'un club par exemple, changent souvent de paquets de cartes. Qui plus est, n'importe quel joueur peut demander à n'importe quel moment un tel changement, qui survient après l'abattage. Lorsqu'on change de cartes, on remplace les deux paquets. Dans certains clubs, le joueur qui demande un changement de cartes défraie le coût des nouveaux paquets. Mais, la coutume la plus répandue est de constituer un fonds spécial, appelé la chatte, pour défrayer l'achat de paquets neufs. La chatte est établie par entente unanime ou majoritaire entre les joueurs. Elle est formée en prélevant un jeton blanc de chaque cagnotte qui fait l'objet de plus d'une relance. Autrement dit, la chatte peut s'enrichir de plusieurs jetons blancs au cours d'une même partie. Comme elle appartient également à tous les joueurs, elle sert à acheter non seulement de nouvelles cartes mais aussi des rafraîchissements et un goûter. De plus, tous les jetons qui restent dans la chatte à la fin de la partie sont répartis également entre les joueurs encore dans la course. Contrairement à d'autres jeux, un joueur qui abandonne une partie de Poker en cours de route perd son droit à réclamer sa part des jetons de la chatte.

Cartes annulées : si, après avoir fini la distribution, le donneur retourne une ou plusieurs cartes du paquet qui reste, ces cartes sont annulées et écartées.

Un joueur qui montre une partie de sa main ne reçoit pas d'amende et sa main n'est pas annulée. Un joueur qui dérange le donneur et se rend responsable qu'il retourne une carte ne peut déclarer une maldonne.

Un joueur est toujours responsable de sa main : si une de ses cartes est retournée à cause d'un autre joueur, il n'a aucun recours contre ce dernier.

⬜ ⬜ ⬜

Les différentes formes du Poker

Le Poker fermé ou «Draw Poker»

Il existe mille façons de jouer au Poker fermé, mais toutes ont deux points en commun : la distribution et le déroulement du coup. Ce qui change d'une variante à l'autre, ce sont les paris qui seront expliqués pour chacune des variantes.

Les points communs :

La distribution : elle se fait selon la méthode la plus classique. Le donneur donne cinq cartes couvertes à chaque joueur : il les distribue une à une en suivant le sens des aiguilles d'une montre.

Le déroulement :

1- *la première période de paris :* tout de suite après la donne, on passe à la première période de paris. Les joueurs sont tenus d'attendre leur tour pour miser : l'aîné est le premier à parler. Il doit miser, dire «Parole» ou passer. S'il dit «Parole», tous les joueurs qui le suivent peuvent aussi le faire jusqu'à ce qu'un joueur ouvre les paris. Mais à partir du moment où les paris sont ouverts, les joueurs doivent ou bien tenir l'enjeu ou relancer ou passer.

2- *les ouvreurs (openers)* : le terme «*openers*», que je traduis par les ouvreurs, renvoie à la combinaison minimale que doit détenir un joueur pour avoir le droit d'ouvrir les paris. La combinaison généralement acceptée est la Paire de Valets. Autrement dit, si un joueur n'a pas au minimum une Paire de Valets dans sa main, il n'a pas le droit d'ouvrir les paris. S'il détient une meilleure combinaison que celle-là, une Paire de Dames ou un Brelan de 2 par exemple, il peut miser le premier. Respecter cette règle est fondamental parce qu'elle est l'un des principaux éléments qui donnent de l'habileté au Poker. Elle indique aux joueurs qui ont une main vraiment faible qu'ils doivent être circonspects dans leurs enjeux. Si n'importe qui peut ouvrir les paris quand ça lui chante, sans respecter cette règle, on élimine automatiquement l'indice qui permet de dire que l'ouvreur et ceux qui tiennent l'enjeu après lui détiennent une bonne main.

Lors de la prise de cartes, le joueur qui a ouvert les paris a le droit d'écarter l'un ou l'autre de ses ouvreurs. Toutefois, il doit non seulement le dire mais aussi mettre ces cartes de côté afin de prouver à l'abattage qu'il détenait le minimum requis pour l'ouverture. Le meilleur exemple qui puisse inciter le joueur qui ouvre les paris à écarter un de ses Valets est donné à l'illustration 37 en page 228!

Un joueur qui aurait ouvert avec cette main aurait intérêt, au moment de la prise de cartes, à écarter son Valet de pique. Pourquoi? S'il reçoit un autre cœur, n'importe lequel sauf la Dame et le 7, il transforme une main très faible en main de force moyenne, une Couleur. Si, plus chanceux, il reçoit la Dame ou le 7 de cœur, il aura une main très forte, une Quinte Couleur.

3- *la prise de cartes* : la première période de paris prend fin lorsqu'on a fait un tour de table complet sans relance. Autrement dit, tous les paris sont égaux. Commence alors une opération appelée la prise de cartes (en anglais, le «*draw*»). Chaque joueur encore dans la course, c'est-à-dire chaque joueur qui a tenu le dernier enjeu, peut écarter une, deux ou trois cartes et les faire remplacer dans le but d'améliorer sa main. Encore une fois, les joueurs sont tenus d'attendre leur tour pour écarter.

Le donneur demande à chaque joueur : «Combien?», en commençant par le joueur encore dans la course qui est assis à sa gauche. Chaque joueur répond en disant «OK! pour moi» ou en indiquant le nombre de cartes désiré. Le donneur attend que le joueur ait écarté le nombre de cartes annoncé, puis il lui donne le même nombre de cartes, à même le paquet qui reste. Il procède comme pour une distribution ordinaire : il donne les cartes couvertes, et il les prend toujours sur le dessus du paquet.

Si le donneur est encore dans la course et s'il prend une ou des cartes, il annonce le nombre de cartes qu'il prend comme les autres joueurs. Un joueur dans la course peut demander à n'importe quel autre joueur le nombre de cartes qu'il a pris, et ce à tout moment entre le début de la prise de cartes et le début de la seconde période de paris. Le joueur interrogé a l'obligation de répondre, mais celui qui questionne n'a aucun recours s'il reçoit une réponse inexacte. On reconnaît, toutefois, qu'un joueur qui répond avec l'intention de tromper les autres est de mauvaise foi.

Il est interdit au donneur de donner la dernière carte du paquet pendant la prise de cartes. S'il ne reste pas assez de cartes pour compléter l'opération en faisant le tour de la table, le donneur ramasse les cartes écartées par les joueurs, **à l'exception** des cartes écartées par le joueur qui a ouvert les paris et, bien sûr, des cartes que voudraient écarter les joueurs qui n'ont pas encore pris de cartes. Il forme un nouveau paquet avec les cartes ramassées et les brasse avec la dernière carte du paquet d'origine. Puis il offre ce nouveau paquet à couper et poursuit l'opération de prise de cartes. Il suit les règles qui prévalent pour la coupe, sauf que seul un joueur encore dans la course peut couper.

La prise de cartes est facultative : un joueur satisfait de sa main initiale n'est pas tenu d'écarter ni de prendre de nouvelles cartes.

4- *la deuxième période de paris :* une fois la prise de cartes terminée, on procède à une nouvelle période de paris. Suit l'abattage et le joueur qui détient la meilleure main gagne la cagnotte.

Les paris :

La mise initiale ou ante : il existe deux façons de faire l'ante. Les joueurs assis autour de la table doivent donc choisir celle qu'ils adopteront pendant la partie.

1- Chaque joueur met un jeton blanc, celui qui a le moins de valeur, dans la cagnotte avant la distribution. Encore une fois, les joueurs doivent attendre leur tour pour miser et c'est l'aîné qui commence. Ensuite on suit le sens des aiguilles d'une montre.

2- *La mise du donneur :* seul le donneur met un jeton dans la cagnotte avant la donne. Quand on adopte la mise du donneur, dès qu'un nouveau joueur s'assoit à la table il devient le donneur.

Les règles du pari : il existe deux règles relatives au pari, et les différentes variantes du Poker fermé en tirent leur origine : la première s'appelle «Passe et sort» et la seconde «Passe et rentre».

1- *Passe et sort :* tant que les paris ne sont pas ouverts, tout joueur a le choix entre mettre la mise minimum dans la cagnotte ou abandonner. Dans la plupart des variantes, on applique cette règle avant la prise de cartes seulement. Cette règle ne s'applique pas dans certaines variantes, et les joueurs sont tenus de parier ou d'abandonner avant comme après la prise de cartes.

2- *Passe et rentre :* au premier tour, tant que les paris ne sont pas ouverts, un joueur peut passer au lieu de miser. Dans ce cas, «passer» a la même signification que dire «Parole». Autrement dit, le joueur qui passe reste dans la course, seulement il ne mise pas. Par contre, tous les joueurs sont tenus soit de tenir l'enjeu, de relancer ou d'abandonner dès que les paris sont ouverts. Cette règle change après la prise de cartes : à partir de ce moment, un joueur peut passer et rester dans la course en disant : «Parole».

Mains spéciales :

Certains joueurs ajoutent des combinaisons aux neuf combinaisons traditionnelles dans le but de rendre le jeu plus intéressant. Ces nouvelles combinaisons se divisent en deux groupes : le groupe des Chiens et des Chats et un second groupe hétérogène. Comme pour les combinaisons traditionnelles, chacune a sa valeur. Voici le tableau des combinaisons les plus populaires.

Les Chiens et les Chats :

1- le Gros chat ou Gros tigre : cette main est formée de cinq cartes dépareillées, c'est-à-dire qui ne sont pas de la même Couleur, dont la plus forte est un Roi et la plus faible un 8. (Illustration 38 : le Gros chat, en page 228)

Cette main ne doit pas contenir de Paire. Au classement, elle vient immédiatement après la Couleur. Donc, elle bat la Quinte, le Brelan, la Double Paire et la Paire de même que toutes les combinaisons qui suivent.

2- le Petit chat ou Petit tigre : cette main est formée de cinq cartes dépareillées, dont la plus forte est un 8 et la plus faible un 3. (Illustration 39 : le Petit chat, en page 228)

Cette main ne contient aucune Paire. Elle est moins forte que la Couleur ou le Gros chat, si on a adopté aussi cette combinaison spéciale. Elle bat la Quinte et les combinaisons qui suivent.

3- le Gros chien : une autre main formée de cartes dépareillées, dont la plus forte est un As et la plus faible un 9. (Illustration 40 : le Gros chien, en page 228)

Cette main ne contient pas de Paire. Elle est moins forte que les deux Chats ou la Couleur, mais elle bat le Petit chien et la Quinte.

4- le Petit chien : une dernière main formée de cartes dépareillées, dont la plus forte est un 7 et la plus faible un 2. (Illustration 41 : le Petit chien, en page 229)

Cette main ne contient aucune Paire. Elle est moins forte que le Gros chien, les deux Chats ou la Couleur, mais elle bat une Quinte.

Quand on adopte les Chiens et les Chats, en général on exclut les combinaisons spéciales du deuxième groupe, qui sont les suivantes :

1- le «Skeet» : main qui comprend un 9, un 5 et un 2 plus deux autres cartes de valeurs différentes comprises entre 2 et 9. (Illustration 42 : le Skeet, en page 229)

Certains ajoutent la contrainte suivante : l'une des deux cartes doit obligatoirement être un 3 ou un 4 et l'autre doit nécessairement être un 6, un 7 ou un 8. (Illustration 43 : le Skeet spécial, en page 229)

Cette contrainte signifie que le premier exemple donné plus haut (9-8-7-5-2) n'est pas un «Skeet».

Cette main ne peut contenir de Paire. Elle bat un Brelan, mais pas une Quinte.

2- La Quinte hollandaise : main formée par une Séquence de cinq cartes alternées. (Illustration 44 : la Quinte hollandaise, en page 229)

Le principe à retenir : ce sont cinq cartes qui se suivent, mais avec un saut d'une valeur entre deux cartes : ainsi il manque le 9 entre le 8 et le 10, comme il manque le 7 entre le 8 et le 6, ainsi de suite. Il n'est pas nécessaire que les cartes soient de la même Couleur. Cette main bat un Brelan, mais pas une Quinte.

3- La Quinte «qui tourne le coin» : cette main est une véritable Séquence, mais qui relie un 2 à un Roi par le biais d'un As. (Illustration 45 : la Quinte «qui tourne le coin», en page 230)

Une Quinte «qui tourne le coin» est toujours plus faible qu'une vraie Quinte, même si elle contient des cartes plus fortes. Ainsi, la Quinte 5-4-3-2-A est plus forte que 4-3-2-A-R qui, elle-même, bat 3-2-A-R-D, qui bat 2-A-R-D-V. Quand on adopte la Quinte hollandaise et la Quinte «qui tourne le coin», c'est la hollandaise la plus forte.

4- Le «Blaze» : cette main est formée de cinq figures, n'importe lesquelles. Elle ne peut contenir ni un As ni un 10. (Illustration 46 : le Blaze, en page 230)

Elle est moins forte qu'un Brelan, mais plus forte qu'une Double Paire. Cette main est pratiquement inutile parce qu'elle est toujours composée d'au moins deux Paires très fortes.

Quand on adopte ces combinaisons spéciales, on exclut en général les Chiens et les Chats.

Comme principe général pour les combinaisons spéciales, on retient que le Gros chat, le Petit chat, le Gros chien et le Petit chien battent tous une Quinte, mais sont moins forts qu'une Couleur.

De plus, quand il y a égalité entre deux mains spéciales, on départage le vainqueur du perdant de la même manière qu'entre deux mains sans Paire.

Par exemple, de deux Gros chats, R-D-V-9-8 et R-D-10-9-8, c'est le premier qui l'emporte sur le second parce que le Valet l'emporte sur le 10.

Fin du coup : Quand la deuxième période de paris est terminée, survient l'abattage. Chaque joueur encore dans la course dépose ses cinq cartes sur la table, à la vue de tous. Une main qui ne contient pas cinq cartes est automatiquement annulée, et son détenteur est disqualifié pour la cagnotte. En déposant ses cartes, chaque joueur peut ou non annoncer sa combinaison en disant : «Quinte Couleur au 10 de cœur» ou «Main pleine aux Rois» ou «Brelan de 3».

Se tromper volontairement ou non en annonçant sa combinaison n'engage à rien et n'entraîne aucune amende pour le joueur qui s'est trompé : au Poker, la tradition veut que «les cartes parlent d'elles-mêmes». Autrement dit, ce qui compte c'est la main réelle d'un joueur, et non pas ce qu'il dit.

Ainsi, un joueur qui annonce un Brelan alors qu'il détient, en fait, une Main pleine peut corriger son erreur en tout temps avant qu'un autre joueur n'ait ramassé la cagnotte. Cependant, dans certains clubs, l'annonce l'emporte sur les cartes, c'est-à-dire, pour reprendre l'exemple plus haut, qu'on ne créditerait qu'un Brelan au joueur qui montrerait une Main pleine. C'est pourquoi il est important que les joueurs assis autour d'une table s'entendent avant le début de partie pour dire s'ils ont le droit de corriger une annonce erronée.

Un joueur ne peut pas, à l'abattage, décider de ne pas montrer sa main aux autres joueurs pour la seule raison que quelqu'un d'autre a annoncé une main plus forte que la sienne. Tout joueur qui est encore dans la course, à l'étape de l'abattage, est obligé de montrer sa main, sauf s'il reste seul. En effet, si tous les joueurs ont passé, sauf un, il n'est pas obligé de montrer ses cartes pour ramasser la cagnotte. Par contre, si ce joueur a ouvert les paris, il est obligé de montrer sa main.

Plusieurs variantes du Poker n'exigent pas d'un joueur qu'il montre sa main à l'abattage s'il ne prétend pas détenir la meilleure combinaison. Il y a toutefois une exception à cette règle pour celui qui ouvre les paris : en général, il doit montrer sa main pour prouver qu'il détenait le minimum d'ouverture.

Droit de regard sur les écarts :

Personne n'a le droit, sous aucun prétexte, de regarder les cartes écartées, que ce soit avant ou après l'abattage. Il est également interdit de regarder la main d'un autre joueur même si on s'est retiré de la cagnotte. De plus, il est strictement interdit de regarder les cartes qui n'ont pas été distribuées. On doit respecter ces trois règles à la lettre.

Maldonne :

Quand il y a maldonne, on doit battre les cartes de nouveau et les faire couper. Le donneur reprend sa donne, mais s'il provoque une deuxième maldonne, la donne suivante passe au joueur assis à sa gauche.

Voici les cas les plus fréquents de maldonne.

1- Si on expose une ou plusieurs cartes pendant la coupe ou en réunissant les tas.

2- Si on s'aperçoit, avant l'ouverture des paris, que le paquet n'a pas été coupé par le bon joueur. Si un joueur a ouvert les paris, la donne est valide.

3- Si on s'aperçoit, avant l'ouverture des paris, que le paquet n'a pas été coupé.

4- Si on s'aperçoit qu'il y avait au moins une carte retournée dans le paquet avant que chaque joueur ait reçu ses cinq cartes ou avant l'ouverture des paris.

5- Si le donneur retourne une carte d'un joueur avant la prise de cartes.

6- Si on s'aperçoit, avant que la cagnotte ne soit ramassée, qu'il manque des cartes dans le paquet ou qu'il y a des cartes en double. La partie s'arrête dès qu'on s'aperçoit que le paquet est imparfait, et les joueurs récupèrent leur mise de la cagnotte.

7- Si on n'a pas suivi les règles pour la donne des cartes (si, par exemple, le donneur ne les a pas données une à une).

8- Si le donneur distribue trop de mains ou pas assez de mains.

9- Si on s'aperçoit qu'un joueur donne les cartes alors que ce n'est pas son tour, avant l'ouverture des paris.

Il n'y a pas maldonne si :

1- le donneur retourne une ou plusieurs de ses propres cartes, peu importe le moment.

2- un joueur retourne l'une de ses cartes, peu importe le moment de la partie.

Irrégularités :

1- *distribution erronée pendant la donne ou la prise :* si le donneur ne donne pas à un joueur le nombre de cartes réglementaire, que ce soit au moment de la donne initiale ou pendant la prise de cartes, il se passe ce qui suit :

a) si le joueur signale l'erreur avant d'avoir regardé soit sa main initiale soit ses nouvelles cartes après la prise de cartes, il y a maldonne;

b) si le joueur a regardé les cartes soit de sa main initiale soit de sa prise, et s'il en a trop reçu, sa main est annulée et il perd tout ce qu'il a mis dans la cagnotte;

c) s'il a regardé ses cartes et s'il n'en a pas assez, le donneur lui donne les cartes nécessaires pour compléter sa main.

2- *cartes retournées :*

a) pendant la distribution des mains initiales : si le donneur expose une carte à la vue des joueurs, il continue la donne sans corriger l'erreur. Si le donneur expose **plus d'une carte** de la main d'un **même** joueur, celui-ci peut exiger une nouvelle donne à condition de n'avoir regardé **aucune des cartes** de sa main. Cependant, il ne peut exiger de nouvelle donne s'il a volontairement regardé une seule de ses cartes.

b) pendant la prise de cartes : si le donneur retourne une carte, cette carte est annulée et on l'enterre. Le donneur continue la prise de cartes en donnant aux autres joueurs le nombre de cartes demandé, puis il revient au joueur lésé et remplace la carte annulée. Il est interdit au joueur lésé de garder la carte annulée même si elle fait son affaire. Si un joueur retourne une de ses propres cartes, il est obligé de la garder. Cette règle inclut le donneur.

3- *prise de cartes prématurée :* si un joueur laisse un joueur assis à sa gauche prendre des cartes avant lui, ce joueur négligent doit jouer sans prendre de cartes ou abandonner. S'il a déjà fait ses écarts, il n'a plus le nombre de cartes réglementaire, donc sa main est annulée.

4- *lapsus à la prise de cartes :* lorsqu'un joueur, en demandant ses cartes, commet un lapsus, il a le droit de se corriger seulement si le donneur ne lui a pas encore donné les cartes qu'il a demandées en faisant son lapsus. Si, après avoir reçu du donneur le nombre de cartes demandé, le joueur se retrouve à la suite d'un lapsus avec une main non réglementaire, elle est annulée.

Amendes :

1- ouverture insuffisante : tout joueur qui ouvre les paris sans avoir le minimum requis des ouvreurs perd automatiquement son droit à la cagnotte. Sa main est annulée, mais non pas la donne : les autres joueurs encore dans la course continuent de jouer comme si l'ouverture des paris était légale. Si, à l'abattage, tous les joueurs ont passé, sauf celui qui a ouvert les paris, il perd sa première mise qui reste dans la cagnotte pour la donne suivante.

▢ ▢ ▢

Les Variantes du Poker fermé

Le Poker ordinaire

On suit exactement les règles du Poker fermé, sauf qu'il n'y a pas de prise de cartes. Le donneur distribue à chaque joueur cinq cartes couvertes, après quoi suit une période de paris. Quand tous les enjeux sont égaux, on abat les mains, et la meilleure l'emporte.

Variantes du Poker ordinaire :

1- **L'Ouragan** est une variante du Poker ordinaire qui se joue avec seulement deux cartes. Ainsi, la meilleure main qu'un joueur puisse détenir est une Paire d'As. On peut ajouter une prise de cartes à cette variante. Il est aussi permis d'utiliser des cartes passe-partout. Lorsque les 2 sont des cartes passe-partout, on joue parfois cette variante en «high and low» : la main parfaite est alors formée d'un As et d'un 2, comme le montre l'illustration 47, en page 230.

Cette main est considérée comme étant parfaite parce qu'elle sert **à la fois** de meilleure main pour le «high» (une Paire d'As) et de main la plus basse pour le«low» (un As, la carte la plus faible, et une carte passe-partout à valeur zéro).

2- «**Monte à trois cartes**» - Le donneur distribue à chacun une carte couverte, puis deux cartes retournées. Il y a une période de paris après chaque donne, donc trois périodes au total. Les combinaisons acceptées sont les suivantes : la carte isolée, la Paire, le Brelan, la Couleur, la Tierce et la Tierce Couleur. La Double Paire, la Main pleine et le Carré sont impossibles. Avec des cartes passe-partout, cette variante se joue en «high and low». On la considère comme une variante du Poker ordinaire parce qu'il n'y a pas de prise de cartes.

3- **Montrez vos cartes** - Après avoir reçu ses cinq cartes, distribuées suivant les règles du Poker Fermé, chaque joueur les analyse. Au signal du donneur, tous les joueurs retournent une de leurs cartes sur la table. Avant de donner ce signal, le donneur doit s'assurer que tous les joueurs sont prêts. Suit alors une première période de paris. Quand tous les enjeux sont égaux, le donneur donne un nouveau signal pour que les joueurs encore dans la course retournent en même temps une deuxième carte. Nouvelle période de paris. Une troisième retourne a lieu, suivie d'une autre période de paris. On procède ainsi jusqu'à la retourne de la cinquième carte, qui constitue l'abattage. En général, on joue cette variante en «high and low». Dans ce cas, chaque fois qu'il retourne une carte, un joueur annonce s'il mise pour le «high» ou s'il mise pour le «low». Il est permis à un joueur d'annoncer d'abord qu'il mise pour le «high», puis de changer d'avis après avoir vu les cartes des autres joueurs, et de miser pour le «low».

⬜ ⬜ ⬜

Les Mains froides

On s'entend sur une mise initiale, que chaque joueur dépose dans la cagnotte. Puis le donneur distribue à chacun cinq cartes retournées : il les donne une à une, en suivant le sens des aiguilles d'une montre. C'est la meilleure main qui remporte la cagnotte. Cette variante ne permet ni pari ni prise de cartes.

⬜ ⬜ ⬜

Le «Jackpots»

La mise initiale ou ante : ordinairement, chaque joueur mise un jeton blanc avant la donne.

Le déroulement :

la première période de paris : dès que la donne est finie, chacun a l'occasion à son tour d'ouvrir les paris ou de passer. On commence par l'aîné. Au «Jackpots», «passer» a la même signification que dire «Parole». Autrement dit, le joueur qui passe ne parie pas, mais il reste dans la course. Il faut faire attention au mot «passer» quand on joue au Poker, car c'est un terme chargé d'ambiguïté. Parfois il veut dire : «J'abandonne» ou «Je me retire de la course». D'autres fois, comme ici, il signifie : «Parole», c'est-à-dire «Je ne parie pas, mais je ne me retire pas du jeu».

Pour avoir le droit d'ouvrir, un joueur doit avoir une Paire de Valets ou une main plus forte. Si aucun des joueurs n'ouvre, chacun mise une nouvelle ante dans la cagnotte et on passe à une autre donne.

Dès que les paris sont ouverts, tous les joueurs sont tenus à leur tour, même ceux qui ont déjà passé une fois, soit d'abandonner, de tenir l'enjeu ou de le relancer. Quand la première période de paris prend fin, autrement dit quand on a fait un tour de table complet sans nouvelle relance, commence la prise de cartes. Puis c'est la deuxième période de paris, au cours de laquelle tout joueur peut passer tout en restant dans la course (Parole) jusqu'à ce qu'un joueur mise de nouveau. Après la reprise des enjeux, tout joueur encore dans la course doit abandonner, tenir l'enjeu ou relancer. Cette période terminée, on passe à l'abattage. Si le joueur qui a ouvert les paris a abandonné, il doit montrer ses ouvreurs, mais non pas ses autres cartes. Évidemment, il est tenu de montrer sa main complète comme les autres joueurs encore dans la course, s'il se rend à l'abattage.

Variantes du «Jackpots»

1- **Le «Jackpots progressif»** - Il est très facile à jouer. On suit essentiellement les règles du Jackpots, sauf celle des ouvreurs qui se corse d'une donne à l'autre. À la première donne, l'exigence d'ouverture reste la Paire de Valets. Si personne ne peut ouvrir les paris à cette donne, le minimum requis à la donne suivante pour ouvrir, ce n'est plus une Paire de Valets, mais une Paire de Dames. Autrement dit, on augmente l'exigence d'ouverture. Si personne ne peut ouvrir les paris à la deuxième donne, une Paire de Rois devient le minimum requis pour ouvrir à la troisième donne. À la quatrième donne, on passe à la Paire d'As. On peut augmenter l'exigence d'ouverture jusqu'à une Double Paire. Il est entendu que si un joueur a une meilleure combinaison que l'exigence d'ouverture, qui reste une exigence minimale, il peut ouvrir les paris.

2- La Séquence «Bobtail» - Encore une fois, ce qui change ce sont les ouvreurs ou l'exigence d'ouverture. On peut ouvrir les paris, comme dans le «Jackpots», si on a au moins une Paire de Valets. Mais il est également permis d'ouvrir les paris si on a une Séquence «Bobtail», appelée en français Quinte Couleur bilatérale. Une Séquence «Bobtail» est formée de quatre cartes qui se suivent dans la même Couleur et qui laissent deux possibilités, une à chaque extrémité de transformer la main en Quinte Couleur. (Illustration 48, en page 230)

Il est donc possible qu'à la prise de cartes pareille main se transforme en Quinte Couleur par l'ajout soit du Valet soit du 6 de cœur. Toute Séquence de quatre cartes qui ne permettrait l'ajout que d'une **seule** carte pour en faire une Quinte Couleur, ne peut, sous aucun prétexte, être considérée comme étant une Séquence «Bobtail». (Voir les deux exemples de l'illustration 49, en page 231)

Ces deux combinaisons ne sont pas des Séquences «Bobtail» ou Quintes Couleur bilatérales. Ce sont des Quintes Couleur ventrales. La première ne permet qu'un seul ajout pour faire de la main une Quinte Couleur, le 5. La seconde n'est pas une Séquence, c'est-à-dire une série de quatre cartes qui se **suivent.**

3- L'Ouverture avec n'importe quoi - On suit les règles du «Jackpots», sauf encore une fois celle des ouvreurs ou l'exigence d'ouverture. Ici, il n'existe pas de minimum pour ouvrir les paris. En conséquence, on ne peut exiger du joueur qui ouvre de montrer ses ouvreurs. Ordinairement, ceux qui jouent cette variante suivent la règle «Passe et sort» avant la prise de cartes et la règle «Passe et reste» après la prise.

4- Les 2 passe-partout : On suit les règles du «Jackpots», sauf que les quatre 2 servent de cartes passe-partout.

5- Le Fusil : Le donneur distribue d'abord trois cartes couvertes à chacun. Puis les joueurs parient. Il donne ensuite une quatrième carte, et les joueurs misent encore une fois. Il donne enfin la cinquième carte. Après une nouvelle période de paris, les joueurs encore dans la course ont droit à une prise de cartes pour améliorer leur main. Suivent la dernière période de paris et l'abattage.

Cracher dans la mare
(«Spit in the Ocean»)

Le donneur distribue seulement quatre cartes couvertes aux joueurs. Après la distribution, il retourne une carte au centre de la table. Cette carte complète la main de **chacun** des joueurs, c'est-à-dire qu'elle joue le rôle de la cinquième carte dans chacune des mains qui est dans la course. De plus, cette carte est passe-partout. Automatiquement, toutes les cartes de même valeur deviennent des cartes passe-partout. On passe à la première période de paris, qui est suivie de la prise de cartes. Mais, dans cette variante, un joueur ne peut demander plus de quatre cartes, puisqu'il n'a que quatre cartes couvertes en main. Après une deuxième et dernière période de paris, suit l'abattage.

⬦ ⬦ ⬦

La Veuve éplorée
(Wild widow)

Chaque joueur reçoit cinq cartes couvertes. Avant de distribuer la cinquième carte, le donneur en retourne une au centre de la table : elle sert de passe-partout comme les cartes de même valeur. Pour le reste, on suit les règles du Poker fermé avec une première période de paris, suivie de la prise de cartes et de la deuxième période de paris, qui précède l'abattage.

⬦ ⬦ ⬦

L'ouverture à l'aveuglette
(Ouverture «Blind»)

Dans cette forme de Poker fermé, l'ouverture des paris se fait, comme son nom l'indique, à l'aveuglette, c'est-à-dire avant même que le joueur ait reçu de cartes du donneur. La règle des ouvreurs ou de l'exigence d'ouverture ne s'applique donc pas ici.

Les paris : le donneur commence par déposer dans la cagnotte un jeton qui n'a aucune valeur de pari. Ensuite, l'aîné est forcé d'ouvrir les paris à l'aveuglette en mettant un jeton dans la cagnotte. Puis le joueur assis à sa gauche est tenu de doubler l'enjeu en misant deux jetons. Cette opération s'appelle «surblinder». Autrefois, cette relance obligatoire s'appelait «straddle». En résumé, la cagnotte contient quatre jetons avant même que les cartes soient distribuées.

la première période de paris : la donne terminée, c'est le joueur assis à gauche du «surblind» qui parle le premier. On note ici une différence avec la façon de faire habituelle : ce n'est plus l'aîné qui est le premier à parler. Le premier joueur à parler a le choix de tenir l'enjeu, en déposant deux jetons dans la cagnotte, ou de relancer en misant trois jetons, ou d'abandonner. La relance est limitée à un jeton avant la prise de cartes. Personne n'a le droit de relancer un enjeu en lui ajoutant plus d'un jeton. Puis les paris se poursuivent en suivant les règles énoncées plus haut. Lorsqu'arrive le tour du donneur, s'il veut parler ou relancer, sa mise initiale ou ante ne compte pas pour l'enjeu qu'il veut jouer. Autrement dit, si la mise est rendue à trois jetons, le donneur ne peut pas dire : «Je tiens», et ajouter deux jetons à la cagnotte. Il est obligé d'y déposer trois jetons, comme s'il n'y avait encore **rien** mis. Par contre, l'aîné qui a misé à l'aveuglette un jeton et le joueur qui a «surblindé» de deux jetons tiennent compte de leur mise initiale. Autrement dit, ils soustraient leur mise initiale de cette mise, s'ils veulent continuer à jouer.

Variantes de l'ouverture à l'aveuglette :

1- «**Blind et Straddle**» - C'est une ancienne forme d'ouverture à l'aveuglette, mais qui a encore beaucoup d'adeptes chez les joueurs sérieux. Comme dans l'ouverture à l'aveuglette, l'aîné est obligé de miser un jeton avant même de connaître la valeur de sa main et le joueur assis à sa gauche est tenu de «surblinder» en pariant deux jetons. C'est à partir du troisième joueur qu'intervient la variante. Celui-ci peut relancer pour la deuxième fois l'ouverture à l'aveuglette de l'aîné, en déposant **quatre** jetons dans la cagnotte. Autrement dit, il «surblinde» la mise du «surblinder». S'il le fait, le joueur suivant peut aussi le faire, en misant cette fois **huit** jetons. Le nombre de relances est en général limité à trois.

On distribue alors les cartes. Après avoir analysé sa main, le joueur, assis à gauche de celui qui a fait la dernière relance, parle : il doit tenir l'enjeu ou abandonner. S'il tient l'enjeu, il doit mettre le même nombre de jetons que le joueur qui a fait le dernier «straddle», soit deux, quatre ou huit jetons. Il n'a pas le droit de dire «Parole». Par la suite, les joueurs doivent soit tenir l'enjeu, relancer ou abandonner. Chaque relance est limitée par le nombre de relances à l'aveuglette ou «straddles» qui ont été faites. S'il n'y en a qu'une, on ne peut relancer que d'un jeton. S'il y en a deux (straddle à quatre jetons), chaque relance est limitée à deux jetons et elle s'arrête à quatre jetons, s'il y a eu trois straddles (straddle à huit). Lorsqu'arrive le tour de l'aîné, il tient compte du jeton qu'il a déjà misé pour calculer ce qu'il doit déposer dans la cagnotte. Tous les joueurs qui ont «surblindé» ont le droit de le faire aussi. Quand tous les enjeux sont égaux, on passe à la prise de cartes.

Quand la prise de cartes est terminée, c'est le joueur encore dans la course qui est assis le plus près du donneur, à sa gauche, qui commence à parier : il doit soit miser soit abandonner. Puis les autres joueurs encore dans la course ont le choix entre tenir l'enjeu, relancer ou abandonner. Après la prise de cartes, la limite de chaque relance double. Si elle était de deux jetons avant la prise de cartes, elle passe à quatre après. Dès que tous les paris sont égaux, on passe à l'abattage.

2- **Le système du bloc** - Encore une fois, le jeu ne varie que dans la façon de parier. Avant même que le jeu ne commence, on dépose 25 jetons dans la cagnotte de la façon suivante : le donneur doit faire une mise initiale de 19 jetons, l'aîné doit faire une ouverture à l'aveuglette de deux jetons et le joueur assis à sa gauche est tenu de «surblinder» avec 4 jetons. Le joueur suivant a le privilège d'être le premier à parier après avoir vu ses cartes. Il doit tenir l'enjeu de quatre jetons ou abandonner. Les autres joueurs sont tenus de tenir l'enjeu, de relancer ou d'abandonner. Avant la prise de cartes, la relance est limitée à deux jetons et, après la prise, elle est limitée au nombre de jetons qui se trouvent dans la cagnotte à la fin de la première période de paris. On doit cependant soustraire les

19 jetons de l'ante du donneur de ce nombre. Autrement dit, si, juste avant la prise de cartes, il y avait 35 jetons dans la cagnotte, la limite de la relance à la deuxième période de paris sera fixée à 16 jetons (35 - 19 = 16). Encore une fois, le donneur ne tient pas compte de sa mise initiale de 19 jetons quand vient le temps pour lui de dire s'il reste dans la course. Autrement dit, si l'enjeu est resté à quatre jetons, il doit pour rester dans la course déposer au moins quatre nouveaux jetons dans la cagnotte.

Le Poker Bas ou «Lowball»

Dans cette forme de Poker, la main gagnante est toujours la main la plus basse ou la plus faible. Aussi, l'As est-elle la carte la plus basse et deux As forment toujours la Paire la plus faible. Deux combinaisons disparaissent : la Quinte et la Couleur. La main la plus faible est formée de cinq cartes dépareillées dont la plus forte est un 5. (Voir l'illustration 50, en page 231)

On ne tient pas compte de la Couleur pour cette main, qui s'appelle une bicyclette ou une roue.

En général, quand on joue au Poker Bas, on ajoute les Fous au paquet de cartes. Ce sont les «petites bêtes» ou les cinquième et sixième As. Autrement dit, les Fous ne peuvent remplacer que des As, mais aucune autre carte. C'est donc dire que, si F-A forme une Paire d'As, F-4 ne forme pas une Paire de 4. Soit la combinaison de l'illustration 51 : F-A-2-3-4, en page 231.

Sa valeur est définie par la Paire d'As et non pas par le 4 considéré comme une carte forte.

Avant la prise de cartes, on joue le Poker Bas en «Passe et sort». Autrement dit, il est interdit de dire : «Parole», et un joueur doit obligatoirement miser ou abandonner. Il n'y a pas d'exigence minimum pour ouvrir les enjeux. Après la prise de cartes, tout joueur peut dire : «Parole», c'est-à-dire rester dans la course sans miser. Après la prise de cartes, les paris reprennent toujours en commençant par le joueur assis le plus près du donneur, à sa gauche. Il faut évidemment que ce joueur soit encore dans la course.

Le Poker Bas californien

Cette forme de Poker Bas est la plus répandue dans les clubs de la Californie.

Les paris :

la mise initiale : seulement deux ou trois joueurs font une ante : soit le donneur et l'aîné, soit le donneur, l'aîné et le joueur assis à la gauche de ce dernier. Ce qui détermine le nombre de joueurs à faire une ante, c'est la limite des enjeux qui a été fixée avant la prise de cartes. Si cette limite a été fixée à deux jetons, le donneur et l'aîné misent chacun un jeton. Si la limite est de trois jetons, alors le donneur, l'aîné et le joueur assis à sa gauche misent chacun un jeton.

Le nombre de joueurs à faire une ante est restreint à trois. Cela veut dire que si l'on a limité à cinq jetons les enjeux avant la prise de cartes, le donneur met un jeton dans la cagnotte, tandis que l'aîné et le joueur à sa gauche y déposent chacun deux jetons.

Après la prise de cartes, on double la limite des enjeux.

Quand un joueur mise en ne mettant pas le nombre de jetons suffisant, il est tenu de corriger sa mise en ajoutant les jetons qui manquent. S'il ne le fait pas, il perd automatiquement les jetons déjà déposés dans la cagnotte. Il est interdit de retirer des jetons qu'on a déjà mis dans la cagnotte.

Le jeu :

la distribution : le donneur distribue cinq cartes. Lorsqu'un joueur a plus ou moins de cinq cartes en main, sa main est annulée. Si un joueur prend une carte sur la table, elle est annulée. De même une carte retournée dans le paquet est annulée.

Si le donneur découvre un 7 ou une carte de valeur inférieure avant la prise de cartes, le joueur auquel elle est destinée est obligé de l'accepter. Si la valeur de la carte est supérieure à 7 (8 ou plus), le joueur a le choix de l'accepter ou de la refuser. S'il la refuse, il a le droit de la faire remplacer par une autre carte prise sur le dessus du paquet avant que les autres joueurs ne soient servis. Si le donneur retourne une carte après la prise de cartes, elle est automatiquement annulée, et le joueur auquel elle est destinée a le droit de la faire remplacer par une autre après que tous les autres joueurs auront été servis. Si c'est l'une des cartes de sa main qui a été retournée, le donneur doit la garder.

le déroulement : le joueur qui a le privilège de parler le premier est la personne assise à la gauche du joueur qui a fait la dernière mise initiale.

Avant la prise de cartes, on joue en «Passe et sort», c'est-à-dire qu'on n'a pas le droit de dire : «Parole». Les joueurs qui ont fait une mise initiale en tiennent compte quand vient leur tour de parier.

Après la prise de cartes, on peut dire : «Parole». Toutefois, un joueur qui n'a pas parié lors d'une période de paris ne peut pas relancer à une autre période de paris, il n'a le droit que de tenir l'enjeu.

À la prise de cartes, le joueur est tenu de prendre le nombre de cartes demandé. S'il s'est trompé en demandant ses cartes, il n'a pas le droit de corriger sa demande. Par exemple, Pierre demande : «Donnez-moi une carte... non, deux, je me suis trompé», il n'a droit qu'à une seule carte. Un joueur a le droit de remplacer les cinq cartes de sa main initiale. Lorsqu'un joueur demande des cartes, le donneur brûle la carte sur le dessus du paquet, c'est-à-dire qu'il l'écarte sans la montrer.

Chaque joueur doit tenir ses cartes au-dessus de la table, à la vue des autres joueurs. Si un joueur tient ses cartes plus bas que le plateau de la table, sa main est automatiquement annulée.

Un joueur qui rejette sa main ne peut pas la reprendre si une carte touche une ou plusieurs cartes sur la table.

Chacun est responsable de sa main. On doit faire attention à ce qu'un autre joueur ne gaspille pas notre main, sinon elle est annulée.

Fin du coup : à l'abattage, un joueur est tenu de montrer sa main dès qu'on le lui demande. On doit jouer chaque coup jusqu'au bout. Il est interdit de partager la cagnotte, sauf, bien sûr, s'il y a une véritable égalité entre deux mains.

⬚ ⬚ ⬚

Le Poker ouvert ou «Stud Poker»

Le Poker ouvert se distingue du Poker fermé dans la mesure où certaines cartes sont données couvertes et d'autres retournées. Le principe général en est le suivant : on distribue d'abord une carte couverte, puis une carte retournée à chaque joueur, après quoi suit une première période de paris. Il existe deux sortes principales de Poker ouvert : le Poker ouvert à cinq cartes et le Poker ouvert à sept cartes, tout aussi populaire l'un que l'autre.

Le Poker ouvert à cinq cartes

Nombre de joueurs : de deux à dix.

Les paris : il n'y a jamais d'ante ou de mise initiale.

Le jeu : le donneur distribue d'abord une carte couverte à chaque joueur, puis une carte retournée. Survient alors la première période de paris. Le joueur qui détient la meilleure **carte retournée** a le privilège de parler le premier : il ouvre les paris ou il abandonne. S'il abandonne, le privilège d'ouvrir les paris passe au joueur assis à sa gauche. Dans certains groupes, le joueur qui a la meilleure carte retournée n'a pas le droit d'abandonner la course à cette étape du jeu : il est forcé d'ouvrir les paris. Il mise au moins l'unité minimale qui a été convenue entre les joueurs avant le début de la partie. Alors la période de paris se poursuit normalement, chaque joueur ayant l'occasion de tenir l'enjeu, de le relancer ou d'abandonner. Il est interdit de dire «Parole» pendant cette première période de paris.

Quand tous les paris sont égaux, le donneur donne une deuxième carte retournée à chaque joueur encore dans la course. Suit une nouvelle période de paris. Cette fois, c'est le joueur qui détient la meilleure main retournée qui est le premier à parler. Cette période de paris ressemble à la première, sauf qu'il est permis de dire «Parole». Pour déterminer la meilleure main, on se réfère au tableau de la valeur des mains présenté au début. Si on parvient à une égalité absolue, c'est le joueur assis le plus près du donneur, à sa gauche, qui parle le premier.

Quand cette seconde période de paris prend fin, le donneur distribue une troisième carte retournée à chaque joueur encore dans la course. Suit une troisième période de paris pendant laquelle il est permis de dire «Parole».

À la fin de la période de paris, le donneur donne à chaque joueur encore dans la course une quatrième et une dernière carte retournée. Dernière période de paris. Quand cette période de paris prend fin, chaque joueur encore dans la course retourne sa carte couverte, et la meilleure main à cinq cartes remporte la cagnotte.

Après chaque donne, le donneur a la responsabilité de désigner le premier joueur à parler en disant : «Le Roi parle» ou «La Paire de 6 parle». Après qu'il a distribué la troisième et la quatrième carte retournée, il annonce aussi les combinaisons possibles : «Possibilité de Quinte» ou «Possibilité de Carré».

Lorsqu'il y a beaucoup de joueurs autour de la table et qu'il n'y a pas assez de cartes pour servir tout le monde à la dernière donne, le donneur pige la carte sur le dessus du talon et la dépose retournée au centre de la table. Cette carte sert de cinquième carte à tous les joueurs encore dans la course.

Pour signifier qu'il abandonne la partie, un joueur n'a qu'à fermer les cartes retournées de sa main. Il est interdit à un joueur qui abandonne la partie de montrer sa carte couverte aux joueurs qui restent dans la course.

Peu importe le moment, s'il ne reste qu'un joueur dans la course, la partie prend fin et le joueur remporte automatiquement la cagnotte. Il n'est pas tenu de montrer sa carte couverte.

Maldonne :

Quand il y a maldonne, on doit battre les cartes de nouveau et les faire couper. Le donneur reprend sa donne, mais s'il provoque une deuxième maldonne, la donne suivante passe au joueur assis à sa gauche.

Voici les cas les plus fréquents de maldonne.

1- Si on expose une ou plusieurs cartes pendant la coupe ou en réunissant les tas.

2- Si on s'aperçoit avant l'ouverture des paris que le paquet n'a pas été coupé par le bon joueur. Si un joueur a ouvert les paris, la donne est valide.

3- Si on s'aperçoit avant l'ouverture des paris que le paquet n'a pas été coupé.

4- Si on s'aperçoit avant l'ouverture des paris qu'il y avait au moins une carte retournée dans le paquet.

5- Si le donneur retourne soit sa carte couverte soit celle d'un autre joueur pendant la distribution.

6- Si on s'aperçoit, avant que la cagnotte ne soit ramassée, qu'il manque des cartes dans le paquet ou qu'il y a des cartes en double. La partie s'arrête dès qu'on s'aperçoit que le paquet est imparfait, et les joueurs récupèrent leur mise de la cagnotte. Si on s'en rend compte après qu'un joueur a ramassé la cagnotte, le joueur la garde car la donne est valide.

7- Si on s'aperçoit avant l'ouverture des paris qu'un ou des joueurs ont reçu trop de cartes ou n'en ont pas reçu assez.

8- Si le donneur donne hors de tour une carte couverte et que le joueur y jette un coup d'œil.

9- Si le donneur distribue trop de mains ou s'il oublie un joueur. Cependant, si on s'en aperçoit avant que les joueurs n'aient regardé leur carte couverte et si on peut corriger l'erreur de manière à donner à chacun le nombre réglementaire de cartes (soit en donnant à un joueur la carte qui lui revient ou en remettant sur le dessus du paquet les cartes données en trop), il n'y a pas maldonne.

10- Un joueur peut déclarer maldonne si, au premier tour, le donneur lui donne plus de deux cartes. Il doit cependant dénoncer l'erreur avant que ne débute le second tour de donne. S'il le fait trop tard, sa main est annulée.

Il n'y a pas maldonne :

1- si un joueur retourne sa carte couverte après l'avoir reçue de manière appropriée. Il ne peut **jamais** exiger que le donneur lui donne une autre carte couverte destinée à remplacer la première. Il doit couvrir la carte exposée et continuer de jouer comme s'il ne l'avait pas retournée. Un joueur est responsable de ses cartes en tout temps et doit protéger sa carte couverte.

2- si, au premier tour, le donneur distribue deux cartes couvertes au lieu d'une à un joueur. Au second tour, le donneur oubliera ce joueur et, à moins que les règles ne stipulent que les deux premières cartes doivent être données couvertes, le donneur retournera l'une des cartes. Le joueur qui reçoit deux cartes couvertes dans pareil cas n'a pas le droit de les regarder ni d'en retourner une.

3- si le donneur, en distribuant des cartes retournées, oublie un joueur. Il peut corriger son erreur en faisant revenir en arrière les cartes données après le joueur oublié. Ainsi, chacun recevra la carte qu'il aurait dû recevoir s'il n'y avait pas eu d'erreur. Toutefois, si on signale l'erreur après l'ouverture des paris, la main du joueur est annulée, en vertu du principe que tout joueur est responsable de sa main.

Donne non réglementaire :

Il est interdit de donner la première carte retournée et la seconde couverte. La distribution doit obligatoirement se faire dans l'ordre suivant : la première carte est couverte et la seconde retournée.

Protéger sa carte couverte :

Tout joueur a la responsabilité de protéger sa carte couverte en tout temps. En d'autres termes, il doit prendre garde à ce que personne n'en voie la valeur. Il est interdit à un joueur qui se retire de montrer sa carte couverte ou d'en dévoiler la valeur.

Variantes du Poker ouvert à cinq cartes :

1- Pour cette **première variante**, on joue le Poker ouvert à cinq cartes en suivant les règles expliquées plus haut, sauf pour la façon de donner la dernière carte. Lors du cinquième tour de table, le donneur distribue à chaque joueur encore dans la course une carte couverte, et non pas retournée.

2- Une **deuxième variante** permet à n'importe quel joueur d'ouvrir sa première carte avant le dernier tour de table et de demander au donneur de lui donner sa cinquième carte sans la montrer aux autres joueurs, c'est-à-dire de lui donner une carte couverte.

3- **Le Pistolet** ou **le Poker ouvert à la carte dans le trou**. Pour l'essentiel, on suit les règles du Poker ouvert, sauf qu'il y a cinq périodes de paris au lieu de quatre. En effet, il y a une première période de paris après la distribution de la première carte. Cette carte couverte s'appelle la carte dans le trou, d'où le nom de la variante. C'est le donneur qui commence cette période de paris. Pour les autres périodes de paris, c'est le joueur qui a la meilleure carte ou la meilleure combinaison retournées qui ouvre les paris.

4- **Le Poker ouvert mexicain, le Flip** ou «**Jette un coup d'œil et retourne**» (*Peep-and-turn*). Les deux premières cartes sont données couvertes. Chaque joueur regarde ses cartes et en choisit une qu'il retourne. La carte qui reste couverte devient automatiquement pour le joueur qui la détient, et seulement pour lui, une carte passe-partout. Ainsi les joueurs ont des cartes passe-partout différentes les uns des autres. Suit alors une première période de paris. Puis on donne à chaque joueur resté dans la course une autre carte couverte. Chacun décide laquelle de ses deux cartes couvertes il ouvrira, puis il la retourne. On passe à une autre période de paris. Cette façon de faire continue jusqu'à ce que chaque joueur encore dans la course ait devant lui quatre cartes retournées et une carte couverte qui est sa carte passe-partout.

Rappelons que cette carte n'agit comme carte passe-partout que pour le joueur qui la détient et qu'elle transforme toutes les autres cartes de même valeur qu'il détient en cartes passe-partout.

À la fin de la dernière période de paris, tous les joueurs dans la course montrent leur carte couverte et annoncent la valeur de leur main.

Cette variante est souvent jouée en «high and low».

Le Poker ouvert à sept cartes
(Down-the-River ou Seven-Teed Pete ou Peek Poker)

Nombre de joueurs : de deux à huit.

Le jeu : le donneur donne d'abord trois cartes à chaque joueur, en les distribuant une à une dans le sens des aiguilles d'une montre. Il distribue deux cartes couvertes, puis une carte retournée. Suit une première période de paris. Comme au Poker Ouvert à cinq cartes, le donneur donne alors trois cartes retournées à chaque joueur encore dans la course. Chaque donne est suivie d'une période de paris. Jusqu'ici, chaque joueur a reçu six cartes, deux couvertes et quatre retournées, et il y a eu quatre périodes de paris. Enfin, chaque joueur encore dans la course reçoit une septième carte couverte, et on passe à la dernière période de paris.

Quand tous les paris sont égaux, les joueurs retournent leurs cartes couvertes. De ses sept cartes, chacun choisit les cinq meilleures pour former sa main finale et annonce sa combinaison, ce qui tient lieu d'abattage.

On conseille aux joueurs de s'entendre avant la partie pour déterminer ce qui prévaut : ou bien «les cartes parlent d'elles-mêmes» ou bien la déclaration de chaque joueur, c'est-à-dire le choix qu'il fait des cartes qui composent sa main finale. Dans le premier cas, ce sont les cinq meilleures cartes qui déterminent la main finale d'un joueur, quelle que soit sa déclaration. Autrement dit, un joueur peut se tromper et déclarer une main inférieure à une autre meilleure. Ce joueur a alors le droit d'améliorer sa main et sa déclaration finales en remplaçant une ou deux cartes de sa main finale par celles qu'il avait d'abord mises de côté. Dans le second cas, même si un joueur a une possibilité de meilleure main que celle de sa déclaration, c'est sa déclaration qui prédomine sur les cartes.

Les variantes du Poker ouvert à sept cartes

Le Flip à sept cartes

Le donneur donne d'abord à chacun quatre cartes couvertes. Après les avoir regardées, les joueurs en choisissent deux et les retournent. Suit alors une première période de paris. Ensuite on suit les règles du Poker ouvert à sept cartes, c'est-à-dire que le donneur distribue à chaque joueur qui reste dans la course deux cartes retournées et une dernière couverte. Entre chaque donne, il y a une période de paris.

Variante :

Le donneur distribue deux cartes à chaque joueur, l'une couverte et l'autre retournée. On passe ensuite à la première période de paris. Il redonne encore deux cartes à chaque joueur qui reste dans la course, l'une couverte et l'autre retournée, et commence une nouvelle période de paris. Il y a une troisième donne de deux cartes, l'une couverte et l'autre retournée, suivie d'une autre période de paris. Enfin, le donneur donne à chaque joueur encore dans la course une septième carte couverte. Chacun écarte alors une de ses cartes couvertes et une de ses cartes retournées, ne gardant que trois cartes couvertes et deux retournées : elles forment sa main finale. Suit la dernière période de paris et l'abattage.

Le Fusil à deux coups ou «Texas Tech»

Le donneur distribue trois cartes couvertes à chacun, puis il y a une période de paris. Ensuite les joueurs dans la course reçoivent encore une carte couverte, puis parient de nouveau. Le donneur distribue une cinquième carte couverte, et on passe à une nouvelle période de paris. Puis on fait une prise de cartes comme au Poker fermé. Autrement dit, chaque joueur a le droit d'écarter une ou plusieurs cartes et de les faire remplacer par le donneur. Après la prise de cartes, les joueurs retournent une de leurs cartes. Suit une période de paris. Les joueurs retournent une deuxième carte de leur main et on parie de nouveau. Ils retournent encore une carte et parient. Quand les joueurs dans la course ont retourné quatre cartes de leur main, survient la dernière période de paris, suivie de l'abattage. Au signal du donneur, tous les joueurs dans la course doivent retourner leur cinquième carte en même temps.

Le Baseball

Le Baseball se joue comme le Poker ouvert à sept cartes, mais les quatre 9 et les quatre 3 sont des cartes passe-partout. On ajoute les règles suivantes :

1- quand un joueur reçoit un 3 retourné, il a le choix entre abandonner ou acheter la cagnotte. Un joueur achète la cagnotte en en doublant la mise, c'est-à-dire en y déposant autant de jetons qu'elle en contient. S'il achète la cagnotte, son 3 devient une carte passe-partout. Le donneur doit attendre que le joueur prenne sa décision et double la mise ou se retire avant de continuer à donner des cartes. S'il donne une carte avant que le joueur ait pris sa décision, la carte est annulée.

2- si un joueur reçoit un 4 retourné, il a droit à une autre carte couverte. Le donneur doit lui donner cette nouvelle carte immédiatement, c'est-à-dire avant même de servir les autres joueurs. Dans certains groupes, le joueur qui reçoit un 4 retourné peut le garder ou l'écarter. Il ne reçoit une autre carte du donneur que s'il écarte le 4.

Variantes du Baseball :

1- **le Football** - Le principe des cartes passe-partout reste le même, sauf qu'ici ce sont les 6 et les 4 qui sont passe-partout. Quand un joueur reçoit un 4 retourné, il doit abandonner ou acheter la cagnotte. S'il reçoit un 2 retourné, il a immédiatement droit à une autre carte couverte.

2- **le Heinz** - Les 7 et les 5 sont les cartes passe-partout. Quand un joueur reçoit un 5 retourné, il doit abandonner ou acheter la cagnotte.

3- **le Woolworth** - Les cartes passe-partout sont les 10 et les 5. Lorsqu'un joueur reçoit un 5 retourné, il doit verser 5 jetons dans la cagnotte ou abandonner. Si c'est un 10 retourné, il lui faut verser 10 jetons dans la cagnotte ou se retirer de la partie.

Le Cincinnati

Le donneur distribue cinq cartes à chaque joueur comme au Poker fermé, puis il dépose une rangée de cinq cartes couvertes au milieu de la table. Ensuite l'aîné entame une période de paris. Quand tous les enjeux sont égaux, le donneur retourne l'une des cartes de la table. On passe à une seconde période de paris. C'est le joueur qui a fait la dernière relance pendant la première période qui ouvre les paris. S'il n'y a pas eu de relance, le privilège d'ouvrir les paris revient au joueur assis à gauche de l'aîné. Après ces paris, le donneur retourne une seconde carte de la table. Nouvelle période de paris. Puis il retourne une troisième carte. On procède ainsi jusqu'à ce que, la dernière carte de la table ayant été retournée, les joueurs fassent les derniers paris.

Alors les joueurs encore dans la course forment leur main finale en choisissant cinq cartes parmi les dix qui sont disponibles, soit les cinq cartes de leur main et les cinq cartes de la table. On termine avec l'abattage et les déclarations.

Variantes :

La troisième carte de la rangée placée sur la table est automatiquement considérée comme passe-partout. On peut s'entendre aussi pour considérer comme passe-partout la carte la plus faible de la table.

Variantes du Cincinnati :

1- **l'Omaha** - Le donneur ne donne que deux cartes couvertes aux joueurs, au lieu de cinq. Il dépose en rangée cinq cartes couvertes au centre de la table. À partir de ce moment, le déroulement de la partie suit son cours comme au Cincinnati. On commence par une période de paris, puis on retourne une carte de la table. Nouvelle période de paris, puis une autre retourne de la table. On retourne ainsi les cinq cartes de la table, en réservant une période de paris après chaque retourne. À l'abattage, les joueurs encore dans la course disposent de sept cartes pour constituer leur main finale, soit deux cartes personnelles et cinq cartes communes.

2- **le «Hold'em»** - On suit les règles de l'Omaha, à cette différence près : après la première période de paris, le donneur retourne **trois cartes** de la table. Suit une autre période de paris, puis il retourne une carte de la table. Nouvelle période de paris, et il retourne la cinquième carte. Dernière période de paris et abattage.

3- le «**Lamebrain Pete**» - On suit les règles du Cincinnati, à cette différence près : la carte la plus faible de la main d'un joueur est considérée, pour ce joueur seulement, comme étant passe-partout. Autrement dit, la carte passe-partout est différente pour chaque joueur.

4- le **Tour du monde** - Pour l'essentiel, on suit les règles du Cincinnati, sauf qu'on distribue seulement quatre cartes aux joueurs et qu'on dépose seulement quatre cartes couvertes sur la table. Autrement dit, au lieu d'avoir dix cartes à sa disposition pour former sa meilleure main au moment de l'abattage, un joueur n'en dispose que de huit.

5- Une autre variante permet la distribution suivante : les joueurs reçoivent quatre cartes alors qu'on dépose seulement trois cartes couvertes sur la table. Ainsi, les joueurs disposent de sept cartes pour former leur meilleure main au moment de l'abattage. Toutefois, il y a ici une restriction : pour former sa meilleure main, un joueur ne peut choisir qu'une seule des cartes de la table et la jumeler aux quatre qu'il détient. Cette variante se joue souvent en «high and low».

Le Taureau
(Bull)

Le donneur distribue trois cartes couvertes à chaque joueur. Chacun choisit un ordre et range ses cartes en les alignant devant lui à la perpendiculaire. Personne n'a le droit de changer cet ordre par la suite. Suit une période de paris. Puis le donneur donne à chaque joueur encore dans la course quatre cartes retournées. Il y a une période de paris après chaque donne. Autrement dit, il donne une carte, les joueurs parient; il donne une autre carte, les joueurs parient de nouveau. Après la période de paris qui suit la dernière donne, les joueurs encore dans la course retournent la carte couverte qui est la plus proche d'eux. Puis ils parient de nouveau. Ensuite ils déclarent leur meilleure main et retournent les deux cartes qui sont encore couvertes. En général, cette variante du Poker ouvert à sept cartes se joue en «high and low».

Le Poker ouvert à six cartes

On suit les mêmes règles que pour le Poker ouvert à sept cartes, sauf que c'est la sixième carte qui est donnée couverte au lieu de la septième. Après quoi suit la dernière période de paris. Alors chaque joueur encore dans la course retourne ses cartes couvertes, et de ses six cartes en choisit cinq pour former sa main finale. Il annonce enfin sa combinaison, ce qui tient lieu d'abattage.

Le Poker ouvert à huit cartes

On suit les mêmes règles que pour le Poker ouvert à sept cartes, sauf qu'après la période de paris qui suit la distribution de la septième carte, le donneur donne une autre carte retournée. Puis on passe à la dernière période de paris. Par la suite, chaque joueur encore dans la course retourne ses cartes couvertes et choisit alors parmi ses huit cartes les cinq qui forment sa meilleure main. Il annonce enfin sa combinaison, ce qui tient lieu d'abattage.

Le Poker ouvert «high and low»

Le principe du Poker ouvert «high and low» est simple : le joueur qui détient la meilleure main partage la cagnotte avec celui qui possède la plus basse. Cela permet aux détenteurs de mauvaises mains de ne pas abandonner mais, au contraire, de tenter leur chance. Cette forme de Poker est devenue si populaire qu'elle a donné naissance à un dérivé, le Lowball, expliqué plus loin.

Toutes les formes de Poker se jouent en «high and low», quand on comprend bien les principes de l'abattage et du partage de la cagnotte.

Le jeu :

le déroulement : jusqu'à la dernière période de paris, le Poker ouvert «high and low» (haut-bas) se joue exactement comme le Poker ouvert à sept cartes. C'est à l'abattage que le jeu prend une toute autre allure. Après la dernière période de paris, tous les joueurs encore dans la course doivent procéder au choix de **deux mains, sans montrer leurs cartes**

couvertes. D'abord ils choisissent cinq cartes pour former la meilleure main possible (high). Ensuite les joueurs choisissent cinq cartes pour former la main la plus faible (low). La main la plus basse est formée de la combinaison 5-4-3-2-A, peu importe que toutes les cartes soient ou non de la même Couleur. (Voir l'illustration 52, en page 232)

Le Poker ouvert «high and low» est plus palpitant quand on fait prévaloir la déclaration sur les cartes. Autrement dit, peu importent les cartes qu'un joueur détient, c'est sa déclaration pour la meilleure main et celle pour sa main la plus basse qui l'emportent.

Quand tous les joueurs ont choisi leurs mains, chacun annonce ses deux mains **avant** d'ouvrir ses cartes couvertes. C'est le joueur qui a fait la dernière relance qui commence l'abattage. Chaque joueur a le choix de faire l'une des trois déclarations suivantes :

1- «High» ou «Haute», il joue seulement pour la meilleure main;

2- «Low» ou «Basse», il joue seulement pour la main la plus faible;

3- «High and low» ou «Haute et basse», il joue pour les deux mains.

Un joueur n'a droit qu'à la portion de la cagnotte qu'il a choisie. Autrement dit, si Pierre déclare seulement la meilleure main, il n'aura droit, s'il gagne, qu'à la moitié de la cagnotte. S'il déclare les deux mains et qu'il gagne, il a droit à la totalité de la cagnotte.

Un joueur qui déclare les deux mains (high and low) doit avoir la meilleure main et la plus faible pour remporter la cagnotte. S'il y a égalité entre l'une ou l'autre de ses mains et la main d'un autre joueur, il doit partager la portion de la cagnotte correspondant aux mains égales avec l'autre joueur. Supposons que Pierre a déclaré les deux mains.

a) La main haute de Jean est meilleure que celle de Pierre, mais Pierre a la main la plus basse de toutes. Ils se partagent la cagnotte à parts égales. Le partage serait le même si la main basse de Jean était encore plus faible que celle de Pierre, mais que la main haute de ce dernier était la meilleure de toutes.

b) La main haute de Jean est égale à celle de Pierre, mais ce dernier a la main la plus faible de toutes. Pierre remporte d'abord la moitié de la cagnotte pour la déclaration de la main la plus faible et partage avec Jean l'autre moitié à parts égales pour la meilleure main. Le partage serait le même si la main basse de Jean était égale à celle de Pierre, mais que ce dernier détienne la meilleure main de toutes.

c) La main haute de Jean est plus forte que celle de Pierre, et sa main basse est encore plus faible que celle de Pierre. Jean remporte toute la cagnotte.

Variante :

Le joueur qui déclare les deux mains doit avoir effectivement la meilleure main et la main la plus faible pour remporter la cagnotte. Autrement dit, dès qu'il y a égalité entre l'une ou l'autre de ses mains et la main d'un autre joueur, c'est l'autre joueur qui a droit à **toute** la cagnotte. Dans les cas a) et b) cités plus haut, Jean prendrait toute la cagnotte, et non pas une partie seulement.

Les joueurs doivent s'entendre avant le début de la partie sur la façon de faire cette déclaration. Une manière souvent adoptée permet de faire toutes les déclarations simultanément : les joueurs prennent en main un jeton qui tienne lieu de déclaration (un jeton blanc pour la main la plus basse; un jeton rouge pour la meilleure main et un jeton bleu pour les deux mains), et les montrent en même temps.

Variante :

Cette variante concerne la valeur de la combinaison 5-4-3-2-A. Elle n'est plus tenue pour la combinaison la plus basse, mais pour une Quinte si les cartes ne sont pas de la même Couleur, et une Quinte Couleur si elles sont de la même Couleur. Dans le premier cas, elle bat le Brelan; dans le second, elle bat toutes les combinaisons, sauf le Brelan à cinq cartes quand on joue avec des cartes passe-partout. Si on a cinq cartes de la même Couleur, mais qui ne se suivent pas, la combinaison est une Couleur qui bat la Quinte. La combinaison la plus faible devient alors 6-4-3-2-A dans des Couleurs différentes, comme le montre l'illustration 53, en page 232.

Variante :

Une autre variante est relative à la valeur des cartes passe-partout. Dès qu'on choisit de jouer au Poker «high and low» avec des cartes passe-partout, leur valeur est nulle. Autrement dit, une carte passe-partout est toujours plus faible que n'importe quelle autre carte ordinaire. Supposons les combinaisons 4-3-2-A-F et 4-3-2-F-F, avec des Fous passe-partout. C'est la deuxième qui est la plus faible parce que les Fous n'ont aucune valeur alors que l'As vaut un. Cela suppose, comme le font certains joueurs, qu'on accepte qu'une carte passe-partout en remplace une autre, mais **sans former de Paire** avec elle. Sinon, la deuxième combinaison serait plus forte que la première, un Brelan de 2 (2-F-F) battant une Paire d'As (A-F).

Encore une fois, il est important de bien s'entendre sur la combinaison la plus faible avant de se lancer dans ce jeu.

Le Retour des Valets (Jacks Back)

Cette forme de Poker est une variante du «Jackpots», qui est déjà une variante du Poker fermé ou «Draw Poker». Elle est inspirée du «high and low». On commence par jouer une partie de «Jackpots» en suivant la règle de l'exigence minimale d'ouverture. Si personne n'ouvre les paris, chacun a alors l'occasion de miser sur la mise la plus basse. Dès lors, l'exigence minimale d'ouverture disparaît. Si personne n'ouvre les paris (ce qui arrive rarement), la donne prend fin et on passe à la suivante.

Le choix du donneur

Le choix du donneur n'est pas, à proprement parler, une forme ou une variante du Poker, mais plutôt une façon de rythmer une partie en changeant plus ou moins souvent de forme ou de variante. Cette façon de jouer s'appelle «Le choix du donneur» parce que c'est le donneur qui choisit la forme ou la variante qui sera jouée pour la donne dont il est responsable. Autrement dit, il est possible, au cours d'une partie, de jouer à autant de variantes qu'il y a de joueurs autour de la table, et même plus si un même joueur choisit des variantes différentes lors de donnes différentes.

Le principe en est très simple : avant de commencer la distribution, le donneur annonce la variante qu'il a l'intention de jouer. Par la suite, on suit les règles qui s'appliquent pour la forme de Poker et la variante choisies. La liberté du donneur est totale, en ce qui concerne le choix du jeu. Il peut aussi bien choisir le Poker fermé ou le Poker ouvert à cinq cartes qu'une variante d'une variante, comme l'Omaha, qui est une variante du Cincinnati, lui-même une variante du Poker ouvert à sept cartes. Il peut même demander à jouer une variante de Poker qu'il aurait inventée, si elle est facile à expliquer aux autres joueurs.

De plus, le donneur a aussi la liberté de déterminer une ou des cartes passe-partout. Outre celles déjà énumérées, il peut déclarer n'importe quelle carte, carte passe-partout. Toutefois, il n'a pas le droit de choisir une carte pour en faire une carte de pénalité qui aurait pour fonction d'annuler une carte passe-partout ou de déprécier une main.

Un donneur n'a pas le droit d'exiger d'un joueur qu'il fasse une mise initiale plus élevée que celle d'un autre joueur.

Quand on choisit de jouer au «Jackpots» et que personne n'ouvre les paris, le donneur conserve le droit de donner et tous les joueurs doivent déposer une nouvelle mise initiale dans la cagnotte.

L'étiquette du Poker

Le Poker est non seulement un jeu dont les règles sont aussi variées que complexes, mais c'est aussi un jeu qui respecte une certaine étiquette, pour ne pas dire une certaine éthique. Il existe une certaine liberté au Poker, ce qui ne veut pas dire que tout est permis. On admet, en général, que le principe le plus sûr est le suivant : «À Rome, comme les Romains». Autrement dit, il convient de se conformer aux comportements et aux habitudes des joueurs avec lesquels on joue. Cela veut également dire qu'on doit respecter les règles particulières à certaines variantes. Certaines variantes autorisent un joueur à faire presque n'importe quoi pour tromper ses adversaires, sauf tricher. Cette liberté d'action fait partie de l'adresse nécessaire pour réussir à ce jeu et ne nous classe pas automatiquement parmi les joueurs malhonnêtes. Toutefois, une variante peut autoriser un comportement, comme celui de dire «Parole», qu'une autre variante interdit. Et même si une variante l'autorise, il n'est pas très honnête de dire «Parole» quand on détient une bonne main dans le seul but de faire parler quelqu'un d'autre pour relancer sa mise.

Le bluff : un joueur bluffe quand il parie, tient l'enjeu ou relance, tout en sachant ou en croyant savoir qu'il ne détient pas la meilleure main. Il bluffe dans l'espoir que les autres joueurs croiront que sa main est très forte, sinon la meilleure, et abandonneront la course. Au Poker, le bluff c'est le nerf de la guerre : sans lui, le jeu tombe à plat. Il permet à un joueur qui n'a pas été gâté par la donne de tenter sa chance pour la cagnotte en oubliant la valeur réelle de sa main pour se concentrer sur le «jeu psychologique». Bluffer, ce n'est pas jouer sa main, mais sur les nerfs des autres joueurs. Toutefois, cela n'autorise pas un joueur à dire n'importe quoi, comme, par exemple, à faire des réflexions fausses. Dire que la prise de cartes a amélioré sa main alors que c'est faux n'est pas bluffer, c'est donner de fausses informations. Rappelez-vous que bluffer, c'est parier sur sa main qui vous conseille, au contraire, de vous retirer. Autrement dit, bluffer c'est laisser croire, par ses enjeux, qu'on va gagner alors qu'on n'en est pas sûr du tout. C'est cela, et rien d'autre.

Bluffer, ce n'est surtout pas annoncer prématurément qu'on a l'intention de parier, de relancer ou d'abandonner alors que, dans les faits, on n'a pas du tout l'intention de le faire quand viendra notre tour de parler. Bien sûr, faire pareilles déclarations n'entraîne aucune amende ni pénalité, mais on s'en abstiendra si on a de la considération pour les joueurs assis à la même table que nous.

Défier ouvertement les règles : il n'est jamais de bonne guerre de défier ou de briser sans vergogne les règles du jeu.

Ainsi, abandonner, quand ce n'est pas notre tour de parler, sauf si c'est avantageux pour le joueur qui se retire, n'est pas une tactique honnête. Souvent elle ne rapporte rien au joueur qui l'adopte et elle nuit à un autre joueur.

Former une équipe avec un autre joueur ou partager la cagnotte plutôt que de jouer l'abattage n'est pas, à proprement parler, tricher, mais c'est considéré par tous les joueurs de Poker comme étant une tactique malhonnête. De même on considère, en général, qu'un joueur qui prétend ouvrir les paris à l'aveuglette, alors qu'il a vu ses cartes, a peu de scrupules.

Illustration 25
La Quinte Couleur

Illustration 26
Le Brelan à 5 cartes

Illustration 27
Le Carré de Rois

Illustration 28
Deux Carrés identiques

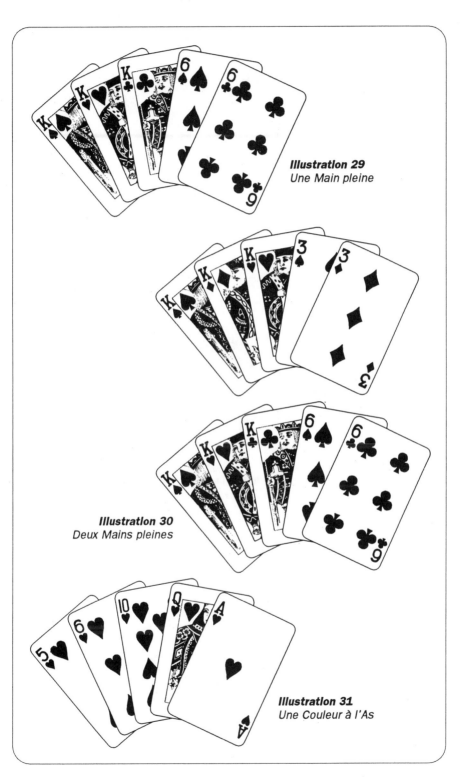

Illustration 29
Une Main pleine

Illustration 30
Deux Mains pleines

Illustration 31
Une Couleur à l'As

225

Illustration 32
La Quinte

Illustration 33
Le Brelan de Rois

Illustration 34
La Double Paire

Illustration 35
Deux mains d'une Paire
presque identiques

Illustration 36
Deux mains avec carte isolée

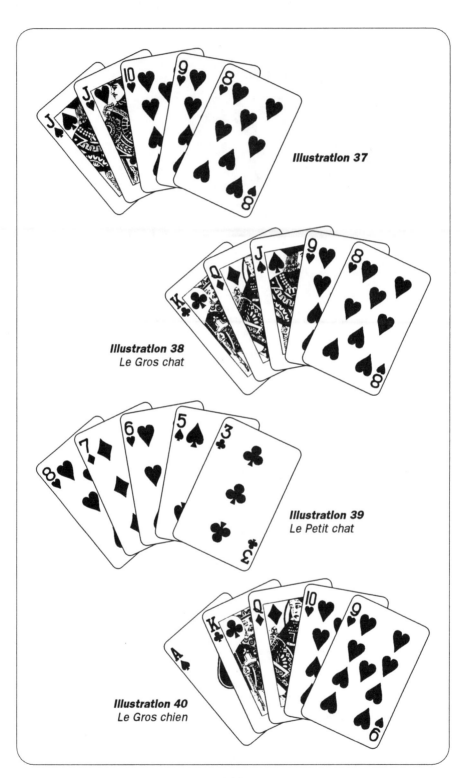

Illustration 37

Illustration 38
Le Gros chat

Illustration 39
Le Petit chat

Illustration 40
Le Gros chien

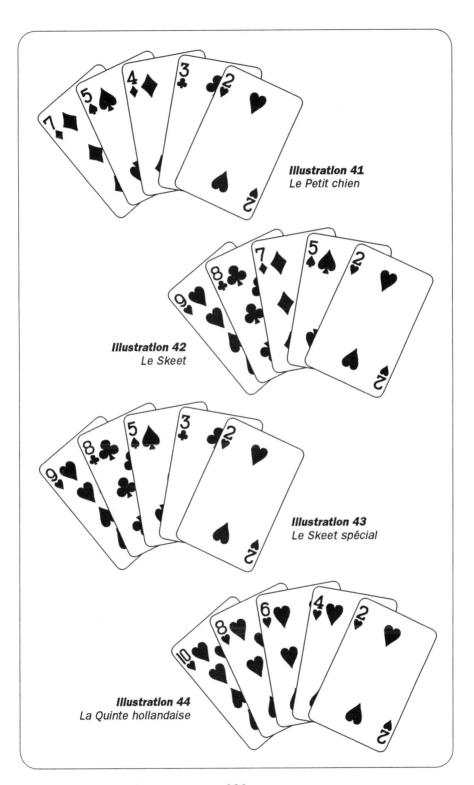

Illustration 41
Le Petit chien

Illustration 42
Le Skeet

Illustration 43
Le Skeet spécial

Illustration 44
La Quinte hollandaise

Illustration 45
La Quinte «qui tourne
le coin»

Illustration 46
Le Blaze

Illustration 47
La main parfaite de l'Ouragan joué
en «high and low»

Illustration 48
La Séquence «bobtail»

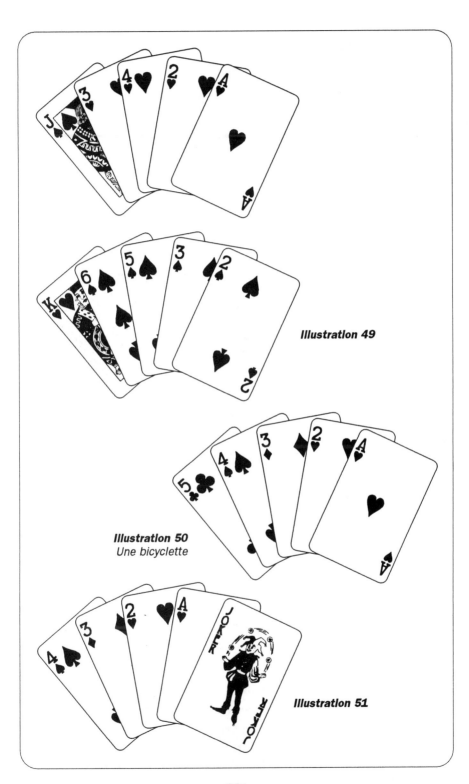

Illustration 49

Illustration 50
Une bicyclette

Illustration 51

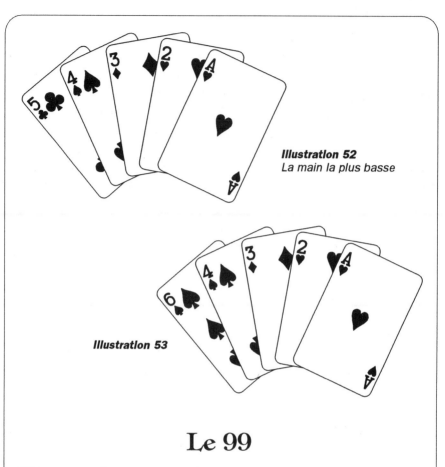

Illustration 52
La main la plus basse

Illustration 53

Le 99

Nombre de joueurs : de trois à un nombre de joueurs illimité.

Les cartes :

matériel requis : deux paquets conventionnels à trois joueurs; trois paquets conventionnels à quatre ou cinq; quatre paquets conventionnels à six ou sept.

Le principe est simple : dès que le nombre de joueurs passe à un nombre pair, on ajoute un paquet de cartes.

ordre : l'ordre des cartes n'est pas important puisqu'il n'est pas question ici de faire des levées. Par contre, la valeur des cartes est d'une extrême importance.

valeur : les cartes les plus importantes sont les Rois, les Valets, les 10 et les 9 parce qu'elles servent aux joueurs à se sortir du pétrin. Le Roi vaut 99 : quand on joue un Roi, le total de la pile de défausses passe automatiquement à 99. Le 10 vaut moins dix, c'est-à-dire que lorsqu'un joueur écarte un 10, on soustrait dix du total accumulé dans la pile de défausses. Quand un joueur écarte un Valet, le joueur suivant passe son tour. Si c'est un 9, le sens de la rotation du jeu change. Si on jouait en suivant le sens des aiguilles d'une montre, après un 9, ce n'est pas au tour de la personne assise à la gauche de celle qui a écarté le 9 à jouer, mais c'est au tour de la personne assise à sa droite. On peut toujours écarter un Roi, un Valet, un 10 ou un 9 sur un total de 99, mais jamais une autre carte.

Les valeurs des autres cartes sont les suivantes : la Dame vaut dix, le 8 vaut huit, le 7, sept, etc. jusqu'à l'As qui vaut un.

Le jeu :

type : individuel.

but : ne pas se faire coincer cinq fois par un 99.

règles :

la distribution : les joueurs prennent place au hasard autour de la table. N'importe qui donne une carte retournée à chacun jusqu'à ce qu'un joueur reçoive un Valet qui le désigne comme premier donneur. Tous les joueurs ont le droit de mêler les cartes, le donneur conservant le privilège d'être le dernier à le faire. Il présente le paquet à couper au joueur assis à sa droite. Ce dernier doit laisser au moins cinq cartes dans chaque tas de la coupe.

Après quoi le donneur distribue trois cartes couvertes à chaque joueur : il les donne une à une, en commençant par l'aîné et en suivant le sens des aiguilles d'une montre. La distribution terminée, il dépose les cartes qui restent sur la table : c'est le talon. Il retourne la carte placée sur le dessus du talon : c'est la retourne. Cette carte est la première de la pile de défausses et sa valeur sert de point de départ pour compter jusqu'à 99.

Les joueurs n'ont pas le droit de ramasser leurs cartes avant que le donneur n'ait distribué trois cartes à tous les joueurs. Si un joueur ramasse ses cartes avant que la donne ne soit finie, il est tenu de jouer le coup avec deux cartes seulement.

le déroulement : l'aîné commence en écartant une première carte qu'il abat sur la pile de défausses. En même temps, il ajoute la valeur de sa carte à celle de la retourne, et il annonce le total. Puis l'aîné tire une carte du talon de manière à toujours avoir trois cartes en main. C'est alors à son voisin de gauche à jouer : il fait un écart en annonçant le nouveau total. Par exemple : la retourne étant un 2, l'aîné écarte un 5 et annonce : «Sept!» Le joueur suivant joue une Dame et annonce : «Dix-sept!» (2 + 5 + 10). Puis il pige une carte du talon.

Les joueurs ne doivent pas oublier de piger une carte du talon après avoir écarté. Si, à un moment donné, un joueur oublie de piger une carte de remplacement, il est tenu de jouer le reste du coup avec deux cartes seulement.

On joue ainsi jusqu'à ce qu'on arrive au total de 99. Quand un joueur annonce : «99!», le joueur suivant a quatre chances de se sortir du pétrin.

1- il joue un Roi et répète : «99!».

2- il écarte un Valet, et le joueur suivant passe son tour.

3- il joue un 10, et le total baisse de 10 à 89.

4- il écarte un 9, et le sens de la rotation du jeu change.

Si le talon s'épuise, on mêle la pile de défausses, on la retourne pour former un nouveau talon, et on continue de jouer.

Très important : un joueur ne peut tirer une carte du talon qu'APRÈS avoir écarté et annoncé un total.

Fin du coup : le coup prend fin quand un joueur est coincé par un 99 et qu'il ne peut se sortir du pétrin grâce à l'une des quatre cartes miraculeuses.

Feuille de pointage

Olivier	Mélanie	Francis
1	1	1
2	2	2
		3
		4

La feuille de pointage, ci-dessus, indique qu'Olivier, Mélanie et Francis ont joué huit coups. Olivier et Mélanie ont été coincés deux fois par un 99. Quant à Francis, il a déjà perdu quatre coups. S'il se fait coincer une cinquième fois par un 99, il perd la partie.

Fin de la partie : la partie prend fin quand l'un des joueurs perd son cinquième coup.

Le Rami

Nombre de joueurs : de deux à six. Quand il y a plus de six joueurs, on jouera au Double Rami, au Rami 500 ou au Rami Contrat.

Les cartes :

matériel requis : un paquet de cartes conventionnel.

ordre : l'ordre décroissant suivant : le Roi est la carte la plus forte, suivie de la Dame, du Valet, etc... jusqu'à l'As, la carte la plus basse.

valeur : les Rois, Dames, Valets et 10 valent dix points; l'As vaut un point et les autres cartes gardent leur valeur nominale, c'est-à-dire qu'un 9 vaut neuf points, un 8, huit points, et ainsi de suite.

Le jeu :

type : individuel.

but : être le premier à se débarrasser de toutes ses cartes en étalant des combinaisons sur la table. Les combinaisons permises sont le Brelan, le Carré et la Séquence, c'est-à-dire *au moins* trois cartes qui se suivent dans la même Couleur comme, par exemple, l'As, le 2 et le 3 de pique. On donne à la combinaison le nom de la carte la plus forte : dans le cas présent, on a une Séquence au 3 de pique.

règles :

la distribution : on commence par tirer les places au sort. Comme, dans ce jeu, la place du donneur est désavantageuse, le joueur qui tire la carte la plus basse devient le donneur. Le joueur qui a tiré la carte suivante dans l'ordre croissant s'installe à la gauche du donneur et devient donc l'aîné. Ensuite, le joueur qui a tiré la carte suivante dans l'ordre croissant s'installe à la gauche de l'aîné, et ainsi de suite.

Tout joueur a le droit de mêler les cartes, mais le donneur conserve le privilège d'être le dernier à le faire. Quand les cartes sont bien battues, le donneur les fait couper par le joueur placé à sa droite, puis il les distribue une à une en suivant le sens des aiguilles d'une montre. S'il y a 2 joueurs, il donne 10 cartes couvertes en commençant par son adversaire. Il distribue 7 cartes couvertes à chacun s'il y a 3 ou 4 joueurs, et 6 cartes si on joue à 5 ou 6. Le donneur forme ensuite le talon en déposant sur la table les cartes qui restent, face couverte, et retourne la carte du dessus qu'il dépose à côté du talon. C'est la retourne ou la première carte de la pile de défausses. Quand on joue à 2, c'est le gagnant d'un coup qui donne au coup suivant. Quand on est plus de 2 joueurs, chaque joueur distribue un coup à tour de rôle, en suivant le sens des aiguilles d'une montre à partir du premier donneur.

le déroulement : l'aîné commence soit en pigeant une carte du talon soit en prenant la carte de retourne qu'il ajoute à sa main. Il peut alors étaler sur la table une ou des combinaisons de cartes. Après quoi il écarte l'une des cartes qui lui restent. Il ne peut écarter la carte qu'il vient de prendre de la pile de défausses. Puis c'est au tour du joueur placé à gauche de l'aîné de jouer en prenant une carte sur le dessus soit du talon soit de la pile de défausses. Au deuxième tour de table et aux tours suivants, un joueur a le droit d'ajouter une ou plusieurs cartes à n'importe quelle combinaison déjà étalée sur la table, que cette combinaison lui appartienne ou qu'elle appartienne à un autre joueur. C'est un bon moyen de se débarrasser de ses cartes quand on ne peut former de nouvelles combinaisons. Par exemple, si un joueur a étalé une Séquence au 3 de pique (3, 2 et As de pique) et que vous ayez le 4 de pique en main, vous avez le droit de l'ajouter à sa Séquence. Un joueur peut ajouter autant de cartes qu'il le désire aux combinaisons déjà étalées sur la table en autant qu'il respecte les combinaisons permises (compléter un Brelan en Carré ou ajouter des cartes à une Séquence).

Si un joueur prend la dernière carte du talon sans que le coup ne soit fini, le joueur suivant a deux possibilités : soit il prend la carte sur le dessus de la pile de défausses, soit il forme un nouveau talon en retournant cette pile sans mêler les cartes. Il pige alors la carte sur le dessus du talon et le jeu se poursuit.

Fin de la partie : une partie de Rami comprend un seul coup. Elle prend fin lorsqu'un joueur réussit à se débarrasser de toutes ses cartes. Il y a deux façons de le faire. D'une part, un joueur peut attendre avant d'étaler une combinaison et choisir d'étaler toutes ses cartes d'un seul coup. On dit alors qu'il fait Rami. D'autre part, il peut avoir besoin de plusieurs tours pour se débarrasser de toutes ses cartes par combinaisons ou par ajouts, ce qui est plus courant. Dans ce cas, si, à un point du jeu, toutes les cartes qu'il a en main forment une combinaison, il peut les étaler sans avoir besoin d'écarter pour ce tour.

Décompte des points : le Rami est traditionnellement un jeu de mise d'argent. La façon la plus simple de payer le gagnant, c'est de le faire après chaque coup. Alors chaque joueur lui paie la valeur des cartes qu'il a encore en main. Par exemple, si, à la fin d'un coup, un joueur reste avec 2 As et un Roi, il devra payer 12 fois la mise au gagnant (1+1+10 = 12). Ce sont les joueurs qui établissent au début de la partie l'unité de la mise (chaque point peut valoir un cent, 10 cents ou un dollar, au choix des joueurs en présence).

Si un joueur fait Rami, c'est-à-dire s'il étale toutes ses cartes en une seule fois, les autres joueurs doivent lui payer sa main en double. Par exemple, dans un groupe de quatre joueurs, chaque joueur reçoit sept cartes. L'un d'eux en tire une du talon et étale les combinaisons suivantes : un Brelan de 9 et une Séquence à cinq cartes au 6 de carreau (6, 5, 4, 3 et 2). Le joueur vient donc d'étaler 47 points, soit (3 X 9) + 6 + 5 + 4 + 3 + 2 = 47. Chacun des autres joueurs doit alors lui payer 94 fois la mise. Est-ce que ce sera 94 cents, 9,40 $ ou 94 $? À vous de décider!

Variantes :

Le Rami est un jeu qui comporte de nombreuses variantes. Nous vous conseillons de commencer par le jeu de base, qui est le plus simple, et d'introduire peu à peu les variantes qui le rendent plus difficile, donc plus intéressant.

1- **Le Rami Arrêt** : le jeu s'arrête quand le talon est épuisé et qu'un joueur refuse de prendre la carte sur le dessus de la pile de défausses. Chaque joueur étale alors sa main sur la table. Le gagnant est celui qui a le moins de cartes. Il reçoit de chacun des autres joueurs une somme égale à la différence entre son nombre de cartes et celui des autres mains. Supposons une table de quatre joueurs : Jean vient d'étaler une carte; Pierre, trois cartes; Jacques, quatre cartes et Paul, sept cartes. Jean gagne la manche et reçoit de Pierre deux fois la mise, de Jacques trois fois la mise et, de Paul, six fois la mise. S'il y a deux gagnants, ou deux joueurs qui ont le même nombre de cartes et que ce nombre soit le plus petit, ils partagent la somme totale.

2- Cette variante consiste à exiger que le coup prenne fin sur un écart. Autrement dit, pour que le coup soit terminé, il faut qu'un joueur, après avoir pris une carte soit du talon soit de la pile de défausses, étale toute sa main sauf une carte, qu'il rejette sur la pile de défausses.

3- Si un joueur rejette une carte de sa main sur la pile de défausses, alors qu'il pourrait l'ajouter à une combinaison sur la table, n'importe quel autre joueur peut dire «Rami», prendre la carte écartée et l'ajouter à la combinaison. Cela lui donne le privilège de se débarrasser d'une des cartes de sa main en l'écartant. Ce privilège revient au joueur qui est le premier à dire «Rami». Quand deux ou plusieurs joueurs annoncent l'erreur en même temps en disant «Rami», un seul a le privilège de se débarrasser d'une carte de sa main : celui ou celle qui est le plus près *à la gauche* de la personne prise en défaut.

4- Certaines personnes aiment rendre le jeu plus difficile en suivant la règle suivante : il est interdit d'étaler des combinaisons tant qu'un joueur ne peut faire Rami, c'est-à-dire tant et aussi longtemps qu'il ne peut étaler *toutes ses cartes d'un seul coup*. Cela met fin au coup. Le gagnant reçoit des autres joueurs la valeur nominale de ses cartes. Cette variante est intéressante lorsqu'il n'y a que deux ou trois joueurs en présence. On distribue dix cartes à chacun, et le jeu se poursuit jusqu'à ce qu'un des joueurs fasse Rami. Si on épuise le talon, on brasse les cartes de la pile de défausses et on continue à jouer avec ce nouveau talon.

Irrégularités :

1- *jeu prématuré :* si un joueur joue avant son tour, il est important de le <u>dénoncer avant</u> qu'il n'ait écarté. Sinon, on doit considérer que ce joueur a joué à son tour, et les autres qui auraient dû jouer avant lui, perdent leur tour.

Si ce joueur a pris une carte de la pile de défausses et si on s'aperçoit qu'il a joué avant son tour alors qu'il a encore la carte dans sa main, il remet tout simplement la carte sur la pile de défausses.

Si ce joueur a pigé une carte du talon, on doit l'arrêter avant qu'il ne l'ait regardé. Dans ce cas, il remet la carte sur le dessus du talon.

S'il a eu le temps de regarder la carte qu'il a pigée du talon, la carte est remise dans le talon qui est battu et coupé.

2- *maldonne :* dans les cas suivants, il y a maldonne, c'est-à-dire une erreur dans la distribution des cartes. Le donneur doit alors reprendre la distribution.

a) Si le donneur ou un joueur retourne, même accidentellement, une carte d'un autre joueur pendant la distribution.

b) Si on découvre une carte retournée dans le paquet pendant la distribution.

c) Si on découvre une carte retournée dans le talon pendant le tour.

d) Si on découvre qu'un joueur a une main déséquilibrée avant que l'aîné ait pu compléter son premier tour.

Il n'y a **pas** maldonne si un joueur retourne lui-même une de ses cartes pendant la distribution. Il n'y a donc pas obligation de reprendre la distribution dans ce cas.

3- *main déséquilibrée :* une main est déséquilibrée quand un joueur n'a pas le nombre réglementaire de cartes : soit qu'il en ait plus, soit qu'il en ait moins. S'il a trop de cartes, il écarte avant de piger une nouvelle carte. S'il lui manque des cartes, il pige à chaque tour une carte sans écarter, jusqu'à ce qu'il ait le nombre de cartes réglementaire. Un joueur qui a une main déséquilibrée ne peut étaler de combinaisons tant qu'il n'a pas une main réglementaire. Si la main d'un joueur comporte trop de cartes à la fin d'un coup, le joueur doit additionner la valeur de toutes les cartes qu'il a en main pour connaître le montant à payer au gagnant. S'il a moins de cartes que le nombre réglementaire, il compte dix points pour chaque carte qu'il lui manque. Si un joueur fait Rami sans avoir le nombre de cartes réglementaire, il ramasse les cartes qu'il a étalées et on continue à jouer.

4- *étalement non réglementaire :* si un joueur étale des cartes qui ne forment pas une combinaison réglementaire ou ajoute à une combinaison existante une carte qui n'a rien à voir avec cette combinaison, le joueur doit, sur demande, reprendre dans sa main la combinaison étalée ou l'ajout incorrect. On peut faire cette demande en tout temps avant que les cartes ne soient ramassées et mêlées pour le tour suivant.

5- *erreur dans le décompte des points* : on peut corriger une erreur dans le décompte des points d'un coup tant que les cartes n'ont pas été battues pour le coup suivant.

Le Romain 500
(Le Rami 500)

Nombre de joueurs : de deux à huit. Idéalement, trois, quatre ou cinq joueurs. À quatre, on joue en équipe.

Les cartes :

matériel requis : un paquet conventionnel. On en utilise deux quand il y a cinq joueurs ou plus.

ordre : l'ordre décroissant habituel, l'As pouvant être indifféremment la carte la plus forte ou la plus basse, suivie du Roi, de la Dame, etc. jusqu'au 2.

valeur : l'As vaut quinze points dans la Séquence D, R, As, et un point dans la Séquence As, 2, 3. Chaque figure vaut dix tandis que les autres cartes conservent leur valeur nominale.

Le jeu :

type : individuel à deux, trois ou cinq joueurs. D'équipe à quatre.

but : être le premier joueur à accumuler 500 points, en formant des combinaisons, comme au Rami, qui permettent de se débarrasser de ses cartes en les étalant sur la table.

règles :

la distribution : on désigne le premier donneur par tirage au sort : le joueur qui tire la carte la plus basse est le premier à distribuer les cartes. Pour ce tirage au sort, l'As est considéré comme étant la carte la plus basse. Le donneur mêle bien les cartes et les fait couper par la personne assise à sa droite. Il distribue sept cartes couvertes à chacun : il les donne une à une en commençant par l'aîné et en suivant le sens des aiguilles d'une montre. Sauf dans le cas où il n'y a que deux joueurs, qui reçoivent alors treize cartes : dans ce cas, il distribue les cartes en alternance en commençant par son adversaire. Les cartes qui restent sont déposées couvertes sur la table pour former le talon. Le donneur retourne la carte du dessus et la dépose à côté du talon : elle constitue la base de la pile de défausses.

le déroulement : l'aîné commence en prenant la carte sur le dessus du talon. Après avoir pigé, il peut étaler devant lui soit des Brelans ou des Séquences; ensuite il écarte, c'est-à-dire qu'il rejette dans la pile une carte qu'il juge inutile. C'est ensuite au tour de la personne assise à la gauche de l'aîné de jouer. Elle peut piger la carte sur le dessus du talon ou n'importe quelle carte de la pile de défausses. Pour pouvoir s'emparer de n'importe quelle carte de la pile, un joueur doit respecter deux conditions. Premièrement, il doit prendre aussi toutes les cartes de la pile qui sont posées sur la carte qu'il convoite. Deuxièmement, il doit utiliser immédiatement la carte convoitée en l'étalant sur la table, soit en combinaison avec d'autres cartes de sa main, soit en l'ajoutant à une combinaison existante.

Il y a une différence importante entre le Rami et le Rami 500 dans la manière d'ajouter une carte à une combinaison existante. Au Rami 500, quand un joueur ajoute une carte à un Brelan ou à une Séquence d'un autre joueur, il ne pose pas la carte sur la combinaison comme au Rami, mais il la place devant lui en indiquant à quelle combinaison il ajoute ladite carte. On comprendra que c'est la façon la plus pratique pour calculer les points de chaque joueur à la fin du coup. Autrement, comment se rappeler qu'on a mis le 9 de cœur sur un Brelan d'Olivier, la Dame de pique sur une Séquence de Mélanie et l'As de carreau sur une Séquence de Francis.

Un joueur qui ajoute une carte à une combinaison d'un autre joueur doit, nous l'avons dit, indiquer cette combinaison. Par exemple, il y a sur la table une Séquence au 5 de cœur (5, 4 et 3) et un Brelan de 2. Olivier a le 2 de cœur. En étalant la carte devant lui, il doit dire s'il complète le Brelan en Carré ou s'il ajoute son 2 à la Séquence au 5. S'il ajoute son 2 à la Séquence, cela permettra à un autre joueur de déposer l'As de cœur.

On ne peut se servir de l'As, qui est à la fois la carte la plus haute et la carte la plus basse, pour faire tourner le coin à une Séquence. Autrement dit, la Séquence R-A-2 est inacceptable alors que les Séquences A-2-3 et D-R-A sont permises.

Fin du coup : le coup prend fin quand l'un des joueurs réussit à se débarrasser de toutes ses cartes en les étalant devant lui sur la table.

Décompte des points : chaque joueur calcule ses points d'abord en additionnant les points de ses cartes étalées sur la table; ensuite en additionnant les points des cartes qu'il a encore en main, s'il lui en reste; enfin en faisant la différence entre les deux totaux. Par exemple, si Olivier a 80 points sur la table et si les cartes qu'il a encore en main lui donnent 70 points, il enregistre un total de 10 points (80 - 70 = 10). Si le résultat est négatif, on le soustrait des points déjà accumulés pendant la partie. Par exemple, si Olivier a 70 points sur la table et 80 points dans sa main, on soustrait 10 points du total qu'il a accumulé jusque-là.

Fin de la partie : la partie prend fin quand un joueur cumule plus de 500 points. Il gagne la partie. De plus, on ajoute à son total la différence entre ses points et ceux de chacun des autres joueurs. Par exemple, si Mélanie gagne avec 510 points alors que Francis en a 350, Olivier 420 et Marie-Pierre 280, Mélanie finira la partie avec 990 points, soit 510 + (510 - 350) + (510 - 420) + (510 - 280).

Irrégularités : voir les irrégularités du Rami.

Le Rumoli

(Le Michigan -Le Boodle - Le Newmarket - Le Chicago - Le Saratoga)

Nombre de joueurs : de trois à sept. Idéalement quatre joueurs.

Les cartes :

matériel requis : un paquet conventionnel, plus les quatre cartes du tableau qui viennent d'un autre paquet. Ces cartes sont l'As de cœur, le Roi de trèfle, la Dame de carreau et le Valet de pique. Des jetons que l'on distribue en nombre égal entre les joueurs.

ordre : l'ordre décroissant habituel : l'As est la carte la plus forte, suivie du Roi, de la Dame, et ainsi de suite jusqu'au 2.

valeur : les cartes n'ont pas de valeur.

Le jeu :

type : individuel.

but : se débarrasser de toutes ses cartes et jouer une carte identique à une des cartes du tableau pour ramasser les jetons qui s'y trouvent.

règles :

la distribution : les joueurs prennent place au hasard autour de la table. N'importe qui donne une carte retournée à chacun jusqu'à ce qu'un joueur reçoive un Valet qui le désigne comme premier donneur. N'importe quel joueur a le droit de mêler les cartes, mais le donneur conserve le privilège d'être le dernier à le faire. Après avoir mêlé une dernière fois les cartes, le donneur présente le paquet à couper à la personne assise à sa droite. Cette dernière doit laisser au moins cinq cartes dans chaque tas de la coupe.

On aligne les cartes du tableau au milieu de la table, et elles y restent pour toute la durée de la partie. Ce sont des cartes payantes (*boodles*).

Juste avant la distribution, chaque joueur doit miser : chacun met un jeton sur **chacune** des cartes du tableau. Le donneur, lui, doit mettre deux jetons sur chaque carte.

Après quoi le donneur distribue toutes les cartes couvertes : il les donne une à une, en commençant par la gauche et en suivant le sens des aiguilles d'une montre. Le donneur réserve un jeu pour le «mort» : il dépose les cartes de cette main supplémentaire immédiatement à sa gauche. Autrement dit, il commence la distribution par le mort et non pas par l'aîné, comme c'est l'usage courant aux cartes. (Voir l'illustration 54, la donne avec le tableau, en page 247)

Tous les joueurs n'auront pas nécessairement le même nombre de cartes, ce qui importe peu.

le déroulement : dès que la distribution est terminée, le donneur analyse sa main. S'il n'en est pas satisfait, il peut la mettre de côté et prendre la main du mort. Si, au contraire, il décide de garder sa main, il a le privilège de vendre la main du mort au plus offrant. Ainsi, les autres joueurs, après avoir analysé leur main respective, peuvent faire une offre sur la main du mort. Le joueur qui a fait la meilleure enchère paie la main du mort au donneur en jetons. Personne ne doit voir la main du mort, sauf le joueur qui l'échange contre sa main.

Le jeu débute vraiment à ce moment : l'aîné commence en déposant devant lui une carte : cette carte peut être de n'importe quelle Couleur, mais pas de n'importe quelle valeur. Il est forcé d'entamer le jeu avec la carte la plus basse de la Couleur qu'il a choisi de jouer. Le joueur qui joue après lui n'est pas nécessairement celui qui est assis à sa gauche. C'est celui qui a la carte suivante dans l'ordre croissant : si l'ouvreur a entamé la levée avec le 2 de cœur, c'est le joueur qui détient le 3 de cœur qui joue le deuxième. Puis c'est le joueur qui détient le 4 de cœur qui joue, ainsi de suite jusqu'à l'arrêt du jeu. On continue ainsi la Séquence en cœur jusqu'à ce que personne ne puisse plus jouer parce qu'elle est interrompue. Une Séquence est interrompue soit par une carte qui est restée dans la main du mort ou par l'As. Quand une Séquence est interrompue, on ramasse toutes les cartes retournées et on les met de côté.

Le joueur qui a joué la dernière carte entame alors une nouvelle Séquence en jouant la carte la plus basse d'une autre Couleur.

Quand un joueur joue une carte identique à une des cartes du tableau, il ramasse les jetons qui sont sur cette carte. Il est fréquent qu'on ne puisse pas jouer l'une ou l'autre des cartes payantes pendant un coup. Les jetons qui sont encore sur le tableau à la fin d'un coup y restent pour le coup suivant.

Fin du coup : le coup prend fin quand l'un des joueurs se débarrasse de sa dernière carte. Chacun des autres joueurs lui donne alors un jeton par carte qu'il a encore en main.

Variantes :

1- La mise : on fixe une mise qui n'est pas nécessairement de quatre jetons par joueur. De plus, chacun choisit sur quelle(s) carte(s) il déposera sa mise.

2- Le choix de la Couleur d'une nouvelle Séquence : certains joueurs acceptent qu'on commence une nouvelle Séquence avec la dernière Couleur jouée quand le joueur n'en a pas d'autre dans sa main.

3- Le choix de la Couleur d'une nouvelle Séquence : si, après un arrêt, personne ne peut relancer une nouvelle Séquence avec une carte d'une autre Couleur, le coup prend fin aussitôt. Il n'y a pas de gagnant et, évidemment, personne n'encaisse de jetons de la part de ses adversaires.

Irrégularités :

1- Si un joueur entame une Couleur par une autre carte que la carte la plus basse de sa main, il donne un jeton à chacun de ses adversaires. De plus, il lui est interdit de ramasser les jetons d'une carte du tableau même s'il joue une carte de même valeur.

2- Si on s'aperçoit qu'un joueur a interrompu le jeu en ne jouant pas une carte qu'il avait dans sa main, le jeu continue. Cependant, le joueur pris en défaut ne peut gagner le coup ni collecter les jetons qui se trouvent sur une carte payante même si, par la suite, il joue une carte de même valeur. Si ce joueur est le premier à se débarrasser de ses cartes, le jeu continue pour désigner un autre gagnant. Si, en arrêtant ainsi le jeu, ce joueur a empêché un autre joueur de jouer une carte payante et de collecter les jetons correspondants, le joueur pris en défaut doit donner au joueur lésé un nombre de jetons égal à ceux qui sont sur la carte.

3- Entamer une Séquence avec une carte d'une Couleur déjà jouée ne fait pas l'objet d'une pénalité. Toutefois on doit corriger l'erreur avant que la carte d'entame ne soit couverte par une autre.

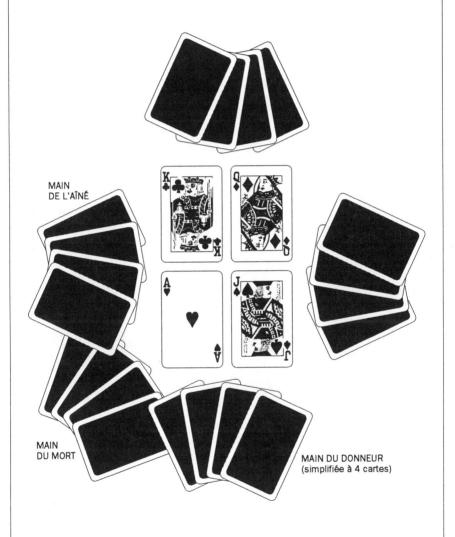

Illustration 54
Le Rumoli : la donne avec le tableau

La Salade

Nombre de joueurs : trois ou quatre.

Les cartes :

matériel requis : un paquet conventionnel. À trois joueurs, on retire le 2 de trèfle du paquet.

ordre : l'ordre décroissant habituel.

valeur : la Salade est un jeu composé de sept contrats différents. Dans certains contrats, ce sont les levées qui ont une valeur tandis que dans d'autres, ce sont certaines cartes qui en ont.

Les contrats :

Chaque contrat représente un coup ou une donne.

Le premier contrat s'intitule **«Pas de levées»** : le but du contrat, c'est de ne pas faire de levée. Chaque levée rapporte cinq points à celui qui la fait.

Le deuxième contrat s'intitule **«Pas de cœurs»** : un joueur peut faire des levées, mais il ne doit avoir aucun cœur dans ses levées à la fin du coup. Chaque carte en cœur donne cinq points.

Le troisième contrat s'intitule **«Pas de Dames»**. Encore une fois, il est permis de faire des levées, mais il faut éviter de prendre les Dames. Chaque Dame rapporte 25 points à celui qui en a dans ses levées à la fin du coup.

Le quatrième contrat s'intitule **«Pas le Roi de pique»**. L'enjeu est ici d'éviter de se retrouver à la fin du coup avec le Roi de pique, car il donne 50 points à celui qui le ramasse.

Le cinquième contrat s'intitule **«Pas la dernière levée»**. Il faut éviter de remporter la dernière levée du coup, car elle mérite 80 points à celui qui la fait.

Le sixième contrat s'intitule **«La Salade»**, et, cette fois-ci, il faut éviter de faire des levées, de se retrouver avec des cœurs, avec des Dames, avec le Roi de pique, et de remporter la dernière levée. Le pointage des cinq premiers contrats s'applique intégralement ici.

Le septième contrat s'intitule «**Les Sept**». Le but du coup consiste alors à être le premier à se débarrasser de toutes ses cartes.

Le jeu :

type : individuel.

but : faire le moins de points possible.

règles :

la distribution : les joueurs prennent place au hasard autour de la table. N'importe qui donne une carte retournée à chacun jusqu'à ce qu'un joueur reçoive un Valet qui le désigne comme premier donneur. Tous les joueurs ont le droit de mêler les cartes, le donneur conservant le privilège d'être le dernier à le faire. Il présente le paquet à couper à la personne assise à sa droite. Cette dernière doit laisser au moins cinq cartes dans chaque tas de la coupe.

Après quoi le donneur distribue les cartes couvertes jusqu'à épuisement du paquet : il les donne une à une, en commençant par l'aîné et en suivant le sens des aiguilles d'une montre.

le déroulement : l'aîné commence en ouvrant une carte de son jeu au centre de la table. Les autres joueurs, à tour de rôle, ont l'obligation de suivre, c'est-à-dire de fournir une carte de la Couleur demandée. Un joueur qui ne peut pas suivre peut écarter n'importe quelle carte. Le joueur qui a joué la carte la plus forte de la Couleur d'entame remporte la levée. Il entame la levée suivante.

Fin du coup : le coup prend fin quand les joueurs ont joué toutes leurs cartes.

Décompte des points : après le premier coup, les joueurs comptent leurs levées. Chacun marque cinq points par levée.

Après le deuxième coup, les joueurs comptent les cartes de cœur qu'ils ont ramassées dans leurs levées. Chaque carte de cœur rapporte cinq points à la personne qui la détient.

Après le troisième coup, la marque des joueurs qui ont des Dames augmente de 25 points par Dame.

Après le quatrième coup, la marque du joueur qui a ramassé le Roi de pique augmente de 50 points.

Après le cinquième coup, le joueur qui a fait la dernière levée voit sa marque augmenter de 80 points.

Après le sixième coup, les joueurs comptent leurs levées, leurs cartes de cœur et leurs Dames. Ils comptent cinq points par levée et par cœur et 25 points par Dame. Les joueurs qui ont ramassé le Roi de pique et la dernière levée ajoutent respectivement 50 et 80 points à leur total.

le déroulement du septième coup : le septième coup se joue d'une manière différente des coups précédents. Il n'est plus question, ici, d'éviter de faire des levées ou de ramasser certaines cartes, mais de se débarrasser de toutes ses cartes.

L'aîné commence. Comme il est le premier à jouer, il n'a qu'une possibilité de jeu : il doit obligatoirement déposer sur la table un 7 retourné. Sinon, il passe. C'est alors au tour du joueur assis à sa gauche à jouer. Si l'aîné a passé, il ne peut que retourner un 7 au centre de la table. Si, par contre, l'aîné a déposé un 7, il a la possibilité de jouer une carte sur le 7 ou bien d'étaler un autre 7.

On peut jouer n'importe quel 7 en tout temps : chacun est le point de départ d'une Séquence. On les aligne au centre de la table.

Quand un 7 est étalé, il permet aux joueurs qui détiennent le 6 et le 8 de la même Couleur de jouer en les déposant de part et d'autre du 7. Supposons, par exemple, que Mélanie est l'aînée et qu'elle a étalé le 7 de pique. Marie-Pierre, qui joue après elle, a donc cinq possibilités de jeu : elle peut écarter soit le 6 soit le 8 de pique, ou jouer un des trois autres 7. Elle joue le 7 de carreau. C'est au tour d'Olivier. Lui a six possibilités : il peut jouer soit le 6 ou le 8 de pique, soit le 6 ou le 8 de carreau, ou étaler un des deux 7 qui restent. Il dépose le 6 de pique sur le 7. Cela donne au joueur suivant, Francis, la possibilité de jouer son 5 de pique. Sans quoi il aurait été forcé de passer.

On continue ainsi à monter chaque Séquence jusqu'au Roi à partir du 8 et à la descendre jusqu'à l'As à partir du 6. Chaque joueur joue à tour de rôle, s'il est en mesure de le faire. Sinon, il passe et c'est au tour de son voisin de gauche.

Fin de la partie : la partie prend fin quand, à la fin de ce septième contrat, un seul joueur reste avec des cartes en main alors que tous les autres ont réussi à se débarrasser de toutes leurs cartes.

Décompte des points pour le septième contrat : le premier joueur à se débarrasser de toutes ses cartes soustrait 100 points de sa marque. Les autres joueurs poursuivent alors le coup. Le deuxième joueur à finir soustrait 50 points de son résultat, et les deux joueurs qui restent continuent de jouer. Le troisième joueur à finir ajoute 50 points à son résultat tandis que celui qui a encore des cartes en main ajoute 100 points à son total. C'est le joueur dont la marque finale est la plus basse qui gagne la partie.

Dans l'exemple qui suit, Mélanie gagnait jusqu'au septième contrat. Mais Olivier a été le premier à se débarrasser de toutes ses cartes et a donc le droit de soustraire 100 points de son total pour finir avec une marque finale inférieure à celle de Mélanie qui, ayant fini la troisième, doit ajouter 50 points à la sienne.

Feuille de pointage

	Olivier	Mélanie	Francis
Pas de levées	50	10	25
Pas de cœurs	50	15	85
Pas de Dames	100	15	135
Roi de pique	100	15	185
Dernière levée	100	95	185
Salade	210	95	435
Les Sept	- 100	+ 50	- 50
Total	110	145	385

Comme Francis a réussi à se débarrasser de toutes ses cartes avant Mélanie, il soustrait 50 points de son résultat pour finir avec un final de 385.

On comprendra avec cet exemple qu'à la Salade rien n'est gagné avant le septième coup, surtout quand l'écart entre les marques de deux joueurs n'est pas trop grand.

La Samba

Ce jeu peut être considéré comme étant une variante enrichie de la Canasta. Mais par le nombre de joueurs, l'utilisation de la pile de défausses et les possibilités de combinaisons, il possède une structure bien à lui. Contrairement à de nombreux jeux de cartes dont on ne connaît pas l'inventeur, on peut attribuer la paternité de la Samba à John R. Crawford, un Américain de Philadelphie.

Nombre de joueurs : six.

Les cartes :

matériel requis : trois paquets conventionnels plus les six Fous.

Ordre des cartes :

pour la formation des équipes : voir la Canasta.

pour le jeu : des 162 cartes, 132 sont naturelles tandis que 30 cartes jouent un rôle spécial. Ce sont, comme à la Canasta, les cartes passe-partout, les 3 rouges et noirs.

valeur : voir la Canasta.

Le jeu :

type : d'équipe.

but : se débarrasser de toutes ses cartes en étalant des combinaisons de cartes de même valeur ou des Séquences.

règles :

la distribution : voir la Canasta. Le donneur distribue 15 cartes couvertes à chaque joueur.

le déroulement : voir la Canasta. Mais, à chaque tour, les joueurs pigent deux cartes du talon et n'en écartent qu'une seule. On ne peut s'emparer de la pile que si on a une Paire naturelle dans sa main. On ne peut s'emparer de la pile dans les cas suivants :

a) pour former une Séquence avec la carte du dessus;

b) si on doit utiliser une carte passe-partout pour le faire. Si, par exemple, un joueur a un quatre et un deux dans sa main et s'il y a un quatre sur le dessus de la pile, le joueur ne peut s'emparer de la pile pour former un Brelan qu'il étalerait ensuite.

Toutefois, si la pile n'est pas gelée, on peut prendre la carte du dessus pour l'ajouter à une combinaison ou à une Séquence déjà sur la table. Mais il y a une condition : la combinaison ou la Séquence doit comprendre moins de sept cartes. De plus, le joueur doit prendre toute la pile et non seulement la carte du dessus.

combinaisons : à la Canasta, il est permis d'étaler seulement des cartes de même valeur. La Samba permet d'étaler aussi des Séquences de trois cartes ou plus **d'une même Couleur** comme, par exemple, une Tierce en cœur. On peut ajouter des cartes à une Séquence jusqu'à ce qu'elle en compte sept : une Séquence à sept cartes s'appelle une Samba. Elle rapporte un boni de 1 500 points. Il est interdit de mettre des cartes passe-partout dans une Samba.

les points d'ouverture :

si l'équipe a un score : le nombre de points d'ouverture est :

négatif	15
entre 0 et 1 495	50
entre 1 500 et 2 995	90
entre 3 000 et 6 995	120
de 7 000 et plus	150

les 3 rouges : chaque 3 rouge donne 100 points à l'équipe qui le détient. Si une équipe possède les six 3 rouges, elle obtient un boni de 1 000 points. Quand une équipe n'a pas deux Canastas complètes ou deux Sambas ou une Canasta et une Samba à la fin de la manche, elle soustrait les points habituellement alloués par les 3 rouges, au lieu de les additionner.

Les cartes passe-partout : le règlement interdit d'étaler des cartes passe-partout sans carte naturelle. De plus, une combinaison ne peut compter plus de deux cartes passe-partout. Ce jeu est donc différent de la Canasta qui permet, entre autres, d'insérer jusqu'à trois cartes passe-partout dans une Canasta impure.

Fin de coup : voir la Canasta.

Sortir : pour sortir, une équipe doit avoir soit deux Canastas (pures ou impures), soit deux Sambas, soit une Canasta et une Samba. L'équipe qui sort obtient un boni de 200 points.

Fin de la partie : la partie prend fin quand l'une des trois équipes cumule un total de 10 000 points. Pour le reste, voir la Canasta.

Irrégularités : voir la Canasta.

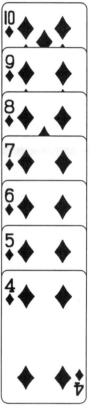

La Samba

Le Trio

Nombre de joueurs : de trois à six.

Les cartes :

matériel requis : à trois ou quatre joueurs, deux paquets conventionnels. À cinq ou six joueurs, trois paquets conventionnels.

ordre : l'ordre n'a pas d'importance.

valeur : le 2 est une carte passe-partout et elle vaut vingt points. L'As vaut dix points, le Roi, la Dame, le Valet et le 10 valent dix points, tandis que le 9, le 8, le 7, le 6, le 5, le 4 et le 3 valent cinq points chacun.

Carte	Points
2	20
As	15
R-D-V-10	10
9-8-7-6-5-4-3	5

Le jeu :

type : individuel.

but : être le premier à remplir les sept contrats du tableau ci-dessous ou, si on remplit le septième contrat en même temps qu'un autre joueur, finir la manche en se débarrassant le premier de toutes ses cartes.

les contrats : le Trio est construit autour de sept contrats qui ne sont pas choisis par les joueurs, comme dans certains jeux de cartes, mais qui sont imposés par les règles. Autrement dit, jouer au Trio revient essentiellement à s'engager à remplir ces contrats que personne n'a le pouvoir de changer et dont voici le tableau :

Tableau des contrats

1- deux Brelans

2- un Brelan et un Carré

3- deux Carrés

4- une Séquence à quatre cartes et un Carré

5- trois Brelans

6- deux Séquences à quatre cartes

7- une Séquence à sept cartes et un Brelan

Pour remplir un contrat, il suffit d'étaler devant soi les combinaisons exigées par ledit contrat. Autrement dit, un joueur remplit le premier contrat aussitôt qu'il étale deux Brelans. Remplir un contrat donne droit de passer au contrat suivant, même si le joueur avait encore des cartes en main à la fin du coup.

règles :

la distribution : les joueurs choisissent leur place au hasard. N'importe qui donne une carte retournée à chacun jusqu'à ce que l'un des joueurs reçoive un Valet qui le désigne comme premier donneur. Le donneur mêle bien les deux paquets ensemble et distribue les cartes une à une en suivant le sens des aiguilles d'une montre. Il donne treize cartes couvertes à chaque joueur. Puis il dépose les cartes qui restent sur la table pour former le talon. Il retourne la carte du dessus du paquet : c'est la retourne, première carte de la pile de défausses. La deuxième donne sera faite par le joueur assis à la gauche du premier donneur.

le déroulement : l'aîné commence. Il a le choix entre piger une carte du talon ou prendre la retourne. Après analyse de sa main, il en écarte la carte qu'il juge la moins intéressante, de façon à toujours avoir treize cartes en main, pas une de plus. C'est ensuite au joueur assis à sa gauche à faire de même.

Si, après avoir pigé une carte du talon ou pris la première carte de défausses, un joueur a les combinaisons nécessaires pour remplir son contrat, il peut les étaler devant lui : on dit alors qu'il ouvre son jeu. On étale les combinaisons en retournant les cartes de manière à ce que les autres joueurs puissent bien les voir. Quand un joueur ouvre son jeu, il n'a pas le droit d'étaler en même temps les combinaisons exigées par le contrat et d'autres combinaisons. Si le joueur détient d'autres combinaisons que celles du contrat au moment de son ouverture, il doit attendre au tour suivant pour les étaler sur la table. Quand un joueur a réussi son contrat, il acquiert le privilège d'étaler, aux tours qui suivent, l'une ou l'autre des combinaisons suivantes : des Tierces, des Brelans, des Quatrièmes, des Carrés. Il n'a pas le droit d'étaler des Paires, le Trio requérant un étalement minimum de trois cartes.

Peu importe la combinaison étalée, un joueur n'a pas le droit d'y inclure plus d'une carte passe-partout, sauf dans la Séquence à sept cartes qui fait partie du septième contrat. Cette Séquence peut comporter deux cartes passe-partout.

À partir du moment où un joueur a ouvert son jeu, il perd le droit de s'emparer de la carte sur le dessus de la pile de défausses. Mais il y a une exception à cette règle : si cette carte lui permet de se débarrasser de toutes les cartes qu'il a en main et, ainsi, de mettre un terme au coup, le joueur a le droit de la prendre. Supposons qu'il reste à Olivier la main suivante. (Illustration 55 : 9 de pique, 10 et 9 de cœur et Dame de trèfle, en page 260)

Si la première carte des défausses est le 8 de cœur, il n'a pas le droit de la prendre parce qu'après avoir étalé sa Tierce au 10 de cœur et après avoir écarté l'une des deux autres cartes, il lui en restera encore une. Ce qui veut dire qu'il n'aura pas mis fin à la manche.

Pour avoir le droit de prendre le 8 de cœur, Olivier devrait avoir soit le 9 de pique soit la Dame de trèfle en moins, ou les deux. Dans le premier cas, il pourrait étaler sa Tierce, puis écarter la carte qui lui reste. Dans le second, il lui suffirait d'étaler sa Tierce pour se débarrasser de toutes ses cartes et, ainsi, mettre un terme à la manche.

Quand un joueur a ouvert son jeu, il a le droit d'écarter une ou plusieurs cartes sur les combinaisons d'un autre joueur. Cela lui permet de se débarrasser de ses cartes plus rapidement. Supposons qu'Olivier et Mélanie aient rempli leur premier contrat en étalant chacun deux Brelans. (Illustration 56, en page 261 : Olivier : Brelans de 5 et de 10 et Séquence au 8 de cœur; Mélanie : Brelans de 9 et de Dames)

Olivier, qui a un 9, peut compléter en Carré le Brelan de Mélanie. On ramasse alors le Carré et on le met de côté, face couverte, pour indiquer qu'il est complet. Quant à Mélanie, comme elle a le 9 et le 10 de cœur, elle peut les ajouter à la Séquence d'Olivier.

À chaque coup, les joueurs ont l'obligation de remplir un contrat. Au premier coup, le contrat est le même pour tous, soit étaler deux Brelans. Mais, par la suite, un joueur peut avoir à remplir un contrat différent de celui de ses adversaires. Supposons qu'Olivier n'ait pas rempli son premier contrat à la fin du premier coup, il est tenu d'essayer de nouveau au deuxième coup. Autrement dit, pour avoir le droit de passer au contrat suivant, il faut d'abord obligatoirement remplir le précédent.

Fin du coup : un coup prend fin quand l'un des joueurs se débarrasse de toutes ses cartes.

Pointage : quand le coup prend fin, les joueurs qui ont encore des cartes en main comptent leurs points et le marqueur les inscrit sur une feuille de pointage. Le joueur qui mène est celui qui a le moins de points. Le marqueur inscrit aussi, entre parenthèses, le numéro du contrat que chacun doit remplir au coup suivant. Voici un exemple de feuille de pointage après deux coups :

Feuille de pointage

Olivier	Mélanie	Marie	Francis
20 (2)	0 (2)	90 (1)	35 (2)
20 (3)	55 (3)	105 (2)	140 (2)

La première ligne nous dit que :

1- Mélanie a gagné le premier coup puisqu'elle n'a pas de point. En d'autres termes, elle a été la première à se débarrasser de toutes ses cartes.

2- Mélanie n'est pas la seule à avoir rempli le premier contrat, Olivier et Francis aussi, le marqueur ayant inscrit (2) à côté de leur marque respective. Tous les trois ont ainsi obtenu le droit d'essayer de remplir le deuxième contrat au deuxième coup.

3- Marie n'a pas rempli son premier contrat car on a inscrit (1) à côté de sa marque. Elle a dû, au deuxième coup, faire un nouvel essai.

La deuxième ligne nous apprend que :

1- c'est Olivier qui a gagné le deuxième coup en se débarrassant de toutes ses cartes le premier car sa marque n'a pas changé. Évidemment, il passe au troisième contrat. De plus, il mène par le pointage.

2- de Francis et de Mélanie, seule cette dernière a rempli le deuxième contrat, car on a inscrit (3) à côté de sa marque. Francis, qui n'a pas réussi, doit essayer de nouveau.

3- Marie a finalement rempli son premier contrat, elle peut donc s'attaquer au deuxième.

Fin de la partie : quand un joueur remplit le septième contrat, la partie s'arrête à la fin de ce coup.

1- Si ce joueur est le seul à avoir rempli le septième contrat, il gagne la partie, peu importe le joueur qui est le premier à se débarrasser de toutes ses cartes.

2- Si, à la fin du coup, deux joueurs ont rempli le septième contrat, le gagnant est le premier à se débarrasser de toutes ses cartes.

3- Si, à la fin du coup, deux joueurs ont rempli le septième contrat et si c'est un troisième joueur qui met fin au coup en se débarrassant de toutes ses cartes, on se sert des points pour désigner le gagnant. Des deux premiers joueurs, le gagnant est celui qui a le moins de points.

◻ ◻ ◻

L'école

L'école est une variante du Trio. Son principal attrait réside dans le fait qu'elle comporte dix étapes plutôt que sept. Il est plus long, pour un joueur, de réussir ses dix années d'études non seulement parce qu'il y a plus de contrats à remplir, mais aussi parce que les trois derniers sont plus difficiles à réaliser.

On suit les règles du Trio, sauf pour les suivantes.

matériel requis : on utilise deux paquets conventionnels à trois joueurs; trois paquets conventionnels à quatre ou cinq joueurs; quatre paquets conventionnels à six ou sept.

cartes passe-partout : en plus des 2, les Fous servent aussi de cartes passe-partout. Comme les 2, ils valent 20 points.

but : être le premier élève à réussir sa dixième année.

les contrats : comme au Trio, il faut avoir rempli un contrat avant d'attaquer le suivant. A l'École, on dit, d'ailleurs, qu'il faut réussir sa première année avant de monter en deuxième.

Première année : deux Brelans

Deuxième année : une Quatrième

Troisième année : une Quatrième et un Brelan

Quatrième année : deux Quatrièmes

Cinquième année : trois Brelans

Sixième année : deux Quatrièmes et un Brelan

Septième année : une Séquence à dix cartes

Huitième année : deux Séquences à six cartes chacune

Neuvième année : une Séquence à dix cartes et un Brelan

Dixième année : une Séquence à treize cartes

On peut insérer autant de cartes passe-partout qu'on veut dans une Séquence, mais il est interdit d'en mettre deux de suite. En d'autres termes, il doit toujours y avoir au moins une carte naturelle entre deux cartes passe-partout.

Illustration 55
La main d'Olivier

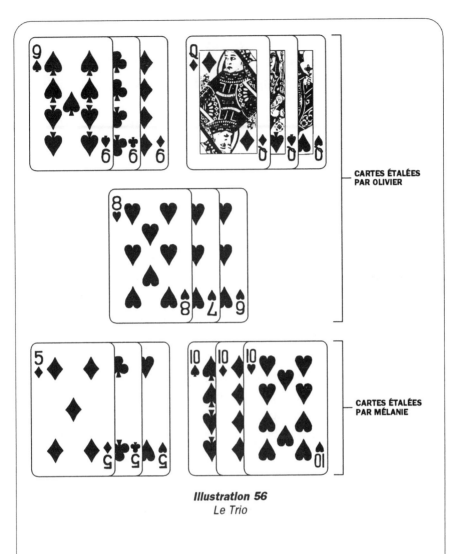

CARTES ÉTALÉES PAR OLIVIER

CARTES ÉTALÉES PAR MÉLANIE

Illustration 56
Le Trio

Le Vingt-et-un
(Le Black Jack)

Ce jeu existe en deux versions. Ce qui les distingue, c'est la permanence de la banque. Dans le premier cas, le banquier est toujours le même. Autrement dit, c'est toujours lui qui donne les cartes et tous les autres joueurs parient contre lui : c'est le **Vingt-et-un avec banquier permanent**. Dans le second cas, la banque change de main. Dans certaines conditions, on change de donneur : c'est le **Vingt-et-un avec banquier temporaire**.

Comme le Poker, auquel il ressemble, le Vingt-et-un a des règles générales qui s'appliquent à ces deux versions. Nous allons nous arrêter à ses rudiments avant de passer à l'explication de chacune de ses versions.

Les rudiments

Le choix du banquier permanent ou du premier banquier : qu'on choisisse de jouer avec un banquier permanent ou un banquier temporaire, il est important de suivre les règles qui suivent pour désigner le joueur qui remplira ce rôle. Un joueur mêle un paquet de cartes et le présente à couper à un autre joueur. Puis le premier donne une carte retournée à chacun jusqu'à ce que l'un des joueurs reçoive un As, qui le désigne comme banquier permanent ou comme premier banquier de la partie.

Limiter les paris : le banquier fixe arbitrairement les limites inférieure et supérieure des enjeux. Par exemple, il peut annoncer que les paris doivent se faire entre 10 cents et 1 $. Cela veut dire qu'un joueur n'a pas le droit de miser moins de 10 cents ni plus d'un dollar. Si un banquier subit des pertes de sorte qu'il n'a plus assez d'argent en banque pour suivre les enjeux des joueurs, il a le droit de baisser la limite inférieure des paris. Mais il peut également, s'il a gagné beaucoup, augmenter la limite supérieure.

Un banquier qui veut se défaire de la banque a le privilège de la vendre aux enchères au plus offrant. Il peut faire la transaction en tout temps, après la fin d'un coup et avant le début de la donne suivante.

Si la banque offerte aux enchères ne trouve pas preneur, le banquier la remet à la personne assise à sa gauche. Si celle-ci la refuse, la banque passe à la personne assise à la gauche de celle qui vient de la refuser. Après chaque refus, la banque circule en suivant le sens des aiguilles d'une montre jusqu'à ce qu'un joueur l'accepte. Si personne n'accepte de tenir la banque, on reprend la procédure du choix du banquier.

Les paris : à chaque donne, tout joueur a l'occasion de parier sur la valeur de sa main. Le Vingt-et-un exige que tous les joueurs parient avant de recevoir la première carte : chaque joueur dépose devant lui le nombre de jetons qu'il se propose de miser, en respectant les limites fixées par le banquier. Il place ses jetons de manière à ce que le donneur-banquier les voie de sa place.

Les enjeux se font au moyen de jetons de couleur. On accorde une unité de valeur à chacune des couleurs. Voici le tableau des valeurs le plus souvent accordées à la couleur des jetons :

Couleur des jetons	valeur
blancs	1 unité
rouges	5 unités
bleus	10 unités
jaunes	25 unités

Le règlement des comptes : le banquier et les joueurs sont tenus de payer au pair chaque mise. Autrement dit, si un joueur a misé un total de trois dollars et s'il perd, le banquier ne peut pas réclamer plus d'argent. Il y a toutefois une exception à cette règle : le règlement de la main naturelle détenue par un joueur. Ce règlement varie dans les deux versions.

⬚ ⬚ ⬚

Le Vingt-et-un avec banquier permanent

Nombre de joueurs : de deux à sept, plus le banquier.

Les cartes :

matériel requis : deux paquets conventionnels plus un Fou.

ordre : l'ordre des cartes n'a pas d'importance, étant donné qu'il n'est pas question ici de faire des levées.

valeur : l'As vaut un ou onze, au choix de son détenteur; le Roi, la Dame, le Valet et le 10 valent dix chacun et les autres cartes conservent leur valeur nominale. Le Fou ne vaut rien et, de toute façon, ne sert pas de carte à jouer, mais de point de repère au banquier.

Le jeu :

type : individuel.

but : avoir une main qui totalise vingt et un ou un total plus élevé que celui du banquier, sans dépasser vingt et un. Une main de deux cartes (As + figure ou As + 10) dont le total donne vingt et un s'appelle une naturelle. Un joueur qui détient une naturelle, alors que le donneur n'en a pas, reçoit du donneur une fois et demie sa mise.

règles :

la distribution : on retire le Fou du paquet avant de mêler les cartes. Tout joueur a le droit de battre les cartes, mais le donneur (banquier) garde le privilège d'être le dernier à le faire. Puis il met le paquet au centre de la table pour le faire couper. N'importe qui peut demander à le couper. Si plus d'un joueur demande à faire la coupe, on ne peut les empêcher de le faire. Après la coupe, le paquet est déposé sur le Fou retourné qui est placé sur la table devant le donneur. Cette carte retournée sert de point de repère dans le paquet.

Quand tous les joueurs ont déposé leur mise devant eux, le donneur donne une carte couverte à chacun. Rendu à son tour, il retourne la carte. Ensuite il continue la distribution en donnant à tous les joueurs, lui-même y compris, une carte couverte.

le déroulement : si la carte retournée du donneur est un 10, une figure ou un As, il doit regarder sa carte couverte. S'il a une naturelle, il retourne sa carte couverte en annonçant : «Vingt et un» ou «Black Jack». Les autres joueurs doivent alors retourner leurs cartes et le donneur encaisse immédiatement la mise des joueurs qui n'ont pas de naturelle. Personne n'est tenu de lui verser plus de jetons qu'il n'en a misé. Si un autre joueur a aussi une naturelle, il récupère ses jetons. Il ne doit rien au donneur, et ce dernier ne lui doit rien non plus.

Si la carte retournée du donneur n'est pas un 10, une figure ou un As, il n'a pas le droit de regarder sa carte couverte avant la prise de cartes.

Si le donneur n'a pas de naturelle, il se tourne vers la personne assise à sa gauche.

1- Si cette personne a une naturelle, elle retourne ses cartes en disant «Vingt et un» ou «Black Jack». Le donneur lui paie immédiatement une fois et demie la somme qu'elle a pariée. Si le joueur avait parié un dollar, il récupère son dollar et reçoit 1,50 $ du donneur. Puis le donneur enterre les cartes de ce joueur en les plaçant sous le Fou.

2- Si le total des cartes de ce joueur est inférieur à vingt et un, il a l'alternative suivante.

a) Il reste dans la course, mais il ne prend pas de cartes parce que soit il est satisfait de sa main, soit il craint que l'ajout d'une nouvelle carte lui fasse dépasser vingt et un. Il dit : «Bon pour moi», «J'en ai assez» ou «J'arrête». Il peut également montrer qu'il s'arrête en glissant ses cartes sous les jetons qu'il a pariés.

b) Il prend une ou des cartes. Quand un joueur n'est pas satisfait de sa main, il dit : «Carte» ou il fait signe de la main ou du doigt au donneur. Ce dernier prend alors la carte sur le dessus du talon et la dépose retournée près des deux premières cartes du joueur.

Un joueur a le droit de demander autant de cartes qu'il le désire lors de la prise de cartes. Quand un joueur est satisfait de son total, il s'arrête. S'il prend une carte et que son total dépasse vingt et un, on dit qu'il crève. Il dit : «Crevé», en retournant ses cartes. Le donneur ramasse la mise et enterre les cartes de ce joueur sous le talon. Le joueur qui crève est éliminé de la course jusqu'à la donne suivante.

Quand le donneur en a fini avec un joueur, il passe au suivant. Il procède en suivant le sens des aiguilles d'une montre, jusqu'à ce que tous les joueurs aient joué leur main.

Vient alors le tour du donneur. Si tous les joueurs ont crevé, le donneur enterre tout simplement ses cartes. S'il y a encore un ou plusieurs joueurs dans la course, le donneur joue sa main.

Il retourne alors sa carte couverte de manière à ce que chacun puisse voir ses deux cartes. Si le total est de 17 ou plus, le donneur est obligé de s'arrêter. Si son total est égal ou inférieur à 16, il est obligé de prendre une carte. Il a l'obligation de prendre une carte tant que son total n'atteint pas 17 : rendu à ce point, il doit s'arrêter.

Si le donneur a un As et si, en le comptant pour 11, son total atteint 17 ou plus (mais non pas vingt et un), il est obligé de donner à son As la valeur de 11 et il doit s'arrêter.

On notera qu'au Vingt-et-un le donneur n'a pas le choix de s'arrêter ou de prendre une carte. Sa décision doit suivre une convention établie et connue de tous les joueurs. Et puisqu'il joue avec toutes ses cartes retournées, il ne peut en aucun cas faire fi de cette règle.

Cette règle qui oblige le donneur à prendre une carte quand son total est égal ou inférieur à 16, à s'arrêter quand il est de 17 ou plus, est un standard reconnu dans tous les casinos du monde.

Fin du coup : le coup prend fin quand le donneur s'arrête. C'est alors le temps de régler les comptes. Le donneur se tourne vers le joueur encore dans la course assis à sa gauche, et celui-ci doit retourner ses cartes. Si son total est supérieur à celui du donneur, ce dernier lui paie sa mise. De plus, le joueur récupère sa mise. Si le total du joueur est inférieur à celui du donneur, ce dernier encaisse la mise du perdant. Si les deux ont le même total, le joueur récupère sa mise et le donneur ne lui doit rien. Puis le donneur continue à régler ses comptes avec chaque joueur encore dans la course, en suivant le sens des aiguilles d'une montre. Chaque fois, le donneur ramasse les cartes du joueur et les enterre en les plaçant retournées sous le talon.

Si le donneur a crevé en prenant sa dernière carte, il paie à chaque joueur encore en lice une somme égale à la mise que chacun a devant lui.

Quand le coup est terminé, le donneur procède à une nouvelle donne en continuant de se servir du talon tel quel jusqu'à ce qu'il arrive au Fou. Il arrête alors la donne, mêle bien toutes les cartes qui ne sont pas distribuées, présente le paquet à couper à un ou plusieurs joueurs, puis il dépose ce nouveau talon sur le Fou. Il poursuit sa distribution.

Si le donneur s'aperçoit, avant le début de la donne, qu'il n'aura pas assez de cartes pour la compléter, il peut ramasser toutes les cartes pour les mêler et les faire couper.

Scinder une paire : il est permis de considérer deux cartes de même valeur comme une Paire. Si les deux premières cartes que reçoit un joueur forment une Paire, deux Dames par exemple, il a le droit, s'il le désire, de les séparer pour en faire le point de départ de deux mains différentes. Il les place alors côte à côte, puis il dépose sa mise originale sur l'une des cartes et il met une autre mise de même valeur sur la deuxième carte.

Quand vient le tour de ce joueur de prendre une carte, le donneur retourne d'abord une carte sur chacune de ses cartes couvertes. Par la suite, le joueur peut demander une ou plusieurs cartes additionnelles pour chacune de ses mains, et cela dans l'ordre qui lui convient. Il peut demander autant de cartes qu'il le désire jusqu'à ce qu'il s'arrête.

Dans pareil cas, les deux mains sont traitées séparément. Autrement dit, le donneur règle ses comptes d'abord avec la première main : il paie ou il encaisse sa mise. Puis il paie ou il encaisse la mise de la deuxième main. Il est évident qu'une des deux mains peut donner un coup nul, si son total est égal à celui du donneur.

Variante :

Cette variante est celle que l'on joue dans les casinos. Quand un joueur veut scinder une Paire pour en faire le point de départ de deux mains différentes, il retourne les deux cartes. Au moment de la prise de cartes, le croupier commence par déposer une carte couverte sur la carte située sur la droite du joueur. Ce dernier est tenu de jouer d'abord cette main. En d'autres termes, on procède à la prise de cartes pour cette seule main. Le joueur peut demander autant de cartes qu'il le désire. Quand il s'arrête, on passe au règlement de comptes pour cette main. Puis le joueur joue sa deuxième main : le croupier dépose d'abord une carte couverte sur la carte retournée. Suit la prise de cartes. Enfin, on règle les comptes pour cette deuxième main.

Si la carte couverte déposée sur la carte retournée forme une nouvelle Paire, le joueur a le droit de la scinder. Si, par exemple, le joueur a reçu au départ deux Dames et si, après les avoir séparées, il reçoit une nouvelle Dame couverte sur une Dame retournée, il peut les séparer, elles aussi, pour en faire le point de départ de deux nouvelles mains.

Un joueur doit jouer chacune des mains qu'il a scindées indépendamment des autres, en commençant par celle qui est à sa droite et en allant vers celle qui est à sa gauche.

Un joueur qui a scindé une Paire d'As n'a droit qu'à une seule carte par As lors de la prise de cartes, soit deux cartes en tout et pour tout. Autrement dit, après que les deux As auront été retournés, le croupier couvrira chacun et le joueur devra jouer chacune de ses mains telle quelle sans avoir la possibilité de l'améliorer en demandant d'autres cartes.

Si un joueur scinde une Paire de 10, de figures ou d'As et que, ce faisant, une main de deux cartes donne un total de vingt et un, ce n'est pas une naturelle et le joueur ne reçoit du croupier qu'une fois sa mise.

L'assurance : le croupier, on le sait, se donne au premier tour une carte retournée. Si c'est un As, il offre aux joueurs la possibilité de s'assurer contre un Black Jack (contre une naturelle). Pour s'assurer, les joueurs n'ont qu'à déposer devant eux une prime égale à la moitié de leur mise. Si le croupier déclare un Black Jack en tirant un 10 ou une figure, il empoche les mises des joueurs mais leur paie deux fois leur prime d'assurance. Ainsi les joueurs assurés ne perdent rien. Si le croupier ne déclare pas un Black Jack, il encaisse les primes d'assurance et le jeu suit son cours normal.

Le double : après avoir regardé leurs deux premières cartes, les joueurs peuvent doubler leur mise. S'ils le font, ils ne recevront du croupier qu'une seule carte couverte. Il leur est interdit de regarder cette carte. Le croupier la retourne après avoir réglé ses comptes avec tous les autres joueurs.

◻ ◻ ◻

Le Vingt-et-un avec banquier temporaire

Cette version est celle qu'on joue habituellement en famille. Elle permet à tous les joueurs de jouer le rôle de banquier à un moment ou l'autre de la partie. À quelques différences près, le jeu reste le même. Ainsi tout ce que nous avons dit, plus haut, au chapitre des rudiments, sur le choix du premier banquier, sur la limitation des paris, sur les paris eux-mêmes et sur le règlement des comptes s'applique intégralement.

Nombre de joueurs : de deux à quatorze.

Les cartes :

matériel requis : un paquet conventionnel plus un Fou.

ordre : l'ordre des cartes n'a pas d'importance, étant donné qu'il n'est pas question ici de faire des levées.

valeur : l'As vaut un ou onze, au choix de son détenteur; le Roi, la Dame, le Valet et le 10 valent dix chacun et les autres cartes conservent leur valeur nominale. Le Fou ne vaut rien et, de toute façon, ne sert pas de carte à jouer, mais de point de repère au banquier.

Le jeu :

type : individuel.

but : avoir une main qui totalise vingt et un ou un total plus élevé que celui du banquier, sans dépasser vingt et un. Une main de deux cartes (As + figure) dont le total donne vingt et un s'appelle une naturelle. Un joueur qui a une main naturelle, quand le donneur n'en a pas, reçoit deux fois sa mise du banquier (donneur). S'il a misé un dollar, le banquier lui en verse deux.

règles :

la distribution : tout joueur a le droit de battre les cartes, mais le donneur (banquier) garde le privilège d'être le dernier à le faire. Puis il met le paquet au centre de la table pour le faire couper. N'importe qui peut demander à le couper. Si plus d'un joueur demande à faire la coupe, on ne peut les empêcher de le faire. Après la coupe, le paquet est déposé sur le Fou retourné qui est resté sur la table devant le donneur. Cette carte retournée sert de point de repère dans le paquet. Lorsque le donneur arrive au Fou pendant la donne, cela lui indique qu'il doit mêler le paquet et le faire couper de nouveau avant de continuer la distribution.

Quand tous les joueurs ont déposé leur mise devant eux, le donneur donne une première carte couverte à chacun. Rendu à son tour, il retourne la carte. Ensuite, il continue la distribution en donnant à tous les joueurs une seconde carte retournée. Finalement, il dépose devant lui une carte couverte. À chaque tour de table, le donneur inverse donc la façon de se donner les cartes par rapport à celle de les donner aux autres joueurs.

le déroulement : pour le déroulement du jeu, on suit les règles du Vingt-et-un avec banquier permanent, sauf pour ce qui suit.

Quand le donneur en a fini avec un joueur, il passe au suivant. Il procède en suivant le sens des aiguilles d'une montre, jusqu'à ce que tous les joueurs aient joué leur main.

Vient finalement le tour du donneur. Si tous les joueurs ont crevé, le donneur enterre tout simplement ses cartes. S'il y a encore un ou plusieurs joueurs dans la course, le donneur joue sa main.

Il retourne alors sa carte couverte et annonce :«J'arrête» ou «Prise de cartes». Aucun règlement, contrairement au Vingt-et-un avec banquier permanent, n'oblige un banquier temporaire à s'arrêter ou à prendre des cartes jusqu'à ce qu'il atteigne un total donné.

Tout joueur qui a une Paire peut la scinder pour faire de chaque carte le point de départ d'une nouvelle main.

Fin du coup : le coup prend fin quand le donneur s'arrête. Pour le règlement des comptes, on suit les règles du Vingt-et-un avec banquier permanent.

Changer de banquier : il existe deux méthodes différentes de changer de banquier au cours d'une partie de Vingt-et-un jouée en famille ou entre amis. Il est important que tous les joueurs rassemblés autour de la table s'entendent sur la façon de faire passer la banque et la donne de l'un à l'autre.

1- La banque passe à tout joueur qui détient une naturelle à condition que le donneur n'ait pas lui-même une naturelle. Quand tous les comptes sont réglés, ce joueur devient donc le nouveau donneur. Si deux joueurs ont une naturelle, c'est celui qui est assis le plus près du banquier, à sa gauche, qui hérite de la banque. Si ce joueur refuse la banque, elle revient de droit à l'autre joueur. Si tous les joueurs qui détenaient une naturelle refusent la charge de banquier, la banque reste en possession du donneur actuel. Si celui-ci refuse de continuer à donner, la banque passe à l'aîné, c'est-à-dire à la personne assise immédiatement à sa gauche. Si tous les joueurs se désintéressent de la banque, on procède au choix d'un nouveau banquier en suivant la procédure expliquée plus haut. Un banquier a toujours le privilège de vendre la banque au plus offrant.

2- Cette façon de faire circuler la banque empêche un joueur de la monopoliser pendant plusieurs donnes tout simplement parce qu'il a été chanceux.

a) On choisit le premier banquier en suivant la procédure expliquée plus haut. Ce banquier donne les cartes pendant cinq donnes consécutives.

b) À la sixième donne, la banque passe à l'aîné, qui joue contre tous les autres joueurs pendant cinq donnes. À la onzième donne, la personne assise à la gauche du dernier donneur hérite de la banque.

c) On aura compris qu'en adoptant cette méthode, la banque ne revient plus automatiquement au joueur qui détient une naturelle, même si ce joueur a droit de recevoir du banquier deux fois sa mise.

Irrégularités :

1- Si le donneur n'enterre pas une carte, il doit sur demande mêler le reste du paquet.

2- Si le donneur oublie de donner une carte à un joueur au premier tour de donne, il doit, sur demande, lui en donner une : pour cela, il prend la carte sur le dessus du paquet. Si on avertit le donneur qu'il a fait une erreur alors qu'il a commencé le second tour de table, le joueur qui n'a pas de carte ne joue pas ce coup.

3- Si le donneur retourne la première carte d'un joueur, il doit lui donner la suivante couverte. Si le donneur ne le fait pas, le joueur a le droit de récupérer sa mise et de se retirer du jeu pour ce coup.

4- Tout joueur qui s'est arrêté doit montrer sa carte couverte dès que le donneur s'arrête ou crève. Si on s'aperçoit à ce moment-là que le total de ce joueur dépasse vingt et un, sans qu'il l'ait déclaré, il paie le double de sa mise au donneur même si ce dernier a lui-même crevé.

5- Si, au premier tour de table, le donneur donne deux cartes à un joueur, ce dernier a le droit de choisir celle qu'il veut garder tout en écartant l'autre. Il peut aussi garder les deux cartes et jouer deux mains en misant sur chacune. Il lui est absolument interdit de jouer les deux cartes comme si elles formaient une seule et même main.

6- Si c'est au second tour que le donneur donne deux cartes à un joueur, ce dernier a le droit de choisir celle qu'il veut garder tout en écartant l'autre.

7- S'il y a une carte retournée dans le paquet, le joueur à qui elle revient a le choix de l'accepter ou de la refuser.

8- Si le donneur donne une carte à un joueur alors qu'il ne l'a pas demandée, ce joueur a le choix de la garder ou de la refuser. S'il la refuse, la carte devient un écart et le donneur l'enterre sous le talon. Le joueur suivant n'a pas le droit de la réclamer.

Variante :

Cette variante du Vingt-et-un avec banquier temporaire se joue, comme nombre de variantes aux cartes, sur des changements de détails.

Au lieu de se servir du Fou comme point de repère dans le talon, le donneur, après avoir fait couper le paquet, en retourne la première carte sur le dessus, la montre à tous les joueurs et la dépose sur la table. Finalement, il dépose le talon sur cette carte. La carte est dite brûlée. Quand le donneur atteint la carte brûlée pendant la donne, il mêle de nouveau les cartes et les fait couper de nouveau.

Au premier tour de table, le donneur donne à tous les joueurs, y compris lui-même, une carte couverte. Ce n'est qu'après avoir regardé sa carte que chaque joueur fait sa mise, qui doit respecter les limites fixées par le banquier. Quand tous les joueurs ont parié, sauf lui-même, le donneur peut exiger que tous les paris soient doublés. Dès lors, n'importe qui a le droit de **redoubler** l'exigence du donneur. Par exemple, Olivier a misé trois jetons et le donneur exige qu'on double chaque mise. Olivier devrait donc ajouter trois autres jetons à sa mise pour la porter à six. Mais il décide de redoubler l'exigence du donneur et c'est neuf jetons qu'il ajoute à sa mise, pour la porter à douze.

mise de départ :	3
il double :	+ 3
il redouble :	+ 6
total	12

Au deuxième tour de table, le donneur donne à tous, y compris à lui-même, une carte retournée.

Si le donneur détient une naturelle, chaque joueur lui paie le double de sa mise, sauf le joueur qui détient également une naturelle. Celui-ci ne donne au donneur que sa mise simple. Si un joueur a une naturelle, sans que le donneur en ait une, ce dernier lui verse le double de sa mise.

Pour la prise de cartes, on suit la procédure expliquée plus haut.

Les primes : lorsqu'un joueur détient certaines combinaisons, le donneur doit lui payer une prime. De plus, ce joueur ne peut, en aucune circonstance, perdre sa mise, même si le total du donneur est supérieur au sien. Voici les combinaisons payantes.

1- Un joueur qui détient cinq cartes dont le total est égal ou inférieur à vingt et un reçoit du donneur deux fois sa mise. Un joueur qui détient six cartes dont le total est égal ou inférieur à vingt et un reçoit du donneur quatre fois sa mise. On continue ainsi en doublant le montant payé par le donneur à chaque carte qui s'ajoute (huit fois la mise pour sept cartes).

2- Un joueur qui totalise vingt et un avec trois 7 reçoit trois fois sa mise.

3- Un joueur qui totalise vingt et un avec un 8, un 7 et un 6 reçoit deux fois sa mise du donneur.

4- Ces combinaisons ne rapportent rien au donneur. S'il arrive qu'il en détienne une et qu'il gagne, il ne reçoit que la mise de chaque joueur. D'ailleurs, quand le donneur détient cinq cartes ou plus dont le total est égal ou inférieur à vingt et un, il ne gagne pas automatiquement le coup.

Le Whist

L'histoire du Whist, jeu créé en Angleterre, remonte au début du 17e siècle. Par la suite, il a donné naissance au Bridge vers 1896, au Bridge aux enchères vers 1904 et, enfin, au Bridge contrat en 1927.

Nombre de joueurs : quatre.

Les cartes :

matériel requis : un paquet conventionnel. Il est préférable d'utiliser deux paquets ayant des dos contrastants par le motif ou la couleur. Ainsi, pendant que le donneur distribue les cartes d'un paquet, son partenaire ramasse les cartes de l'autre paquet, les bat et les dépose à sa droite pour la donne suivante.

ordre : l'ordre décroissant habituel pour le jeu : l'As est la carte la plus forte, suivie du Roi, de la Dame, et ainsi de suite, jusqu'au 2. Par contre, pour le tirage au sort des partenaires et du premier donneur, l'As est la carte la plus faible et le Roi, la plus forte.

valeur : ce ne sont pas les cartes qui ont de la valeur, mais les levées.

Le jeu :

type : d'équipe. Il existe deux façons de procéder au choix des partenaires par tirage au sort : ou bien les joueurs coupent un paquet de cartes ou bien ils en pigent une d'un paquet étalé en éventail sur la table. Tous les joueurs doivent couper ou tirer une carte du **même** paquet. Si, en coupant le paquet ou en tirant une carte, un joueur fait voir plus d'une carte, il reprend sa coupe ou son tirage.

Les joueurs qui ont les cartes les plus fortes jouent contre ceux qui ont les cartes les plus faibles. Le joueur qui détient la carte la plus basse choisit les cartes et les place autour de la table. Il est également le premier à donner les cartes.

Si deux joueurs coupent ou tirent des cartes de même valeur, ils reprennent le tirage au sort. Celui qui sort la carte la plus faible de ce nouveau tirage, joue avec celui qui avait la plus basse lors du premier tirage.

Si trois joueurs coupent ou tirent des cartes de même valeur, ils reprennent le tirage au sort. Il existe alors deux possibilités : soit le quatrième joueur a tiré une carte plus forte que la leur lors du premier tirage, soit il a tiré une carte plus faible. Dans le premier cas, les deux joueurs qui détiennent les cartes les plus faibles après le nouveau tirage au sort forment équipe, et la plus faible des deux désigne le premier donneur. Dans le deuxième cas, le quatrième joueur devient le premier donneur, et les deux joueurs qui détiennent les cartes les plus fortes après le deuxième tirage au sort jouent ensemble.

but : faire des points en faisant le maximum de levées.

règles :

la distribution : tout joueur a le privilège de battre les cartes mais le donneur est le dernier à le faire. Il est interdit de mêler les cartes de manière à les montrer aux autres joueurs. Quand les cartes sont suffisamment battues, le donneur dépose le paquet près de la personne assise à sa droite pour le faire couper. Celle-ci prend un tas dans la partie supérieure du paquet et le dépose à sa gauche, sur la table, près du donneur. Il doit y avoir au moins quatre cartes dans chacun des tas. Le donneur reforme le paquet en plaçant le tas laissé sur la table par le coupeur sur celui qu'il a déplacé. Puis il distribue toutes les cartes une à une, face couverte, en commençant par l'aîné et en suivant le sens des aiguilles d'une montre. Arrivé à la dernière carte du paquet, il la retourne et la dépose sur la table devant lui. La Couleur de cette carte détermine l'atout. À la fin de la première levée, le donneur prend cette carte et l'ajoute à sa main avant de jouer. Dès lors, les autres joueurs ne peuvent plus en demander la valeur, mais seulement la Couleur.

Il existe deux conventions pour déterminer la succession des donneurs. Selon la première, le joueur qui fait la première levée d'un coup donne les cartes au coup suivant; selon la seconde, c'est toujours l'aîné d'un donneur, c'est-à-dire le joueur assis à sa gauche, qui donne au tour suivant. Autrement dit, à partir du premier donneur, la donne suit le sens des aiguilles d'une montre : ainsi chaque joueur a l'occasion de donner à son tour.

le déroulement : l'aîné commence en jouant n'importe quelle carte de sa main. On joue ensuite à tour de rôle, en suivant le sens des aiguilles d'une montre. Il y a obligation pour les joueurs de suivre, si possible, la Couleur d'entame, c'est-à-dire de retourner une carte de la Couleur demandée par le premier joueur. Un joueur qui n'a pas de cartes de la Couleur d'entame a le choix suivant : ou bien il écarte en jouant une carte de n'importe quelle Couleur, ou bien il coupe en jouant une carte de la Couleur d'atout. La levée est remportée par le joueur qui a joué la carte la plus forte dans la Couleur d'entame ou par le joueur qui a coupé. Si deux joueurs coupent la Couleur d'entame, c'est celui qui a retourné la carte la plus forte qui prend la levée. Le partenaire qui fait la première levée ramasse toutes les levées de son équipe.

C'est le gagnant d'une levée qui entame la levée suivante.

Fin d'un coup : le coup prend fin quand les joueurs ont joué leurs treize cartes. Chaque équipe compte alors ses levées et celle qui en a plus de **six** enregistre ses points.

Pointage : les six premières levées faites par une équipe s'appellent le Devoir et ne rapportent pas de points. Mais si une équipe a fait plus de six levées, elle enregistre un point par levée supplémentaire appelée trick.

Ainsi, l'équipe A a fait neuf levées au premier coup, tandis que l'équipe B en a fait quatre. L'équipe A marque donc trois points. Comme il n'y a que treize levées possibles par donne et que les tricks ne commencent qu'avec la septième, une seule équipe peut marquer des points de tricks à la fin de chaque donne.

Fin de la partie : la partie prend fin quand l'une des équipes cumule sept points. On détermine la valeur réelle de la victoire en soustrayant les points des perdants des points des vainqueurs. Si l'équipe A finit avec huit points et l'équipe B avec cinq, A l'emporte par trois points.

Variantes :

Certaines variantes jouées en Europe sont intéressantes parce qu'elles allongent la période de jeu.

1- **La partie simple 1 :** elle se compose de deux manches de dix points chacune. Chaque trick (chaque levée après les six premières qui forment le Devoir) vaut deux points. Les Européens ajoutent les points d'Honneurs : une équipe qui détient trois ou quatre Honneurs (As, Roi, Dame, Valet) de la Couleur d'atout a droit aux points d'honneurs. Si une équipe détient trois Honneurs, elle marque deux points et elle en marque quatre si elle détient les quatre Honneurs.

Habituellement, on marque les points d'Honneurs après les levées. Mais il est un cas où on les enregistre avant de jouer le coup. Pour cela, il faut remplir trois conditions.

1- Au début du coup, une équipe a huit points sur la manche en cours.

2- Un des joueurs de cette équipe a deux Honneurs d'atout. Il dit alors : «Je chante» ou «J'appelle».

3- Son partenaire a un troisième Honneur.

Cette équipe atteint donc automatiquement les dix points nécessaires pour mettre fin à la manche. Il devient superflu de jouer le coup.

Par contre, si cette équipe a neuf points au lieu de huit, on ne compte pas les Honneurs avant de jouer le coup.

2- **La partie simple 2 :** elle se compose de deux ou trois robres ou robs. Pour réussir un robre, une équipe doit gagner deux manches. Quand une équipe gagne deux manches de suite, on a un grand robre. Quand il faut jouer trois manches avant qu'une équipe n'en gagne deux, on a un petit robre. On fixe avant le début de la partie la valeur d'une manche. Habituellement, une manche se joue en dix points, mais on peut aussi la jouer en cinq points. Quand on la joue en dix points, chaque trick vaut deux points. Quand on la joue en cinq points, chaque trick vaut un point et, en général, on supprime le chelem. On compte aussi les points d'Honneurs.

3- **La partie générale :** elle est formée de trois parties simples. Un joueur change de partenaire à chaque partie, de sorte qu'à la fin de la partie générale, chacun a joué avec chacun des trois autres joueurs. Pour faire ce changement de partenaires, il suffit de procéder à une rotation des places en demandant aux joueurs, sauf au premier donneur, d'occuper le siège situé à leur gauche.

Illustration : supposons que Pierre soit le premier donneur de la soirée. Pour la deuxième partie, il garde sa place, mais Jean, Jacques et Paul vont occuper le siège qui est libre à leur gauche.

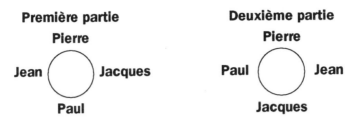

Première partie

Pierre

Jean ( ) Jacques

Paul

Deuxième partie

Pierre

Paul ( ) Jean

Jacques

Dans l'une ou l'autre de ces variantes, les gains d'une équipe sont incarnés par des fiches. On fixe au début de la partie la valeur des fiches. Les gagnants d'une manche encaissent chacun le nombre de fiches suivant :

1- une fiche si l'équipe adverse a cinq points ou plus;

2- deux fiches si elle a entre un et cinq points;

3- trois fiches si elle n'a aucun point.

Les gagnants d'une partie à dix points la manche encaissent quatre fiches supplémentaires et ils encaissent deux fiches s'ils jouaient une partie à cinq points la manche.

Irrégularités

1- *nouvelle donne :* dans les cas suivants, le même donneur doit faire une nouvelle distribution.

a) S'il retourne une carte pendant la donne, sauf la dernière du paquet.

b) Si on s'aperçoit pendant la donne ou le coup que le paquet est imparfait ou non réglementaire. Toutefois, tous les points marqués avant ce coup sont valides.

c) Si un joueur donne alors que ce n'est pas son tour ou s'il donne avec le paquet de l'équipe adverse. On peut arrêter la donne tant que le donneur n'a pas retourné la carte d'atout. Après, c'est trop tard, la donne est valable et le changement de paquets reste tel quel pour le reste de la partie.

2- *maldonne :* lorsqu'il y a maldonne, le donneur perd son tour et la donne passe à la personne assise à sa gauche, sauf si un de ses adversaires a touché une carte ou interrompu d'une manière quelconque le donneur. Il y a maldonne dans les cas suivants.

a) Si on s'aperçoit, avant que la carte d'atout n'ait été retournée et avant que quiconque ait regardé ses cartes, que le donneur n'a pas fait couper le paquet.

b) Si le donneur a donné une carte de façon non réglementaire et s'il ne corrige pas son erreur avant de distribuer la carte suivante.

c) Si le donneur regarde la dernière carte du paquet, la carte d'atout, avant d'avoir fini la distribution.

d) Si on s'aperçoit, avant que tous les joueurs aient joué pour la première levée, que le donneur n'a pas donné à un joueur les treize cartes réglementaires bien que le paquet soit parfait.

e) Si le donneur dépose la carte d'atout, face couverte, sur ses cartes ou sur les cartes d'un autre joueur.

3- *main non réglementaire :* si on s'aperçoit, après que les joueurs ont joué pour la première levée, que :

a) le paquet est complet;

b) un joueur a plus ou moins de cartes que le nombre réglementaire;

c) les membres de l'équipe adverse ont leurs treize cartes réglementaires.

Si ces trois conditions sont réunies, les joueurs de l'équipe adverse ont le droit en tout temps de se consulter dès que l'irrégularité est connue. Ils font face alors à l'alternative suivante : ou bien ils exigent une nouvelle donne ou bien ils exigent qu'on joue le coup avec les mains telles que distribuées. Dans ce cas, on ne tient pas compte des cartes qui manquent ou qui ont été données en trop.

S'il arrive qu'un des membres de l'équipe adverse ait aussi plus ou moins de cartes que le nombre réglementaire, on passe automatiquement à une nouvelle donne.

Si un joueur se retrouve avec une carte en trop parce qu'il n'a pas fourni à une levée, l'équipe adverse peut se consulter et prendre une décision seulement lorsqu'il aura joué pour la levée qui suit celle où il a commis son erreur. Autrement dit, si Pierre a oublié de fournir à la première levée, les joueurs de l'équipe adverse doivent attendre qu'il ait joué pour la seconde levée avant de pouvoir exiger quoi que ce soit.

Pénalités :

1- *cartes pénalisées :* certaines cartes peuvent être pénalisées. La pénalité donne à l'équipe adverse le droit d'exiger que cette carte soit jouée quand bon lui semble : autrement dit, une carte pénalisée doit être jouée sur demande. Une carte est pénalisée dans les cas suivants.

a) Toute carte retournée sur la table en dehors des circonstances normales de la partie.

b) Toute carte retournée sur la table par inadvertance en même temps que la carte d'entame ou une carte jouée normalement. Le joueur doit alors dire quelle carte il désirait jouer. L'autre carte est pénalisée.

c) Toute carte tenue par un joueur de telle sorte que son partenaire puisse en voir la valeur, en tout ou en partie. Si c'est la main entière qui est montrée, toutes les cartes du joueur sont pénalisées.

d) Toute carte nommée par un joueur, s'il la détient.

Une carte qui fait l'objet d'une pénalité doit être déposée retournée sur la table. En tout temps, un joueur de l'équipe adverse peut demander à celui ou celle qui détient une carte pénalisée de la jouer. Cette personne est tenue de satisfaire à la demande, pourvu qu'elle puisse le faire sans renoncer à suivre. Lorsqu'un joueur détient une carte pénalisée, il lui est interdit de jouer tant que l'équipe adverse ne lui a pas dit si elle désire qu'il joue cette carte ou non. S'il joue une autre carte sans attendre la décision de l'équipe adverse, la carte jouée est automatiquement pénalisée.

Tant qu'une carte pénalisée est sur la table, on peut répéter la demande. Toutefois, personne ne peut empêcher un joueur d'utiliser une carte pénalisée pour entamer ou pour jouer. Dès qu'une telle carte est jouée, la pénalité disparaît.

Si un joueur entame une levée en sachant que sa carte est la plus forte, l'As d'atout par exemple, et s'il entame aussitôt une nouvelle levée sans attendre que son partenaire ait fourni pour la première, il a le droit de ramasser sa première levée, mais la carte qu'il a jouée prématurément est pénalisée. Autrement dit, cela revient à montrer illégalement à son partenaire une carte de sa main, tel que mentionné en c).

2- *entame prématurée :* si un joueur entame une levée avant son tour, la prochaine fois que son partenaire ou lui-même attaquera une levée, l'équipe adverse aura le privilège de choisir la Couleur de l'entame. Le privilège de choisir revient à l'adversaire assis à la droite du joueur pris en défaut.

Si le joueur qui se voit imposer une Couleur d'entame n'en a pas, ou si tous les joueurs ont joué après l'entame illégale, la pénalité ne s'applique pas. Si un joueur n'a pas encore joué sur une entame illégale tandis que les autres l'ont fait, les cartes jouées ne sont pas pénalisées et les joueurs qui ont déjà joué reprennent leur carte.

3- *jeu prématuré :* si le troisième joueur joue avant le deuxième, le quatrième peut aussi jouer avant le deuxième.

Si le quatrième joueur joue avant le deuxième, sans que le troisième ait joué, ce dernier peut exiger du deuxième qu'il joue sa carte la plus forte ou la plus basse de la Couleur d'entame. S'il n'a pas de carte de la Couleur demandée, on peut exiger soit qu'il joue atout, soit qu'il ne joue pas atout.

Abandon des mains : si les quatre joueurs déposent en même temps leur main sur la table, face retournée, on ne peut plus jouer ce coup. On établit alors le résultat du coup tel qu'il est concédé ou réclamé. Toutefois, la pénalité de renonce s'applique si on s'aperçoit qu'il y a renonce.

Renonce : une renonce est faite par erreur lorsqu'un joueur qui possède une carte de la Couleur d'entame joue une carte d'une autre Couleur. On dit qu'alors il ne suit pas. Un joueur peut corriger une renonce avant que la levée dont elle fait partie ne soit ramassée, sauf dans les cas suivants.

a) Son partenaire ou lui-même a entamé ou joué sur la levée suivante.

b) Son partenaire lui a demandé s'il avait une carte de la Couleur d'entame. Autrement dit, le partenaire d'un joueur qui fait une renonce n'a pas le droit de l'aider à la corriger.

Si un joueur évite la renonce en corrigeant son erreur à temps, la carte jouée mal à propos est pénalisée. Chaque joueur qui a joué après lui retire sa carte, qui n'est pas pénalisée.

Quand un joueur fait une renonce sans la corriger, son équipe perd deux levées au profit de l'équipe adverse. Cette pénalité s'applique autant de fois qu'il y a de renonces pendant un coup. De plus, l'équipe qui fait une renonce pendant un coup ne peut gagner ce coup. Si les deux équipes font des renonces pendant un coup, aucune ne gagne : le coup est annulé.

Le joueur qui a fait une renonce et son partenaire ont le droit d'exiger qu'on termine le coup pendant lequel la renonce est survenue. Ils ont également le droit de compter tous leurs points jusqu'à concurrence de six. En d'autres termes, même si, comme on l'a déjà dit, l'équipe perd automatique le coup, elle a le droit de perdre en laissant l'équipe adverse ne faire qu'un seul point.

Si, à la fin d'un coup, un joueur prétend qu'il y a eu renonce, on examine toutes les levées. Si les levées ont été mélangées, il est possible de déclarer la renonce mais on doit, si possible, prouver qu'elle a vraiment été faite. Cependant, une renonce est automatiquement reconnue, c'est-à-dire qu'il n'est pas nécessaire de la prouver, si, à la suite d'une déclaration de renonce, le joueur accusé ou son partenaire mêle les cartes avant que l'équipe adverse ait pu examiner leurs levées à sa satisfaction.

Il est permis de déclarer une renonce en tout temps avant que les cartes soient présentées à couper pour la donne suivante. Après la coupe, il est trop tard pour le faire. Il est toutefois difficile de prouver qu'il y a eu renonce quand les cartes ont été ramassées ou mêlées.

Quelques règles supplémentaires :

1- Un joueur n'a pas le droit d'attirer l'attention de son partenaire, avant qu'il n'ait joué, sur la levée en cours ou sur le pointage. S'il le fait, l'équipe adverse, par la voix de celui qui joue le dernier sur cette levée, a le droit d'exiger que le partenaire du coupable joue soit sa carte la plus forte soit sa carte la plus faible de la Couleur d'entame. Si le partenaire du coupable n'a pas de Couleur d'entame, on peut exiger qu'il joue atout ou qu'il écarte n'importe quelle autre Couleur.

2- Il est interdit de faire une déclaration comme les suivantes : «Je peux ramasser toutes les levées qui restent» ou «Le reste est à nous». Dès qu'un joueur fait une déclaration laissant entendre que lui ou son équipe peut ramasser toutes les levées qui restent, les cartes de son partenaire sont automatiquement pénalisées et ce dernier est tenu de les déposer retournées sur la table.

3- Il est interdit de regarder les cartes d'une levée après qu'elles ont été ramassées et couvertes. L'équipe qui le fait devient passible de la pénalité imposée pour une entame prématurée : la prochaine fois qu'un des joueurs de l'équipe coupable entamera une levée, l'équipe adverse aura le privilège de choisir la Couleur d'entame. C'est l'adversaire assis à la droite du joueur pris en défaut qui aura le privilège de choisir.

4- Quand on exige d'un joueur :

   a) qu'il joue sa carte la plus forte de la Couleur d'entame;

   b) qu'il joue sa carte la plus faible de la Couleur d'entame;

   c) qu'il joue atout;

   d) qu'il joue une carte de n'importe quelle autre Couleur;

   e) qu'il entame une levée avec une Couleur donnée;

si ce joueur ne se conforme pas à la demande, il est passible de la pénalité imposée au joueur qui a fait une renonce.

5- Chaque fois qu'un joueur est passible d'une pénalité, il doit attendre la décision de ses adversaires. Dès que le joueur qui a l'autorité de le faire réclame l'application de la pénalité, même s'il le fait sans le consentement de son partenaire, sa décision est finale. Toutefois, si le joueur qui réclame la pénalité n'a pas l'autorité de le faire (cf. l'entame prématurée et l'interdiction de regarder une levée) ou si on exige l'application de la mauvaise pénalité, cette dernière disparaît.

Lexique des cartes

Aîné : le joueur qui prend place à la gauche du donneur à la table de jeu. Dans la plupart des jeux, l'aîné change à chaque coup ou chaque donne dans la mesure où le donneur change.

Atout : Couleur déterminée soit par la retourne, soit par une autre convention et qui l'emporte sur les trois autres Couleurs. La Couleur d'atout permet à un joueur, pendant la durée d'un coup, de couper c'est-à-dire de prendre les cartes de n'importe quelle autre Couleur.

Banque (tenir la) : au Poker et au Vingt-et-un, jouer contre tous les autres joueurs.

Banquier : le joueur qui tient la Banque et joue contre tous les autres.

Battre : mêler les cartes. La plupart des jeux exigent que le paquet de cartes soit battu après chaque coup.

Blanche : le Fou qui n'est pas coloré. Les paquets de cartes actuellement vendus dans le commerce ont souvent deux Fous identiques en couleurs. Si les règlements d'un jeu précisent que la Blanche est plus forte que le Fou en couleurs, il faut marquer la face du Fou choisi pour remplir le rôle de la Blanche. Dans certains jeux, les deux cartes ne sont pas parfaitement identiques, il suffit alors aux joueurs de s'entendre pour déterminer la Blanche.

Brelan : ensemble de trois cartes de même valeur. Par exemple, trois 6 ou trois Dames. Certains joueurs disent un Trio. On nomme le Brelan d'après soit la valeur, soit la dénomination des cartes qui le composent : un Brelan de 6 ou un Brelan de Dames.

Brisque : l'As et le 10 au jeu de Bésigue.

Cagnotte : boîte ou corbeille dans laquelle des joueurs déposent l'argent qu'ils sont convenus de payer au gagnant d'un coup, d'une manche ou d'une partie. Synonymes : cave, poule, pot.

Capot : le joueur qui n'a pas fait de levées.

Carré : ensemble de quatre cartes de même valeur. Par exemple, quatre 6 ou quatre Dames. Un Carré de 6 ou un Carré de Dames. On dit aussi Brelan carré.

Contrat : objectif à réaliser. Dans certains jeux, au Trio par exemple, ce sont les règlements qui déterminent les différents contrats. Pour réussir le premier contrat stipulé par le Trio, un joueur doit étaler deux Brelans. Dans d'autres jeux, le Cinq-Cents pour n'en citer qu'un, les joueurs choisissent eux-mêmes l'objectif à réaliser pendant le coup. Réussir son contrat signifie, dans ce dernier cas, faire le nombre de levées annoncées au début du coup.

Couleur : aux cartes, ce terme recouvre deux réalités. D'une part, il désigne les quatre symboles : pique, cœur, carreau et trèfle. Jouer la Couleur demandée, c'est jouer pique si l'entame de la levée est pique. Quand le terme couleur désigne l'un des symboles, il s'écrit avec une majuscule. D'autre part, ce terme désigne la couleur rouge et la couleur noire. Dans ce cas, il s'écrit avec une minuscule.

Coup : partie d'une manche. Le nombre de tours de table nécessaires pour faire un coup correspond au nombre de cartes que les joueurs ont en main. Synonyme de donne.

Coupe : action de couper le paquet de cartes. Résultat de cette action. Sur la façon de couper un paquet de cartes, voir les Conventions générales.

Couper : ce terme a deux significations : 1- diviser le paquet de cartes en deux tas, en déplaçant la partie supérieure et en rabattant la partie inférieure sur la partie supérieure; 2- jouer une carte d'atout au lieu de fournir.

Coupeur : le joueur qui coupe le paquet de cartes juste avant la donne.

Couverte, carte : l'expression «carte couverte» renvoie à la façon dont la carte est déposée sur la table soit lors de la distribution ou pendant le jeu lui-même. Une carte est couverte quand tous les joueurs assis autour de la table ne peuvent en voir la face. Il leur est donc impossible d'en connaître la valeur. C'est la façon la plus courante de distribuer les cartes : le donneur les passe en cachant la face de manière à ce que personne ne voie la main que chaque joueur reçoit. «Carte muette» et «carte invisible» sont des synonymes de carte couverte.

Défausses, pile de : c'est le paquet de cartes sans valeur ou dangereuses, rejetées par les joueurs.

Donne : distribution des cartes. La donne commence avec la coupe et finit quand la dernière carte a été régulièrement distribuée.

Donneur : le joueur qui distribue les cartes.

Écart : une carte qu'un joueur a rejetée de sa main en la plaçant sur la pile de défausses. Action de rejeter une carte de sa main sur la pile de défausses. Faire un écart.

Écarter : rejeter une carte de sa main en la plaçant sur la pile de défausses. Synonyme de défausser.

Enjeu : nombre de jetons qu'un joueur met en jeu, c'est-à-dire qu'il parie ou qu'il mise.

Entame : première carte ouverte par un joueur lors d'une levée.

Entamer : commencer une levée, une manche ou une partie de cartes, en ouvrant une carte de sa main. J'entame la levée avec le 10 de pique.

Étaler : poser une ou plusieurs cartes retournées sur la table de sorte que chacun puisse en voir la valeur. Dans plusieurs jeux, on entame une levée en étalant une carte de sa main sur la table.

Fiche : bâtonnet qui sert à marquer les points au Cribbage. Il en faut deux pour chaque joueur ou chaque équipe.

Figure : carte qui représente un personnage, les Rois, les Dames et les Valets.

Forcer : jouer une carte plus forte que la précédente.

Fou : carte passe-partout, dont la valeur est fixée par son détenteur.

Fournir : jouer une carte de la Couleur demandée. Synonyme de suivre.

Imparfait, paquet : un paquet est imparfait quand il y manque une ou plusieurs cartes, ou quand il comprend des cartes qui lui sont étrangères, ou quand l'une de ses cartes est soit déchirée soit marquée de sorte qu'on peut l'identifier en en voyant le dos.

Jeton : petite pièce en plastique de couleur qui ressemble à une pièce de monnaie. À chaque couleur correspond une valeur. Dans les jeux de paris, les joueurs misent des jetons pendant la partie et paient le vainqueur en argent à la fin de la partie.

Levée : ensemble des cartes qu'un joueur ramasse à la fin d'un coup.

Main : ensemble des cartes détenues par un joueur et dont il dispose pour jouer un coup.

Maldonne : erreur dans la distribution des cartes. Certaines erreurs sont communes à l'ensemble des jeux de cartes, d'autres sont particulières à certains jeux.

Manche : une des étapes à franchir pour gagner une partie. Une partie se joue habituellement en deux manches gagnantes, c'est donc dire qu'il faut parfois jouer trois manches pour désigner l'équipe gagnante. Une manche comprend souvent plusieurs coups.

Marqueur : personne chargée de marquer les points pendant la partie.

Mise : synonyme d'enjeu.

Mort : main déposée couverte ou retournée sur la table et qui n'appartient à personne. Souvent, l'un ou l'autre joueur a le droit d'échanger sa main contre le mort.

Ordre décroissant habituel : c'est l'ordre qui établit la prédominance des cartes en commençant par la plus forte, l'As. Suivent, par ordre de valeur diminuant progressivement, le Roi, la Dame, le Valet, les 10, 9, 8, 7, 6, 5, 4, 3 et 2.

Paire : deux cartes de même valeur.

Parole : au Poker, renoncer à parler à son tour, mais rester dans le jeu.

Partie : ensemble de deux manches gagnantes ou de plusieurs coups qui se terminent par la victoire d'un joueur ou d'une équipe.

Passe : au Poker, indique qu'un joueur se retire de la course.

Passe-partout : carte qui peut acquérir n'importe quelle valeur au gré du joueur. Les Fous sont toujours des cartes passe-partout. D'autres cartes, comme les 2 par exemple, peuvent à l'occasion servir de cartes passe-partout.

Paquet : ensemble des cartes avant la donne. Après la donne, les cartes font partie soit d'une main, du talon ou de la pile de défausses.

Pile : voir défausses.

Pli : synonyme de levée.

Poule : synonyme de cagnotte, de pot, de corbeille.

Quatrième : série de quatre cartes qui se suivent, sans interruption, dans la même Couleur. Par exemple, l'As, le Roi, la Dame et le Valet de cœur forment une Quatrième à l'As. On nomme toujours une Séquence d'après la carte la plus forte qu'elle contient.

Quinte : série de cinq cartes qui se suivent, sans interruption, dans la même Couleur.

Relance : surenchère à une mise ou un enjeu.

Relancer : ajouter un certain nombre de jetons à une mise. Pour relancer, on dit : «Je tiens, plus...» et on précise le nombre de jetons de la relance.

Renonce : faire une renonce c'est refuser de suivre, c'est-à-dire de jouer une carte de la Couleur demandée, alors qu'on peut le faire.

Retourne : c'est la carte que le donneur retourne sur la table tout de suite après la distribution. Il prend la carte sur le dessus du talon et la dépose, retournée, à côté. Dans certains jeux, elle détermine la Couleur d'atout.

Retournée, carte : cette expression renvoie à la façon dont la carte est déposée sur la table soit lors de la distribution ou pendant le jeu lui-même. Une carte est retournée quand tous les joueurs assis autour de la table peuvent en voir la face, donc en connaître la valeur.

Rubicon : se dit d'un joueur qui n'a pas atteint un certain nombre de points.

Sans atout (jouer) **:** jouer un coup sans déterminer de Couleur d'atout. En sans atout, c'est toujours la carte la plus forte de la Couleur d'entame qui remporte la levée.

Séquence : suite ininterrompue de cartes d'une même Couleur.

Suivre : fournir une carte de la Couleur demandée par la carte d'entame d'un tour. Presque tous les jeux de cartes en font une obligation.

Talon : cartes qui restent après la distribution et que l'on dépose, couvertes, en paquet au centre de la table. Le talon sert, en général, à améliorer la main des joueurs qui y pigent une carte à tour de rôle.

Tierce : série de trois cartes qui se suivent, sans interruption, dans la même Couleur. On nomme toujours une Séquence d'après la carte la plus forte qu'elle contient : une Tierce au 5 est composée d'un 5, d'un 4 et d'un 3.

Tour : correspond à une levée. Jouer un tour, c'est donner à chaque joueur assis autour de la table l'occasion soit d'étaler une carte soit de piger une carte du talon et d'écarter. Plusieurs tours de table font un coup.

Trio : synonyme de Brelan.

Valeur : mesure conventionnelle attachée à chaque carte et déterminée par sa Couleur et par une figure ou un nombre. Ainsi, les 10 sont des cartes plus fortes que les 9 ou les 8. Dans certains jeux, la Couleur joue aussi un rôle pour fixer la valeur d'une carte. Par exemple, le 10 de pique est plus fort que le 10 de cœur.

Valeur nominale : valeur d'une carte déterminée par le chiffre et le nombre de symboles apparaissant sur sa face. Ainsi, la valeur nominale d'un 10 est 10, celle d'un 9 est 9. Dans les différents jeux, les 10, 9, 8, 7, 6, 5, 4, 3 et 2 gardent souvent leur valeur nominale.

Index des jeux

Écrivez-nous!

Vous avez une suggestion à faire, une question à poser. Écrivez-nous!

Vous ne trouvez pas de réponse à la question que vous vous posez au sujet de tel ou tel jeu. Ou vous ne trouvez pas la variante que vous connaissez à un jeu expliqué dans ce livre. Ou, encore, vous n'y retrouvez pas votre jeu de cartes préféré. Écrivez-nous!

Posez vos questions, faites vos suggestions et parlez-nous des jeux de cartes auxquels vous avez l'habitude de jouer avec vos parents et amis. Dans la prochaine édition de ce livre, nous nous ferons un plaisir non seulement de répondre à vos interrogations, mais aussi d'ajouter les variantes et les jeux les plus excitants que vous aurez proposés.

Adresse : Richard Raymond
a/s Les Éditions Quebecor
7, chemin Bates
Bureau 100
Outremont, Qc
H2V 1A6